LETTERE

TUTTE LE OPERE
DI
SANT'AMBROGIO

edizione bilingue
a cura della Biblioteca Ambrosiana

promossa dal cardinale
GIOVANNI COLOMBO
arcivescovo di Milano

in occasione del XVI centenario
dell'elezione episcopale di Sant'Ambrogio

SANCTI AMBROSII EPISCOPI MEDIOLANENSIS
OPERA
20

EPISTVLAE
(XXXVI-LXIX)

uolumen
secundum editionem
Patrum Maurinorum
(PL 16)

Mediolani   Romae
Bibliotheca Ambrosiana   Città Nuova Editrice
MCMLXXXVIII

SANT'AMBROGIO

Discorsi e Lettere II/II
LETTERE
(36-69)

introduzione, traduzione, note e indici
di
Gabriele Banterle

Milano   Roma
Biblioteca Ambrosiana   Città Nuova Editrice
1988

Questo volume è pubblicato con il contributo della Fondazione
S. Ambrogio per la Cultura Cristiana, sostenuta dal Dr. Ing. Aldo Bonacossa

© Biblioteca Ambrosiana, P.za Pio XI, 2 - 20123 Milano
Città Nuova Editrice, Via degli Scipioni, 265 - 00192 Roma
ISBN 88-311-9169-1

INTRODUZIONE

Può sembrare, a prima vista, che le lettere contenute in questo secondo volume (ll. VII-IX) non siano dottrinalmente cosí significative come quelle del primo o cosí storicamente importanti come quelle del terzo. Tale impressione, senza dubbio, può ricevere una conferma dalla presenza, su trentaquattro, di undici lettere (41, 42, 43, 45, 46, 47, 49, 53, 59, 60, 61), per lo piú assai brevi, che rivestono un carattere occasionale e privato.

Veramente la lettera 59, pur nella sua brevità, ribadisce quanto è stato energicamente affermato in materia matrimoniale nella lettera precedente (58) e la lettera 49 ci fornisce notizie storico-biografiche di particolare interesse; viceversa, la lettera 60, pur estendendosi per tre paragrafi, non supera i limiti di una calorosa effusione d'affetto.

A questo punto possiamo chiederci per quali ragioni sant'Ambrogio si sia indotto a includere queste lettere nel suo epistolario.

A titolo d'ipotesi si può supporre che per alcune di esse abbia pesato l'importanza del destinatario: papa (?) Siricio per la 41 e la 46, il console Attico per la 42, l'ignoto Alipio per la 61, nella quale il tono officioso e il trattamento di «eccellenza» (eximietatis tuae) rivelano il grado gerarchico di chi doveva riceverla [1]. Non mi sentirei tuttavia di escludere un certo compiacimento letterario, anche perché in alcune di esse l'elaborazione stilistica e il ricorso a concetti d'insolita ricercatezza dimostrano l'impegno dello scrittore.

Un posto a sé occupa la lettera 43 al vescovo di Como, Felice, per ringraziarlo del dono di tartufi d'inusitate proporzioni. L'espressione, secondo il gusto del tempo, può apparire involuta, ma il tono scherzoso e la sincerità dei sentimenti ne fanno, nel suo genere, un piccolo capolavoro.

Alle lettere di carattere prevalentemente privato appartengono senza dubbio anche le lettere 37 e 38. La prima, indirizzata a Sabino, riveste una particolare importanza biografico-letteraria, perché ci rivela il metodo seguito da sant'Ambrogio nella stesura delle sue opere e la sua meticolosità [2] nel curarne la perfetta aderenza al proprio pensiero; la seconda, rivolta ad Eusebio, tratta in forma biblicamente allusiva, per noi piuttosto oscura, dei suoi rapporti con la famiglia dell'amico.

---

[1] Cf. SYMM., *Ep.*, III, 3, 2, a Sextus Rusticus Iulianus, *Praefectus urbi* sotto Massimo. Per la lettera 45, vedi il commento.

[2] Vedi par. 2: *Nobis autem quibus curae est senilem sermonem familiari usu ad unguem distinguere et lento quodam figere gradu.*

Queste lettere, tuttavia, proprio per tale carattere — diremmo
— di ordinaria amministrazione, conferiscono all'intera raccolta
un'impronta di sincerità umana e di spontaneità che le lettere dottrinali o quelle ufficiali non saprebbero darle. Costituiscono, quindi,
un elemento positivo, che ai nostri occhi serve a completare un
quadro già cosí ricco e interessante.

Un nucleo notevole di questa raccolta è costituito dalle lettere
che potremmo chiamare «esegetiche». Sono nove in tutto: la 40 su
Ger 17, 11, la 44 su Deut 28, 23, la 48 su Es 32, la 54 sulla manna,
la 63 su Rom 4, 15, la 64 su Gal 3, 24, la 65 su Gal 3, passim, la
66 su Gen 15, 6, la 67 su Gv 9, 1 ss. In questo gruppo potrebbe
rientrare anche la lettera 68 sull'adultera del Vangelo, che per il suo
contenuto si collega alla lettera 50 sulla posizione dei Vescovi e
degli stessi magistrati cristiani di fronte alla pena di morte.

Le altre lettere affrontano temi svariati che in vario modo sono
in rapporto con l'azione didattica o pastorale di Ambrogio. Cosí la
36 al vescovo Costanzo sui doveri e l'insegnamento episcopale, con
un excursus meno opportuno sulla vicenda di Giuseppe Ebreo; cosí
la 62 al vescovo Vigilio, nella quale si insiste soprattutto sulla
necessità di evitare i matrimoni misti e si invoca quale argomento
la tragica storia di Sansone, esposta con un'ampiezza che pregiudica,
una volta di piú, l'equilibrio compositivo.

Nella lettera 58 Ambrogio dichiara inammissibile un matrimonio tra zio e nipote ex sorore, mentre dedica la 69 al significato
della circoncisione nell'Antico Testamento quale prefigurazione del
sacrificio della croce.

Le due lettere 51 e 52 sono relative alla morte di Acolio, vescovo
di Tessalonica, e alla successione di Anicio; la 39 all'eresia di Apollinare.

Alla lettera 55 ha dedicato una particolare attenzione il Lazzati
nel suo studio su Il valore letterario dell'esegesi ambrosiana [3].
Egli la definisce «un tipico esempio di reductio artium ad Sacram
Scripturam», per cui «la Sacra Scrittura diventa... anche il libro
dell'arte dialettica e retorica», cioè «la fonte primaria cui i pensatori
classici attinsero le regole della tecnica del ragionare e del dire».
Ha ragione l'Autore a paragonare qui Ambrogio all'«abile prestigiato-
re» che «trae dalla scatola magica le piú stupefacenti cose» [4].

Restano, infine, particolarmente significative, le due lettere 56
e 57 a Siagrio, vescovo di Verona, sul procedimento contro la vergine
Indicia, accusata ingiustamente di aver violato i sacri voti, anzi di
aver ucciso il frutto della sua colpa.

Forte del consenso di vari suoi confratelli [5] e della sua autorità
di metropolita, Ambrogio, nella prima lettera, rimprovera energicamente il suo suffraganeo di aver agito con superficialità e precipita-
zione, cedendo alle richieste di chi avrebbe preteso di oltraggiare la

---

[3] Milano 1960, pp. 53 ss.
[4] Cf. anche De off., I, 10, 31; 28, 113, ecc.
[5] Il Palanque (Saint Ambroise et l'empire romain, De Boccard, Paris 1933, p.
554) pensa al Sinodo milanese del 393.

vergine con una visita di controllo [6]. Nella seconda invece si dilunga
sulla dolorosa vicenda della moglie del levita, narrata in Giud 19,
per dimostrare in quale onore fosse tenuta la pudicizia nei tempi
antichi. Non si capisce bene perché sant'Ambrogio si sia dato cura
di esporre ad un confratello, che certamente lo conosceva benissimo,
l'episodio biblico, ampliandolo anzi con elementi ricavati dalle Antichità giudaiche di Giuseppe Flavio [7]. Verrebbe fatto di pensare di
primo acchito che il piacere della narrazione, senza dubbio efficace,
gli abbia preso la mano. Del resto, qualche cosa di simile era
avvenuto anche nella lettera 62, nella quale la storia di Sansone,
come s'è detto, aveva trovato uno sviluppo assolutamente eccessivo
in un contesto epistolare. Personalmente sarei propenso a credere,
piuttosto, che nella seconda lettera a Siagrio egli, resosi conto di
aver agito forse con eccessiva durezza nei riguardi di un collega
nell'episcopato, abbia voluto — senza farlo apparire — attenuare
nella forma il suo atteggiamento, anche se — nella sostanza — la
sua posizione rimaneva immutata [8].

Le lettere di sant'Ambrogio occupano un posto di rilievo nella
storia dell'epistolografia latina da Cicerone a san Gregorio Magno.
Ciò è dovuto non solo al loro valore storico e dottrinale, ma anche
al significato culturale e letterario, se non propriamente artistico,
che esse rivestono nell'ambito della letteratura romana.

Si pone quindi il problema della loro derivazione e dei loro
modelli. Nella sua diligente tesi di laurea, dedicata alle lettere di
sant'Ambrogio, G. Wilbrand elenca una serie di autori che ne sarebbero stati le fonti e i modelli [9]. Senza dubbio Filone ed Origene
appartengono alla prima categoria; alla seconda, invece, Sallustio,
Cicerone, Virgilio, per tacere di minori apporti. Una posizione inter-
media assegnerei a Giuseppe Flavio.

È il caso tuttavia di parlare di veri e propri modelli?

Sia il Faller sia la Zelzer, editori delle lettere di Ambrogio nel
Corpus Vindobonense [10], ritengono che la divisione in dieci libri
di quelle pubblicate, vivente Ambrogio, sia dovuta all'esempio di
Plinio il Giovane [11]. Mancano tuttavia prove sicure di una diretta
conoscenza dell'epistolario pliniano [12].

---

[6] Vedi F. MARTROYE, L'affaire d'Indicia, Melanges Fournier, Paris 1929, pp.
503-510. Tale studio ha un carattere prevalentemente giuridico.

[7] V, 2.

[8] Se fosse conosciuta con certezza, la data di queste due lettere sarebbe
fondamentale per la cronologia del protettore di Verona, il vescovo san Zeno.
Purtroppo, in materia, i pareri sono notevolmente diversi per la mancanza d'ogni
elemento di sicura validità. L'espressione sanctae memoriae, riferita al vescovo
defunto, non ci autorizza nemmeno ad affermare che sant'Ambrogio l'abbia personalmente conosciuto o che i due episcopati siano stati, almeno parzialmente,
contemporanei.

[9] S. Ambrosius quos auctores quaeque exemplaria in epistulis componendis
secutus sit, Monasterii Guestfalorum, Münster 1909.

[10] CSEL 82, pars X, Epistulae et Acta, tomi I et III.

[11] CSEL 82, X, III, p. XII; M. ZELZER, Die Briefbücher des hl. Ambrosius und die
Briefe extra collectionem, Verlag der Österr. Akademie der Wissenschaften, Wien
1975, p. 8.

[12] Sull'argomento, vedi F. TRISOGLIO, Sant'Ambrogio conobbe Plinio il Giovane?,

Quindi, almeno per le lettere di carattere piú scopertamente letterario, io risalirei piuttosto, sia pure genericamente, al modello ciceroniano [13]. Questa precisazione s'impone, dato il carattere estremamente vario della corrispondenza ambrosiana. È evidente, infatti, che una cosa sono le lettere dottrinali, che si presentano spesso come veri e propri trattati [14] e talora ne raggiungono quasi l'estensione, e un'altra le lettere storico-narrative. Altrettanto si dica delle lettere ufficiali rispetto a quelle di natura privata e confidenziale.

Se in tutte, piú o meno, si avverte l'influenza retorico-scolastica di origine ciceroniana, è soprattutto in quelle di carattere amichevole e familiare che si riscontra, a mio giudizio, oltre ad una maggiore aderenza al «genere», anche un piú sottile impegno letterario, nel quale trovano applicazione, piú chiaramente che altrove, i precetti di Cicerone sull'impiego dei lumina uerborum et sententiarum [15], cioè sulle «figure» di parole e di pensiero, sugli ornamenti, insomma, mediante i quali si conferisce al discorso una forma lontana dall'espressione comune che si presenta per prima [16].

Significative a questo riguardo mi sembrano soprattutto le lettere 42 e 43, per il gioco di parole su priscus, la prima, per la sottigliezza dei concetti, attraverso i quali si esprimono sentimenti di affetto, la seconda.

Sotto l'aspetto narrativo e retorico meritano invece una particolare attenzione le lettere 57 e 62.

La prima consiste quasi interamente (parr. 3-17) in un'esposizione dell'episodio del Levita, di cui a Giud 19-21, rielaborato, come si è detto, col sussidio di Giuseppe Flavio [17]; la seconda è in buona parte dedicata alla vicenda di Sansone, arricchita con gli apporti ricavati dal testo dello stesso Giuseppe [18]. Come sottolinea il Wilbrand [19], nei due brani non solo si fa largo impiego degli ornamenti

---

«Rivista di Studi Classici», XX, 1972, pp. 363-410 e Opera omnia, Lettere, vol. III, Introd., nota 6. Anche P. Cugusi (Evoluzione e forme dell'epistolografia latina, ecc., Herder, Roma 1983, p. 226 e nota 276 bis) ritiene incerta la lettura dell'epistolario pliniano da parte di sant'Ambrogio.

[13] Sull'uso delle figure retoriche ciceroniane in sant'Ambrogio, vedi G. MAMONE, La forma delle lettere di S. Ambrogio, in «Didaskaleion», I, 2 (1924), pp. 155 ss.; per le clausole ritmiche, p. 164. Interessanti affermazioni sia in generale sullo stile di sant'Ambrogio sulle sue lettere si hanno in G. BARTELINK, Sprachliche und stilistische Bemerkungen in Ambrosius Schriften, «Wiener Studien», N.F., Band XIII, 1979, pp. 175-202.

[14] H. Peter (Der Brief in der römischen Literatur, G. Olms, Hildesheim 1965, rist. dell'edizione del 1901, p. 241) osserva giustamente: «Die Einkleidung in die Briefform ist ihm oft nur äusserlich gelungen...».

[15] Cf. De orat., III, 52, 201: tum est quasi luminibus distinguenda et frequentanda omnis oratio sententiarum atque uerborum; cf. anche Orat., 27, 95 e De opt. gen. orat., 2, 5.

[16] Cf. QVINT., IX, 1, 4: «figura», sicut nomine ipso patet, conformatio quaedam orationis remota a communi et primum se offerente ratione. Vedi anche ibid., parr. 7 ss.

[17] Per la lettera 57 vedi l'ampio confronto fra Ambrogio e la sua fonte in WILBRAND, op. cit., pp. 21-25.

[18] Vedi WILBRAND, op. cit., pp. 25-29.

[19] Op. cit., pp. 21 e 42 ss.

retorici, ma si attinge frequentemente all'uso di Sallustio, del quale si avverte spesso il colorito stilistico.

Nell'epistola 62 si distingue per l'impegno — e il compiacimento — manifestamente letterario il discorso posto in bocca a Sansone al par. 20.

È evidente che nelle lettere esegetico-dottrinali, come in buona parte delle opere di sant'Ambrogio, l'interesse per l'argomento trattato mette in seconda linea le esigenze formali, che tuttavia non sono mai del tutto trascurate.

Quanto alle lettere ufficiali, si rinvia all'Introduzione e al commento del III volume.

Naturalmente, con queste brevi note, non ritengo di aver esaurito un argomento per sua natura indubbiamente complesso. Mi basta di aver offerto qualche indicazione che consenta di individuare più facilmente nell'epistolario ambrosiano la molteplicità e la ricchezza degli elementi che ne fanno ben più di un testo dottrinale o di un documento storico nell'ambito della letteratura latina.

Dopo aver atteso invano la pubblicazione, che si riteneva imminente, del II volume delle Lettere *nello* CSEL [20], *sono stato costretto a ripiegare sul testo dei Maurini (PL 16), di cui però ho riveduto radicalmente la punteggiatura, non solo arcaica, ma addirittura fuorviante. Naturalmente ho corretto qualche manifesto errore di stampa [21] e, in taluni casi, ho creduto di dover modificare l'ortografia, sostituendo le forme meno esatte, anche se attestate dalla tradizione. Altrettanto ho fatto con le maiuscole, di cui ho limitato l'impiego anche per uniformarmi alla consuetudine dello CSEL.*

L'inesistenza di un apparato critico mi ha impedito di tentare una qualsiasi revisione del testo dei Maurini, costituito tuttavia con criteri di fedeltà alla tradizione rappresentata dai manoscritti a loro noti, senza rischiosi emendamenti.

Da un punto di vista filologico, sono il primo a riconoscere questi limiti, non imputabili certo alla mia volontà; da un punto di vista pratico, comprendo il desiderio degli Editori di non ritardare ulteriormente la pubblicazione dell'epistolario ambrosiano, a tutt'oggi poco accessibile anche alle persone di buona cultura. Sotto questo aspetto, la decisione da essi adottata appare non soltanto giustificabile, ma senz'altro opportuna [22].

---

[20] Ne ho potuto utilizzare la numerazione delle lettere secondo la tavola comparativa anticipata nel III volume (1982).

[21] Per i confronti mi sono servito dell'edizione veneziana del 1751, anch'essa, purtroppo, non priva di errori.

[22] Le citazioni di Filone rinviano all'edizione Cohn-Wendland-Reiter; in quelle di Giuseppe Flavio sono indicati tra parentesi i paragrafi dell'edizione del Niese.

BIBLIOGRAFIA ESSENZIALE

SANCTI AMBROSII *Opera omnia*, PL 16, coll. 913 ss.

FLAVII IOSEPHI *Opera*, I-IV, *Antiquitatum Iudaicarum 11.XX*, edidit B. Niese, Weidmann, Berolini 1887-1890.

PHILONIS ALEXANDRINI *Opera quae supersunt*, ediderunt Cohn-Wendland-Reiter, G. Reimer, Berolini 1896-1930, voll. I, III, IV.

PETER H., *Der Brief in der römischen Literatur*, G. Olms, Hildesheim 1965, rist. dell'edizione del 1901.

WILBRAND G., *S. Ambrosius quos auctores quaeque exemplaria in epistulis componendis secutus sit*, Monasterii Guestfalorum, Münster 1909.

MAMONE G., *Le epistole di S. Ambrogio*, in «Didaskaleion», N.S., I, 2 (1924), pp. 3-143.

MAMONE G., *La forma delle lettere di S. Ambrogio*, ivi, pp. 145-164.

MARTROYE F., *L'affaire d'Indicia*, Melanges Fournier, Paris 1933, pp. 503-510.

PALANQUE J.-R., *Saint Ambroise et l'empire romain*, De Boccard, Paris 1933.

PALANQUE J.-R., *Deux correspondants de saint Ambroise*, in «Revue des Études Latines», XI (1933), pp. 153-163.

HOMES-DUDDEN F., *The life and the times of St. Ambrose*, 2 voll., Clarendon Press, Oxford 1935.

PAREDI A., *S. Ambrogio e la sua età*, Hoepli, Milano 1960². (Ne è uscita una nuova edizione, purtroppo senza note, presso Rizzoli, 1985).

LAZZATI G., *Il valore letterario della esegesi ambrosiana*, Archivio Ambrosiano, XI, Milano 1960.

ZELZER M., *Die Briefbücher des hl. Ambrosius und die Briefe extra collectionem*, Wien 1975, aus dem «Anzeiger der phil.-hist. Klass der Öst. Akademie der Wissenschaften», 112 Jahrgang, 1971, pp. 7-23.

TRISOGLIO F., *S. Ambrogio conobbe Plinio il Giovane?*, in «Rivista di Studi Classici», XX, 1972, pp. 363-410.

MAZIÈRES J.-P., *Les lettres d'Ambroise de Milan à Orontien: remarques sur leur chronologie et leur destinataire*, in «Pallas», IX, 1973, fasc. 5, pp. 49-57.

PIZZOLATO L.F., *La dottrina esegetica di S. Ambrogio*, in «Studia Patristica Mediolanensia», 9, Vita e Pensiero, Milano 1978.

BARTELINK G., *Sprachliche und stilistische Bemerkungen in Ambrosius Schriften*, «Wiener Studien», N.J., Band XIII, 1979, pp. 175-202.

SANCTI AMBROSII *Opera*, CSEL 82, pars X, *Epistulae et Acta*, Tom. III, *Epistularum Liber decimus, Epistulae extra collectionem, Gesta Concilii Aquileiensis*, recensuit Michaela Zelzer, Vindobonae MCMLXXXII.

TAVOLA CRONOLOGICA DELLE LETTERE DEL II VOLUME

Lettera XXXVI: 379 (Dudden)
XXXVII: 390 (Maurini)
XXXVIII: 392 (Maurini, Dudden)
XLIII: 380 (Maurini)
XLV: inizio settembre 392 (ottobre, Dudden)
XLIX: 395 (Maurini)
  393 (Dudden)
  392 (Palanque)
  387 (altri)
L: dopo il 385 e prima del 387 (Maurini)
LI: 383
LII: 383
LV: prima del 381 (Maurini)
LVI: dal 380 (Maurini) al 395/396 (Palanque)
LVII: dal 380 (Maurini) al 395/396 (Palanque)
LVIII: 393 (Palanque)
  393 o 396 (Dudden)
LXII: 385 (Dudden)
LXVIII: 385 (Dudden)

N.B. Per le altre lettere mancano indizi sufficienti per una datazione che abbia qualche garanzia di fondamento.

TAVOLA COMPARATIVA TRA CSEL E MAURINI

Liber primus

ep. I = Maur. 7 *Iusto*
ep. II = Maur. 65 *Simpliciano*
ep. III = Maur. 67 *Simpliciano*
ep. IV = Maur. 27 *Irenaeo*
ep. V = Maur. 4 *Felici*
ep. VI = Maur. 28 *Irenaeo*

Liber secundus

ep. VII = Maur. 37 *Simpliciano*
ep. VIII = Maur. 39 *Faustino*
ep. IX = Maur. 79 *Bellicio*
ep. X = Maur. 38 *Simpliciano*

Liber quartus*

ep. XI = Maur. 29 *Irenaeo*
ep. XII = Maur. 30 *Irenaeo*
ep. XIII = Maur. 31 *Irenaeo*
ep. XIV = Maur. 33 *Irenaeo*
ep. XV = Maur. 69 *Irenaeo*
ep. XVI = Maur. 76 *Irenaeo*
ep. XVII = Maur. 81 *Clericis*

Liber quintus

ep. XVIII = Maur. 70 *Orontiano*
ep. XIX = Maur. 71 *Orontiano*
ep. XX = Maur. 77 *Orontiano*
ep. XXI = Maur. 34 *Orontiano*
ep. XXII = Maur. 35 *Orontiano*
ep. XXIII = Maur. 36 *Orontiano*
ep. XXIV = Maur. 82 *Marcello*

ep. XXV = Maur. 53 *Theodosio imperatori*
ep. XXVI = Maur. 54 *Eusebio*

Liber sextus

ep. XXVII = Maur. 58 *Sabino*
ep. XXVIII = Maur. 50 *Chromatio*
ep. XXIX = Maur. 43 *Orontiano*
ep. XXX = Maur. 24 *Valentiniano imperatori*
ep. XXXI = Maur. 44 *Orontiano*
ep. XXXII = Maur. 48 *Sabino*
ep. XXXIII = Maur. 49 *Sabino*
ep. XXXIV = Maur. 45 *Sabino*
ep. XXXV = Màur. 83 *Sisinnio*

Liber septimus

ep. XXXVI = Maur. 2 *Constantio*
ep. XXXVII = Maur. 47 *Sabino*
ep. XXXVIII = Maur. 55 *Eusebio*
ep. XXXIX = Maur. 46 *Sabino*
ep. XL = Maur. 32 *Sabino*
ep. XLI = Maur. 86 *Siricio*
ep. XLII = Maur. 88 *Attico*
ep. XLIII = Maur. 3 *Felici*
ep. XLIV = Maur. 68 *Romulo*
ep. XLV = Maur. 52 *Tatiano* (?)
ep. XLVI = Maur. 85 *Siricio*
ep. XLVII = Maur. 87 *Foegadio et Delfino*
ep. XLVIII = Maur. 66 *Romulo*
ep. XLIX = Maur. 59 *Seuero*
ep. L = Maur. 25 *Studio*
ep. LI = Maur. 15 *Anatolio Munerio Seuero* al.
ep. LII = Maur. 16 *Anysio*
ep. LIII = Maur. 91 *Candidiano*

---

* Le lettere del III libro, con alcune dei libri II e IV, sono perdute.

Liber octauus

ep. LIV = Maur. 64   *Irenaeo*
ep. LV = Maur. 8   *Iusto*
ep. LVI = Maur. 5   *Syagrio*
ep. LVII = Maur. 6   *Syagrio*
ep. LVIII = Maur. 60   *Paterno*
ep. LIX = Maur. 84   *Cynegio*
ep. LX = Maur. 90   *Antonio*
ep. LXI = Maur. 89   *Alypio*

Liber nonus

ep. LXII = Maur. 19   *Vigilio*
ep. LXIII = Maur. 73   *Irenaeo*
ep. LXIV = Maur. 74   *Irenaeo*
ep. LXV = Maur. 75   *Irenaeo*
ep. LXVI = Maur. 78   *Orontiano*
ep. LXVII = Maur. 80   *Bellicio*
ep. LXVIII = Maur. 26   *Studio*
ep. LXIX = Maur. 72   *Constantio*

Liber decimus

ep. LXX = Maur. 56   *Theophilo*
ep. LXXI = Maur. 56a   *De Bonoso episcopo*
ep. LXXII = Maur. 17   *Valentiniano imperatori*
ep. LXXIIa = Maur. 17a   *Relatio Symmachi*
ep. LXXIII = Maur. 18   *Valentiniano imperatori*
ep. LXXIV = Maur. 40   *Theodosio imperatori*
ep. LXXV = Maur. 21   *Valentiniano imperatori*
ep. LXXVa = Maur. 21a   *Contra Auxentium*
ep. LXXVI = Maur. 20   *Marcellinae sorori*
ep. LXXVII = Maur. 22   *Marcellinae sorori*

EPISTVLAE EXTRA COLLECTIONEM

Corpus I

ep. I = Maur. 41   *Marcellinae sorori*
ep. Ia = Maur. 40   *Theodosio imperatori*
ep. II = Maur. 61   *Theodosio imperatori*
ep. III = Maur. 62   *Theodosio imperatori*
ep. IV = Maur. 10   *Gratiano Valentiniano Theodosio*
ep. V = Maur. 11   *Gratiano Valentiniano Theodosio*
ep. VI = Maur. 12   *Gratiano Valentiniano Theodosio*
ep. VII   *Gratiano Valentiniano impp.*
ep. VIII = Maur. 14   *Theodosio imperatori*
ep. IX = Maur. 13   *Theodosio imperatori*
ep. X = Maur. 57   *Eugenio imperatori*

Corpus II

ep. XI = Maur. 51   *Theodosio imperatori*
ep. XII = Maur. 1   *Gratiano imperatori*
ep. XIII = Maur. 23   *Episcopis per Aemiliam constitutis*
ep. XIV = Maur. 63   *Vercellensi ecclesiae*
ep. Sir. = Maur. 41a   *Diuersis episcopis*
ep. XV = Maur. 42   *Siricio papae*

GESTA CONCILII AQVILEIENSIS

ep. I = Maur. 9   *Episcopis Viennensium et Narbonensium*
ep. II = Maur. 10   *Gratiano Valentiniano Theodosio*
Acta = Maur. ante ep. 9

Epistulae
(XXXVI-LXIX)

Lettere
(36-69)

LIBER SEPTIMVS

XXXVI (Maur. 2)
Ambrosius Constantio

1. Suscepisti munus sacerdotii, et in puppe ecclesiae sedens nauim aduersus fluctus gubernas. Tene clauum fidei, ut te graues huius saeculi turbare non possint procellae. Mare quidem magnum et spatiosum, sed noli uereri, quia *ipse super maria fundauit eam et super flumina preparauit eam* [a]. Itaque non immerito inter tot mundi freta ecclesia domini tamquam supra apostolicam aedificata petram immobilis manet et inconcusso aduersum impetus saeuientis sali perseuerat fundamine [b]. Alluitur undis, non quatitur, et licet frequenter elementa mundi huius magno illisa resultent fragore, habet tamen, quo laborantes excipiat, tutissimum portum salutis.

2. Sed tamen, etsi in mari fluctuat, currit in fluminibus; et uide ne in illis fluminibus magis, de quibus dictum est: *Eleuauerunt flumina uocem suam* [a]. Sunt enim flumina, quae de uentre eius fluent, qui potum a Christo acceperit et de spiritu dei sumpserit [b]. Haec ergo flumina, cum redundant spiritali gratia, eleuant uocem suam. Est et fluuius qui decurrit in sanctos suos sicut torrens [c]. Est et fluminis impetus, qui laetificat animam pacificam atque tranquillam [d]. Ex huius fluminis plenitudine quicumque acceperit, sicut Ioannes euangelista, sicut Petrus et Paulus, eleuat uocem suam; et sicut apostoli euangelicae praedicationis uocem usque in totos fines orbis terrarum canoro diffuderunt praeconio, ita et iste incipit euangelizare dominum Iesum. Accipe ergo a Christo, ut et tuus sonus exeat.

1. [a] * Ps 23, 2.
   [b] Cf. Mt 16, 18.
2. [a] Ps 92, 3.
   [b] Cf. Io 7, 38.
   [c] Cf. Is 66, 12.
   [d] Cf. Ps 45, 5.

---

* Vengono contrassegnati da un asterisco i passi della Sacra Scrittura che non corrispondono esattamente al testo della *Vulgata*.

LIBRO SETTIMO

36 (Maur. 2)
Ambrogio a Costanzo [1]

1.   Hai assunto l'ufficio episcopale e, sedendo sulla poppa della Chiesa, guidi la nave contro i flutti. Tieni saldo il timone della fede, perché le pericolose procelle di questo mondo non possano turbarti. Il mare, senza dubbio, è grande ed esteso, ma non temere, perché *egli l'ha fondata sui mari e l'ha stabilita sui fiumi.* Perciò, non senza ragione la Chiesa del Signore, per così dire costruita sulla pietra dell'apostolo, rimane immobile tra i tanti marosi del mondo e sul suo fondamento inconcusso resiste senza tregua alla violenza del mare che infuria. Le onde la lavano, non la scuotono; e quantunque gli elementi di questo mondo risuonino infrangendosi contro di essa con grande fragore, ha tuttavia un sicurissimo porto di salvezza in cui accogliere chi si trova in difficoltà.

2.   E tuttavia, anche se nel mare è sbattuta, questa nave nei fiumi corre veloce; e vedi se ciò non avvenga di preferenza nei fiumi dei quali è stato detto: *I fiumi hanno levato il loro grido.* Vi sono infatti fiumi che scorreranno dal ventre di colui che ha ricevuto da Cristo la bevanda e bevuto dallo Spirito di Dio. Questi fiumi, quando sono ricolmi della grazia spirituale, levano la loro voce. C'è anche un fiume che scende sopra i suoi santi come un torrente. C'è anche l'impeto di un fiume che allieta l'anima che ama la pace e la tranquillità. Chiunque riceve dalla pienezza di questo fiume, come l'evangelista Giovanni, come Pietro e Paolo, leva la propria voce. E come gli Apostoli diffusero con risonante annunzio la voce della predicazione evangelica sino a tutti i confini della terra, così anche costui comincia a diffondere il lieto annuncio del Signore Gesú. Ricevi dunque da Cristo la bevanda, perché anche dalla tua bocca esca la tua voce.

---

[1] Come osserva il Palanque (*op. cit.*, p. 570), non sappiamo nulla del Costanzo cui è indirizzata la presente lettera, se non che si tratta di un vescovo (*Suscepisti munus sacerdotii*, ecc.). Secondo il Lanzoni (*Le origini delle diocesi antiche d'Italia*, Roma 1923, pp. 432-434) egli era vescovo di *Claterna*, città della Gallia Cisalpina tra Bologna e Imola, oggi Quaderna, comune di Ozzano dell'Emilia. Altri pensano a Bologna, *Vicohabentia* (attuale Voghenza) o *Fauentia*.

3. Mare est scriptura diuina, habens in se sensus profundos et altitudinem propheticorum aenigmatum, in quod mare plurima introierunt flumina. Sunt ergo et fluuii dulces et perspicui, sunt et fontes niuei, qui saliant in uitam aeternam [a]; sunt et sermones boni, sicut faui mellis [b] et gratae sententiae, quae animos audientium spiritali quodam potu irrigent et praeceptorum moralium suauitate mulceant. Diuersa igitur scripturarum diuinarum fluenta. Habes quod primum bibas, habes quod secundum, habes quod postremum.

4. Collige aquam Christi, illa quae laudat dominum [a]. Collige aquam de pluribus locis, quam effundunt nubes propheticae [b]. Quicumque colligit de montibus aquam atque ad se trahit uel haurit e fontibus, et ipse rorat sicut nubes. Imple ergo gremium mentis tuae, ut terra tua humescat et domesticis irrigetur fontibus. Ergo qui multa legit et intellegit, impletur; qui fuerit impletus, alios rigat; ideoque scriptura dicit: *Si impletae fuerint nubes, pluuiam in terram effundent* [c].

5. Sint ergo sermones tui proflui, sint puri et dilucidi, ut morali disputatione suauitatem infundas populorum auribus et gratia uerborum tuorum plebem demulceas, ut uolens, quo ducis, sequatur. Quod si aliqua uel in populo uel in aliquibus contumacia uel culpa est, sint sermones tui huiusmodi, ut audientem stimulent, compungant male conscium: *Sermones enim sapientium tamquam stimuli* [a]. Stimulauit et dominus Iesus Saulum, cum esset persecutor. Quam salutaris fuerit stimulus, considera, qui ex persecutore apostolum fecit dicendo: *Durum est tibi ut aduersus stimulum calces* [b].

6. Sunt etiam sermones sicut lac, quos infudit Paulus Corinthiis [a]; qui enim fortiorem cibum epulari non queunt, succo lactis ingenii sui exercent infantiam.

7. Alloquia tua plena intellectus sint. Vnde et Salomon ait: *Arma intellectus labia sapientis* [a], et alibi: *Labia tua alligata sint sensu* [b], id est fulgeat sermonum tuorum manifestatio, intellectus coruscet et alloquium tuum atque tractatus aliena non indigeat assertione; sed sermo tuus uelut armis suis sese ipse tueatur nec

3. [a] Cf. Io 4, 14.
  [b] Cf. Prou 16, 24.
4. [a] Cf. Ps 148, 5.
  [b] Cf. Eccle 11, 3.
  [c] * Eccle 11, 3.
5. [a] * Eccle 12, 11.
  [b] * Act 9, 5.
6. [a] Cf. 1 Cor 3, 2.
7. [a] * Prou 14, 3.
  [b] Prou 15, 5.

3. Il mare è la Scrittura divina, che racchiude in sé sensi profondi e abissi di enigmi profetici: in questo mare si sono riversati moltissimi fiumi. Vi sono dunque anche fiumi dolci e trasparenti, vi sono anche fonti dalle fresche acque, che scaturiscono per la vita eterna; vi sono anche discorsi buoni come favi di miele e gradevoli detti che irrigano l'animo degli ascoltatori — per cosí dire — d'una bevanda spirituale, e li blandiscono con la soavità di precetti educativi. Vari, dunque, sono i filoni delle Sacre Scritture. In esse trovi di che bere per primo, per secondo, per ultimo.

4. Raccogli l'acqua di Cristo, quella che loda il Signore. Raccogli da molti luoghi l'acqua che scende dalle nubi profetiche. Chiunque raccoglie l'acqua dai monti e la conduce a sé o l'attinge dalle fontane la irrora anch'egli come le nubi. Riempine dunque il grembo della tua mente, affinché la tua terra ne sia inumidita e irrigata da fonti che provengono da te stesso[2]. Chi dunque legge molti testi e li comprende, ne è riempito; chi ne è riempito, irriga gli altri. Perciò la Scrittura dice: *Se le nubi saranno colme d'acqua, riverseranno la pioggia sulla terra.*

5. I tuoi discorsi siano dunque come acqua che scorre copiosa, siano puri e limpidi, affinché tu possa infondere, mediante un insegnamento ricco di umana comprensione, la dolcezza negli orecchi della gente e accarezzare il popolo con l'attrattiva della tua parola, perché ti segua volentieri dove tu lo conduci[3]. Ma se nel popolo o in taluni individui v'è una certa caparbietà o qualche colpa, i tuoi discorsi siano tali da pungolare l'ascoltatore, da indurre a compunzione chi si sente colpevole: *Infatti i discorsi dei sapienti sono come pungoli.* Anche il Signore Gesú pungolò Saulo, poiché era un persecutore. Considera quanto sia stato salutare quel pungolo che di un persecutore fece un apostolo mediante queste parole: *Ti è difficile recalcitrare sotto il pungolo*[4].

6. Vi sono anche discorsi simili al latte, che Paolo rivolse ai Corinti. Infatti quelli che non possono nutrirsi di un cibo piú sostanzioso, col succo del latte alimentano l'infanzia della loro intelligenza.

7. I discorsi che rivolgi agli altri siano pieni di discernimento. Perciò anche Salomone dice: *Le labbra del saggio sono armi di discernimento*[5], e in un altro passo: *Le tue labbra siano legate dal senno*[6], cioè: risplenda l'espressione dei tuoi discorsi, lampeggi la tua intelligenza e le tue esortazioni, e i tuoi sermoni non abbiano bisogno delle affermazioni altrui; ma il tuo discorso si difenda da sé, per cosí dire, con le proprie armi, e nessuna parola

---

[2] Intendo cosí *domesticus.*
[3] Vedi L.F. PIZZOLATO, *L'esegesi ambrosiana,* Vita e Pensiero, Milano 1978, pp. 131-132.
[4] Questo passo (cf. Atti 9, 5) non si trova nell'edizione critica della *Vulgata* (Stoccarda 1975), come pure nella *Noua Vulgata.*
[5] La *Vulgata* ha: *labia autem sapientium custodiunt eos.*
[6] Questo passo non si trova sia nella *Vulgata* sia nei *Settanta.*

ullum uerbum tuum in uanum exeat et sine sensu prodeat. Est
enim alligatura quae constringere solet animorum uulnera; quam
si quis reicit, desperatam sui prodit salutem [c]. Et ideo circa eos,
qui graui ulcere uexantur, utere oleo sermonis, quo foueas mentis
duritiam: appone malagma, adiunge alligaturam salutaris praecepti, ut uagos et fluctuantes circa fidem uel disciplinae obseruantiam nequaquam soluto animo et remisso uigore patiaris perire.

8.   Admone igitur plebem domini atque obsecra, ut abundet
in operibus bonis, renuntiet flagitiis, non accendat flammarum
incendia, non dicam in sabbato, sed in omni tempore, ne combu-
rat corpus suum; fornicatio et immunditia non sit in dei seruulis,
quia immaculato seruimus dei filio [a]. Nouerit unusquisque se et
uas possideat suum [b], quo subacto quodam sui corporis solo,
fructus exspectet debitos nec spinas et tribulos ei terra sua germi-
net [c], sed dicat et ipse: *Terra dedit fructus suos* [d] atque in hac
dumosa quondam passionum fragilitate insitiua uirtutum efflo-
reant.

9.   Edoce etiam atque institue, ut faciant quod bonum est,
et unusquisque non intermittat opus probabile, siue a pluribus
uideatur siue sine arbitro sit; abundat enim sibi locuples testis
conscientia.
10.   Fugiat etiam mala opprobria, etiamsi se credat non
posse conuinci. Nam etsi clausus parietibus sit et opertus tenebris, sine teste, sine conscio, habet tamen facti arbitrum quem
nihil fallat, ad quem facta clamant omnia. Denique clamauit et
uox sanguinis [a]. Se ipsum unusquisque et animum suum seuerum
iudicem sui, ultorem sceleris et uindicem criminis habet. Denique
timens et tremens oberrabat Cain [b], parricidialis facinoris luens
poenas, ut ei remedio sua mors fuerit, quae uagum exulem formi-
dato per omnia momenta terrore mortis per mortem exuit. Nemo
igitur uel solus uel cum altero aliquid turpe aut improbum faxit.
Et si quis solus est, se ipsum prae ceteris erubescat, quem maxime
debet uereri.

11.   Nec concupiscat plurima, quia et pauca ei plurima sunt;
paupertas enim et opes inopiae et satietatis uocabula sunt. Nec
diues est qui indiget aliquo nec pauper qui non indiget. Nec

[c] Cf. Is 1, 6.
8. [a] Cf. Eph 5, 3.
   [b] Cf. 1 Thess 4, 4.
   [c] Cf. Gen 3, 18.
   [d] Ps 84, 13.
10. [a] Cf. Gen 4, 10.
   [b] Cf. ibid.

ti esca dalle labbra senza necessità e sia pronunciata senza un significato. C'è infatti una fasciatura che suole bendare le ferite degli animi; se uno la rifiuta, mostra che non c'è speranza per la sua salvezza. Perciò, con coloro che sono tormentati da una piaga maligna, usa l'olio del discorso, per curare con esso la durezza del loro animo; ponivi sopra un empiastro, aggiungivi la fasciatura di un precetto di salvezza, per non permettere in alcun modo che, in seguito alla tua negligenza o alla tua scarsa energia, quanti sono vacillanti e incerti sulla fede o sull'osservanza della legge morale periscano.

8.   Ammonisci dunque il popolo del Signore e scongiuralo di compiere in abbondanza opere buone, di rinunciare alle azioni turpi, di non accendere la vampa delle fiamme — non dirò di sabato, ma in ogni tempo — per non ardere il proprio corpo. Non sussista nei servi di Dio fornicazione e impurità, perché noi serviamo il Figlio di Dio, che è senza macchia. Ciascuno conosca se stesso e sia padrone del proprio essere e, dopo averlo dissodato — per cosí dire — nel terreno del proprio corpo, attenda i frutti dovuti, e la sua terra non gli produca spine e triboli, bensí dica anch'egli: *La terra ha dato i suoi frutti*, e su questa fragilità delle passioni, una volta ricoperta di spine, fioriscano, innestate, le virtú.

9.   Insegna loro e istruiscili a fare ciò che è buono, e ognuno non cessi di compiere ciò che merita lode, sia sotto gli occhi di molti sia senza testimoni; la coscienza, infatti, ha piú che d'avanzo, in se stessa, un autorevole testimone [7].

10.   Fugga inoltre le colpe vergognose, anche se supponesse di non poter essere dimostrato colpevole. Infatti, anche se fosse chiuso tra le pareti e protetto dalle tenebre, senza testimoni, senza complici, ha tuttavia, di ciò che è avvenuto, un giudice che nulla può ingannare, cui grida tutto ciò che si compie. Perciò gridò anche la voce del sangue. Ognuno ha in se stesso e nel proprio animo un giudice severo che punisce il delitto e fa vendetta della colpa. Perciò Caino, timoroso e tremante, vagava qua e là, pagando il fio del suo fratricidio. Di conseguenza, per lui fu rimedio la morte, che col suo intervento lo liberò, errabondo ed esule qual era, dal timore della morte che ad ogni istante lo terrorizzava. Nessuno dunque, sia solo sia con un altro, commetta qualche azione vergognosa o disonesta. E se uno è solo, prima che davanti agli altri arrossisca davanti a se stesso, di cui soprattutto deve provare soggezione.

11.   E non desideri moltissime cose, poiché anche poche sono moltissime per lui; infatti, povertà e ricchezze sono il nome che si dà al bisogno e alla sufficienza. Non è ricco chi è bisognoso, non è povero chi non ha bisogno di nulla. Nessuno disprezzi la

[7] Per un utile raffronto, vedi M. TESTARD, *Observations sur le thème de la* Conscientia *dans le* De Officiis ministrorum *de Saint Ambroise*, in «Revue des Études Latines», 51, 1973, pp. 219-261.

quisquam uiduam spernat, circumscribat pupillum, fraudet proximum suum. Vae enim illi qui congregatam dolo habet substantiam et in sanguine aedificat ciuitatem, id est animam suam ᵃ! Haec est enim, quae aedificatur sicut ciuitas ᵇ. Hanc ciuitatem non aedificat auaritia, sed destruit; non aedificat libido, sed exurit atque incendit. Vis bene aedificare ciuitatem? *Melius est exiguum cum dei timore quam thesauri magni sine timore* ᶜ. Diuitiae hominis ad redemptionem animae debent proficere, non ad destructionem. Et thesaurus redemptio est, si quis eo bene utatur; et iterum laqueus est, si quis uti nesciat ᵈ. Quid enim homini pecunia sua, nisi quoddam uiaticum est? Multa oneri, moderata usui. Viatores sumus uitae huius: multi ambulant, sed opus est ut quis bene transeat; cum illo enim est dominus Iesus, qui bene transit. Ideoque legis: *Si transeas per aquam, tecum sum; flumina te non concludent nec ignis exuret uestimenta tua, si transeas* ᵉ. Qui autem ignem alligat in corpore suo, ignem libidinis, ignem immodicae cupiditatis, non transit, sed exurit inuolucrum istud animae suae ᶠ. Praeclarior est bona existimatio quam pecunia et super omnes argenti aceruos bona est gratia ᵍ. Fides ipsa abundat sibi, satis superque censu suo diues. Sapienti quoque nihil alienum, nisi quod uirtuti incongruum: quocumque accesserit, inueniet sua omnia. Totus mundus possessio eius est, quoniam toto eo quasi suo utitur.

12.   Quid igitur circumscribitur frater? Quid fraudatur mercennarius? Non magna, inquit, lucra de mercede meretricis ᵃ, id est, lubricae istius fragilitatis. Meretrix ista non specialis, sed publica est, non una mulier, sed uaga omnis cupiditas meretrix est. Omnis perfidia, omnis fallacia meretrix, non illa sola quae corpus prostituit suum, sed omnis anima quae spem suam uendit, quae deformes quaestus et degenerem stipem quaerit. Et nos mercennarii sumus, qui ad mercedem laboramus et huius operis nostri mercedem speramus a domino nostro et deo. Si quis cognoscere uult quam mercennarii sumus, audiat dicentem: *Quantis panibus mercennarii patris mei abundant, ego autem hic fame pereo* ᵇ; et infra: *Fac me,* inquit, *sicut unum mercennariorum tuorum* ᶜ. Omnes mercennarii, omnes operarii; qui tamen fructum exspectat laboris, consideret quod is qui alium mercede fraudaue-

11. ᵃ Cf. Hab 2, 6.
    ᵇ Cf. Ps 121, 3.
    ᶜ Prou 15, 10 (*Sept.*).
    ᵈ Cf. Prou 13, 8.
    ᵉ * Is 43, 2.
    ᶠ Cf. Prou 6, 27.
    ᵍ Cf. Prou 22, 1.
12. ᵃ Cf. Prou 6, 26.
    ᵇ Lc 15, 17.
    ᶜ Lc 15, 19.

vedova, raggiri il pupillo, imbrogli il suo prossimo. Guai a colui che possiede una sostanza accumulata con l'inganno e costruisce sul sangue una città, cioè la propria anima! È questa, infatti, che viene costruita come una città. Questa città non è costruita dall'avarizia, ma distrutta; non è costruita dalla lussuria, ma arsa e data alle fiamme. Vuoi costruire una città come si conviene? *È meglio il poco col timor di Dio che grandi tesori senza di esso.* Le ricchezze dell'uomo devono giovare al riscatto della sua anima, non alla sua rovina. E il tesoro serve al riscatto, se uno ne fa buon uso; e, d'altro canto, è un laccio, se uno non ne sa usare. Che cosa, infatti, rappresenta per l'uomo il proprio denaro se non ciò che serve per un viaggio? Molto denaro è di peso; una quantità moderata, di utilità. Siamo viaggiatori in questa vita: molti camminano, ma è necessario che uno sappia superare i passi difficili come si conviene. Perciò tu leggi: *Se passi attraverso l'acqua, sono con te; i fiumi non ti bloccheranno né il fuoco brucerà le tue vesti, se passerai attraverso esso.* Invece chi imprigiona il fuoco nel proprio corpo — il fuoco della lussuria, il fuoco dell'eccessiva avidità — non supera i mali passi, ma brucia questo rivestimento della propria anima. Dà maggiore considerazione la benevolenza altrui che il denaro, e il favore presso gli altri vale piú di tutti i mucchi d'argento. Il credito stesso sovrabbonda di mezzi ed è piú ricco del necessario per la valutazione che ne viene fatta. Anche per il sapiente non c'è nulla che non gli appartenga, ad eccezione di ciò che è inconciliabile con la virtú: dovunque andrà, troverà tutte cose che gli appartengono. Tutto il mondo è sua proprietà, perché di tutto il mondo si serve come se fosse suo [8].

12.   Perché, dunque, viene raggirato il fratello? Perché viene defraudato chi lavora sotto padrone? Non si ricava un grande guadagno dal compenso d'una meretrice, cioè di codesta nostra debolezza facile a cadere. Codesta meretrice non è particolare, ma di tutti; ogni brama incontrollata non è la donna di uno solo, ma una meretrice. Ogni slealtà, ogni inganno è una meretrice, non solo quella che prostituisce il proprio corpo, ma ogni anima che vende la propria speranza, che cerca turpi guadagni e ignobili profitti. Anche noi siamo mercenari che lavoriamo per un compenso e speriamo la ricompensa di questo nostro lavoro dal Signore nostro Dio. Se si vuol conoscere a qual punto siamo mercenari, ascolta chi parla cosí nel Vangelo: *Di quanti pani abbondano i mercenari di mio padre, ed io qui muoio di fame!*; e piú sotto: *Trattami come uno dei tuoi mercenari.* Tutti sono mercenari, tutti lavoratori a giornata. Ma chi attende la ricompensa del proprio lavoro rifletta che chi defrauda un altro del compenso dovuto sarà a sua volta defraudato del proprio. È un prestito,

----

[8] È evidente l'influsso stoico.

rit debita, et ipse fraudabitur sua. Feneratum istud offendit et postea cumulatiore mensura exsoluet. Ergo qui non uult amittere quod est perpetuum, non eripiat alii quod temporale est.

13. Nemo etiam in dolo loquatur ad proximum suum. Laqueus est in labiis nostris et saepe unusquisque sermonibus suis non explicatur, sed inuoluitur [a]. Fouea alta est os maleuoli [b]: grande innocentiae praecipitium, sed maius maleuolentiae. Innocens dum credit facile, cito labitur [c], sed tamen iste lapsus resurgit; maledicus autem suis artibus praecipitatur, unde numquam exsiliat atque euadat. Ponderet ergo unusquisque sermones suos, non cum fraude et dolo: *Statera fallax improbabilis apud deum* [d]: non illam stateram dico, quae mercem appendit alienam — et in uilibus quidem rebus caro constat fallacia —, sed statera uerborum ipsa apud deum est execrabilis, quae praetendit pondus grauitatis sobriae et subnectit uersutias fraudolentiae. Hoc maxime condemnat deus, si decipiat aliquis proximum suum promissorum benignitate et subdola iniquitate defeneratum opprimat, nihil sibi profuturus astutiae suae artibus. Quid enim prodest homini, si totius mundi capiat opes, animam autem suam uitae aeternae defraudet stipendio [e]?

14. Alia piis mentibus consideranda statera, qua singulorum facta trutinantur, in qua plerumque ad iudicium peccata propendunt aut bene gesta peccatis praeponderant. Vae mihi, si praecedant flagitia et ad mortis praeiudicium letali uergant pondere! Tolerabilius si subsequantur omnia tamen manifesta domino: et ante iudicium nec bona possunt latere nec ea, quae plena sunt offensionis, abscondi [a].

15. Quam beatus qui radicem uitiorum resecare potuerit auaritiam! Is profecto stateram hanc non reformidabit. Auaritia enim plerumque sensus hebetat humanos et peruertit opiniones [a], ut quaestum pietatem putent et pecuniam quasi mercedem prudentiae. Merces autem magna pietatis est et quaestus sobrietatis habere quod usui est satis. Quid enim in hoc mundo prosunt diuitiarum superflua, cum in iis et nulla adiumenta nascendi sint nec impedimenta moriendi? Nam et sine integumento in hoc mundo nascimur et sine uiatico discedimus, sine hereditate sepelimur.

13. [a] Cf. Prou 6, 2.
　[b] Cf. Prou 22, 14.
　[c] Cf. Prou 14, 15.
　[d] * Prou 11, 1.
　[e] Cf. Mt 16, 26.
14. [a] Cf. 1 Tim 5, 24.
15. [a] Cf. 1 Tim 6, 10.

questo, che ha trovato a condizioni d'usura e che poi dovrà restituire di molto accresciuto. Dunque, chi non vuol perdere ciò che è eterno, non sottragga ad un altro ciò che è temporaneo.

13. Nessuno, anche, parli al suo prossimo in modo inganne-vole. Sulle nostre labbra c'è un laccio, e spesso ciascuno con i propri discorsi non si spiega, ma si nasconde. La bocca del malevo-lo è una profonda fossa: grave è la caduta dell'innocenza, ma piú grave quella del malvolere. L'innocente, poiché presta fede facil-mente, cade presto, ma, una volta caduto, si rialza; il maledico, invece, per le proprie arti precipita là donde non potrà balzar fuori ed uscire. Ponderi dunque ciascuno i propri discorsi senza frode ed inganno: *Una stadera che inganna è riprovata da Dio*; non parlo di quella stadera che pesa la merce altrui — senza dubbio anche nelle merci che non hanno valore l'inganno costa caro —, ma esecrabile agli occhi del Signore è proprio la stadera delle parole, che ostenta il peso d'una sobria gravità e, sotto sotto, vi unisce le astuzie dell'inganno. Iddio condanna soprattutto uno che inganni il suo prossimo con benevole promesse e che poi, quando l'ha invischiato nei debiti con subdola malvagità, lo stroz-zi, senza ottenere poi alcun vantaggio per sé con le arti della sua astuzia. Che gioverebbe all'uomo se conquistasse le ricchezze di tutto il mondo e poi privasse la sua anima della ricompensa della vita eterna?

14. Dalle anime pie deve essere presa in considerazione un'altra stadera, che pesa le azioni di ciascuno, sulla quale spesso hanno la preponderanza i peccati per il giudizio, oppure le buone azioni pesano piú dei peccati. Guai a me, se fossero note prima le turpitudini e col loro peso funesto tendessero verso un'anticipa-ta sentenza di morte! Sarebbe piú sopportabile, se fossero cono-sciute dopo [9], pur essendo tutte manifeste a Dio: anche prima del giudizio né le azioni buone possono rimanere celate né quelle piene di colpa essere nascoste.

15. Quant'è felice colui che ha potuto troncare la radice dei mali, l'avarizia! Costui certamente non temerà questa stadera. L'avarizia, infatti, per lo piú ottunde i sentimenti degli uomini e ne perverte il modo di pensare, cosí che credono pietà il guadagno e il denaro — per cosí dire — ricompensa della saggezza. Invece è grande ricompensa della pietà e profitto della sobrietà avere ciò che è sufficiente al nostro bisogno. A che giovano, infatti, in questo mondo le ricchezze superflue, dal momento che in esse non c'è alcun aiuto per nascere, alcun ostacolo al morire? Come veniamo a questo mondo senza nulla che ci ricopra, cosí ce ne andiamo senza denari per il viaggio, senza eredità veniamo seppel-liti.

---

[9] Per il significato di *praecedant* e *subsequantur*, cf. 1 Tim 5, 24.

16.   Pendet singulis nostrorum statera meritorum atque exiguis uel boni operis uel degeneris flagitii momentis huc atque illuc saepe inclinatur: si mala uergant, heu me, si bona, praesto est uenia. Nemo enim a peccato immunis, sed ubi propendunt bona, eleuantur peccata, obumbrantur, teguntur. Ergo in die iudicii aut nostra opitulabuntur nobis opera aut ipsa nos in profundum, tamquam molari depressos lapide, mergent. Grauis est enim, utpote talento plumbeo suffulta, iniquitas, intolerabilis auaritia atque omnis superbia, taetra fraudolentia ª. Et ideo hortare plebem domini sperare magis in domino, abundare in diuitiis simplicitatis, in quibus ambulet sine laqueo, sine impedimento ᵇ.

17.   Bona etiam puri sermonis sinceritas et locuples apud deum, etiam si inter laqueos ambulet; tamen, quia alii nescit insidias aut uincula innectere, non alligatur.

18.   Illud quoque praecipuum, si persuadeas ut nouerint humiliari, sciant uerum humilitatis colorem, naturam nouerint. Multi habent humilitatis speciem, uirtutem non habent; multi eam foris praetendunt et intus impugnant; ad fucum praeferunt, ad ueritatem abiurant, ad gratiam negant: *Est* enim *qui nequiter humiliat se et interiora eius plena sunt doli* ª. Et est qui se nimium submittit ab humilitate multa. Non est ergo humilitas nisi sine fuco, sine fraude. Ipsa est uera, quae habet piam mentis sinceritatem ᵇ. Magna uirtus eius. Denique per inoboedientiam unius hominis mors introiuit et per oboedientiam unius domini Iesu Christi facta est uniuersorum redemptio.

19.   Sciuit humiliari sanctus Ioseph, qui, cum esset a fratribus in seruitutem uenditus uel a negotiatoribus coemptus ª, humiliatus in compedibus, ut scriptura dicit ᵇ, uirtutem humilitatis didicit, infirmitatem repudiauit. Itaque emptus in Aegypti partibus a seruo regio ᶜ, coquorum praeposito, non prosapiae nobilis conscientia, quasi germen Abrahamidarum, dedignatus obsequia uernacula, fastidiuit degenerem condicionem, sed magis gnauum se et fidelem herili imperio praebuit, alto intendens consilio nihil interesse in quo statu quis probabilem se praestaret: sed illum esse finem bonorum, ut in quocumque statu probarentur illudque praecipuum, si magis mores commendarent statum quam status mores. Etenim, quo status inferior, eo uirtus eminentior. Talem itaque se exhibebat, tam sedulum, ut ei dominus suus totam domum suam crederet, ipsi omnia committeret.

16. ª Cf. Zach 5, 7.
      ᵇ Cf. 2 Cor 8, 2.
18. ª Eccli 19, 23.
      ᵇ Cf. Rom 5, 19.
19. ª Cf. Gen 37, 28.
      ᵇ Cf. Ps 104, 18.
      ᶜ Cf. Gen 39, 1 ss.

16. Sta sospesa per ciascuno la stadera dei nostri meriti, e per effetto dei piccoli impulsi o di un'opera buona o di un'ignobile turpitudine si inclina da una parte o dall'altra: se si abbassano le cattive azioni, povero me; se quelle buone, ecco il perdono. Nessuno, infatti, è immune dal peccato; ma, dove si abbassano le opere buone, i peccati salgono, sono celati, nascosti. Dunque, nel giorno del giudizio o ci soccorreranno le nostre azioni oppure, come se fossimo tirati giú da una macina di mulino, ci faranno affondare. È pesante infatti l'iniquità perché puntellata, da una enorme massa di piombo [10]; è insopportabile l'avarizia e ogni superbia, è disgustoso l'inganno. Perciò, esorta il popolo a sperare di piú nel Signore, a possedere in abbondanza le ricchezze della semplicità, sulle quali camminare senza tranelli e senza ostacoli.

17. È buona anche la sincerità di un discorso schietto ed è ricca davanti a Dio, anche se cammina fra i tranelli; tuttavia, siccome è incapace di tramare insidie o di stringere lacci, non ne è avvinta.

18. Anche questo è importante: che tu li persuada a sapersi umiliare, a conoscere il vero carattere dell'umiltà, a conoscerne la natura. Molti hanno l'apparenza dell'umiltà, ma non ne hanno la virtú; molti la esibiscono esternamente e internamente la combattono: la ostentano quanto alla finzione, quanto alla verità la smentiscono, la negano quanto alla grazia: *C'è*, infatti, *chi si umilia in malo modo* [11], *ma il suo intimo è pieno d'inganno.* E c'è chi si abbassa eccessivamente con un'umiltà troppo grande. Non c'è dunque umiltà se non senza finzione, senza inganno. Grande ne è la virtú. Perciò, per la disobbedienza di un solo uomo è entrata la morte e per l'obbedienza del solo Signore Gesú Cristo si è compiuta la redenzione di tutti gli uomini.

19. Seppe umiliarsi il santo Giuseppe, il quale, essendo stato venduto dai fratelli per farne uno schiavo ed essendo stato comperato da mercanti, ridotto in ceppi — come narra la Scrittura —, imparò la virtú dell'umiltà, respinse la debolezza. Pertanto, comperato nel paese d'Egitto da un domestico del re, capo dei cuochi, per la consapevolezza della sua nobile prosapia, in quanto membro della famiglia di Abramo, non ebbe a fastidio la sua ignobile condizione sdegnando la sottomissione d'uno schiavo, ma piuttosto si dimostrò diligente e fedele agli ordini del suo padrone. Egli comprese con profonda saggezza che non importava in quale condizione uno si dimostrasse degno di lode, ma che il sommo bene era quello di meritare lode in qualsivoglia condizione, e che ciò che contava di piú era che il comportamento facesse valere la condizione piuttosto che la condizione il comportamento. Infatti, quanto piú umile è la condizione tanto piú emerge la virtú. Tale pertanto egli si dimostrava, cosí diligente che il suo padrone gli affidava tutta la sua casa, poneva nelle sue mani tutte le cose sue.

---

[10] Rendo cosí *talento plumbeo*, che in questo passo non può indicare che un peso eccezionale.
[11] I *Settanta* hanno συγκεκυφὼς μελανίᾳ = «curvo nella sua tristezza».

20. Vnde et uxor eius oculos iniecit in eum, capta formae
uenustate [a]; nihil enim ad nos, si petulantibus oculis aut aetas
expetitur aut pulchritudo. Ars desit, nullum est crimen decoris:
illecebra facessat, inoffensa est species et formae gratia. Itaque
percita atque animi furens interpellat iuuenem et, cogente libidine, uicta passionum stimulis crimen fatetur. Verum ille abiurat
flagitium dicens nec moribus Hebraeorum conuenire nec legibus,
ut alienum uiolent torum, quibus cura est tuendi pudoris; ut
integri nuptiarum integris socientur uirginibus nec ulli conue-
niant feminae, quae legitimi usus tori nesciat; religionemque sibi
esse, ne ebrius turpis intemperantiae, ingratus herilis indulgentiae, cui obsequium deberet, ei grauem inferret contumeliam.

21. Numquid erubescebat illum uilem dominum tamen dicere et se seruum fateri? Quin etiam cum ambiret mulier, obsecraret
etiam metu proditionis uel amoris sui lacrimas funderet ad extor-
quendi necessitatem, nec misericordiam flexus ad flagitii consen-
sum nec coactus metu, et precibus restitit nec minis cessit, prae-
ponens praemiis periculosam honestatem quam turpem remune-
rationem casto pudori. Iterum quoque mulier maioribus adorsa
tentamentis [a], cum inflexibilem aduerteret, etiam secunda uice
immobilem, passione effera et impudentia uires ministrante, iuuenem aggreditur, ueste apprehensa ad cubile trahens, complexum
offerens; et paene ceperat, nisi exuisset Ioseph uestem qua tenebatur, ne exueret amictum humilitatis, indumentum pudoris.

22. Sciuit igitur humiliari, qui humiliatus est usque ad carcerem; et cum sustineret calumniam, maluit crimen falsum subire
quam uerum referre. Sciuit, inquam, humiliari, quia humiliabatur
pro uirtute. Humiliabatur in typo eius, qui se erat humiliaturus
usque ad mortem, mortem autem crucis [a]; qui uenturus erat, ut
uitam hanc de somno resuscitaret et somnium esse hunc uiuendi
usum doceret, in quo diuersae commutationum uices tamquam
ebriae, et nihil solidum, nihil firmum, tamquam dormientis somnium uidentes, non uidemus et audientes non audimus et mandu-
cantes non satiamur, gratulantes non gratulamur, currentes non
peruenimus. Vanae spes hominum in hoc saeculo, qui ea quae

20. [a] Cf. Gen 39, 7 ss.
21. [a] Cf. Gen 39, 11 ss.
22. [a] Cf. Phil 2, 8.

20. Perciò anche la moglie di questo, conquistata dal suo bell'aspetto, posò gli occhi sopra di lui. Non è colpa nostra se con occhi sfrontati si cerca o l'età giovanile o la bellezza. Purché manchi la malizia, non c'è colpa nella bellezza; purché prontamente si ritragga la seduzione, la bellezza e l'attrattiva dell'aspetto sono senza responsabilità. Pertanto, eccitata e incapace di dominarsi [12], sollecita il giovane e, sotto l'irresistibile impulso della libidine, vinta dall'impeto della passione gli confessa il proprio amore colpevole. Ma egli respinge la turpe proposta, dicendo che non era conforme ai costumi degli Ebrei né alle leggi che violassero il talamo altrui quelli che avevano l'obbligo di custodire il proprio pudore; che inesperti di nozze dovevano unirsi a vergini illibate e non avere rapporti con una donna che ignorava l'uso d'una legittima unione; che il timore di Dio gli vietava di recare un grave torto, sotto l'ebbrezza di una vergognosa intemperanza — mostrandosi ingrato verso la benevolenza del suo padrone —, ad una persona cui doveva rispetto [13].

21. Provava forse rossore di chiamare, tuttavia, padrone quell'individuo dappoco e di riconoscersi schiavo? Che anzi, poiché la donna lo circuiva, lo scongiurava anche minacciando di tradirlo e versava le lacrime del suo amore per costringerlo ed estorcergli il consenso, senza lasciarsi indurre per compassione ad acconsentire alla colpa e senza cedere per timore, resistette alle preghiere e non si arrese di fronte alle minacce, preponendo ai vantaggi una pericolosa onestà anziché una turpe ricompensa al casto pudore. Dopo averlo affrontato ancora una volta con più decisi tentativi, siccome lo vedeva inflessibile, irremovibile anche al nuovo approccio, con la forza che le forniva la passione selvaggia e sfrontata, assale il giovane trascinandolo verso il letto — dopo avergli afferrata la veste — e offrendogli l'amplesso [14]. E quasi l'aveva preso, se Giuseppe non avesse lasciato la veste per cui era trattenuto, evitando cosí di spogliarsi del manto dell'umiltà, della veste del pudore.

22. Seppe dunque umiliarsi, lui che fu umiliato fino ad essere gettato in carcere; ed essendo vittima di una calunnia, preferí sottostare ad una falsa accusa piuttosto che denunciarne una vera. Seppe, dico, umiliarsi, perché si umiliava per la virtú. Si umiliava in figura di Colui che si sarebbe umiliato fino alla morte e alla morte di croce; che sarebbe venuto per risuscitare questa vita dal sonno e insegnare che questo nostro impiego dell'esistenza è un sogno in cui vari mutamenti si succedono come in preda all'ebbrezza; e, poiché non vediamo nulla di solido, nulla di stabile — come se si trattasse del sogno di un dormiente —, in realtà non vediamo e, pur udendo, non udiamo e, pur mangiando, non ci saziamo, pur rallegrandoci, non ci rallegriamo, pur correndo, non raggiungiamo la meta. In questo modo sono vane le speranze degli uomini, poiché pensano di seguire ciò che

---

[12] Cf. VERG., Aen., V, 202: namque furens animi dum proram ad saxa suburget.
[13] Cf. PHILO, De Ioseph, 9, 40-48 (IV, pp. 70, 4 - 72,5).
[14] Cf. ibid., 9, 41 (IV, p. 70, 10-14).

non sunt, tamquam quae sint, sequenda arbitrentur. Itaque inanes
et uacuae rerum species tamquam in somnio uenerunt, abierunt:
astiterunt, euanuerunt. Circumfusae et dispersae sunt teneri uidentur et non teneantur. Denique ubi quis audiuit dicentem: *Surge
qui dormis* [b] et de saeculi istius somno exsurrexit, falsa haec
intellexit omnia: euigilauit et fugit somnium, fugit potestas, abiit
cura patrimonii, formae uenustas, honorum studium. Haec enim
somnia sunt, quibus non mouentur qui uigilant corde, sed dor-
mientes exagitantur.

23. Vadatur hunc sermonem meum sanctus Ioseph, non esse
perpetua nec diuturna quae sunt huius saeculi, qui ab initio
nobilis genere, censu diues, subito ignobilis seruulus est et —
quod ipsam seruitii uilitatem acerbat — degeneris domini aere
emptum mancipium. Minus enim uile putatur seruire libero; geminatur autem seruitus, ubi seruitur uernaculis. Seruus igitur ex
genere praeclaro, pauper ex patre diuite, de amore ad odium, de
gratia ad supplicium, rursus de carcere ad aulam, de reatu ad
iudicium traductus, neque aduersis fractus est neque eleuatus
secundis [a].

24. Astipulatur etiam momentarias esse uices rerum etiam
sancti Dauid frequenter uariatus status, qui despectus patri, pre-
tiosus deo, triumpho nobilis, inuidia uilis [a], accitus ad ministerium
regium, electus ad adfinitatem [b], postremo faciem et ora mutatus,
exsul regni, fugitans parricidii, nunc sua offendicula deplorabat
et rursus aliena remouebat, conciliato herede nobilior quam decolorato. Expertus igitur omnia, pulchre dixit: *Bonum mihi quod
humiliatus sum* [c].

25. Quamquam hoc et ad eum possit referri, qui, cum esset
in dei forma, facilis inclinare caelos, descendit tamen et formam
serui accipiens nostras portauit infirmitates [a]; qui praeuidens sanctos suos non quasi rapinam sibi proprium honorem assumere,
sed subicere se aequalibus et alios sibi anteferre, dixit: *Bonum
mihi est quod humiliatus sum*. Bonum mihi est quod me subieci,
ut subiecta mihi sint omnia et sit deus omnia et in omnibus [b].
Hanc infunde humilitatem singulorum animis et te ipsum formam
praebe omnibus dicens: *Imitatores mei estote sicut et ego Christi* [c].

---

[b] Eph 5, 14.
23. [a] Cf. Gen 41, 39 ss.
24. [a] Cf. 1 Reg 16, 11 ss.
    [b] Cf. 1 Reg 18, 20 ss.
    [c] * Ps 118, 71.
25. [a] Cf. Phil 2, 6.
    [b] Cf. 1 Cor 15, 27-28.
    [c] 1 Cor 11, 1.

non esiste come se esistesse. Perciò sogliono venire come in sogno vane e inconsistenti apparenze delle cose, e quindi se ne vanno; si presentano, e svaniscono; si spargono intorno a noi, e si disperdono; sembra che si possano afferrare, e non si afferrano [15]. Perciò, quando uno ascolta chi dice: *Sorgi tu che dormi*, e risorge dal sonno di questo mondo, comprende che tutte queste cose sono false: si sveglia e il sonno fugge, fugge il potere, se ne va la preoccupazione per il patrimonio, la bellezza dell'aspetto, la ricerca delle cariche. Questi sono sogni, dai quali non si lasciano muovere quelli che hanno il cuore vigilante; ma quelli che dormono ne sono sconvolti.

23.   Il santo Giuseppe si fa garante di questo mio discorso, che cioè non sono eterne né durano a lungo le cose di questo mondo; lui che, di nobile famiglia fin dalle origini, ricco di censo, diventa improvvisamente un ignobile schiavo, e — fatto che rende piú acerba l'ignobilità della schiavitú — schiavo comperato da un padrone indegno. Si ritiene infatti meno spregevole essere schiavo di un libero; è invece una schiavitú raddoppiata essere servo di uno schiavo. Divenuto dunque schiavo, mentre era di illustre famiglia; povero, mentre era figlio di un ricco; pur passando dall'amore all'odio, dal favore alla condanna e — all'incontro — dal carcere alla reggia, da accusato a giudice, non fu prostrato dalle avversità né insuperbito dalla fortuna [16].

24.   Concorda nel dimostrare che sono di breve durata i mutamenti delle cose anche la condizione frequentemente mutata del santo Davide che, poco considerato dal padre, prezioso agli occhi di Dio, famoso per il suo trionfo, disprezzato per l'invidia, chiamato al compito regale, scelto quale genero, infine — mutato volto e aspetto — esule dal regno, sottraendosi al parricidio, ora piangeva sulle proprie avversità e, d'altra parte, poneva rimedio a quelle altrui, piú famoso per l'erede che si era assicurato che per quello che aveva tralignato [17]. Dopo aver dunque tutto provato, disse giustamente: *È un bene per me l'essere stato umiliato*.

25.   Del resto questa affermazione potrebbe essere riferita anche a Colui che, essendo di natura divina, in grado di abbassare senza difficoltà i cieli, tuttavia ne discese e, assumendo la condizione di servo, prese su di Sé le nostre debolezze; che, preoccupandosi che i suoi santi non rivendicassero la propria condizione onorifica come un geloso privilegio, ma si sottomettessero ai loro pari e anteponessero a sé gli altri, disse: «*È un bene per me l'essere stato umiliato. È un bene per me l'essermi sottomesso*, affinché tutte le cose mi siano sottomesse e Dio sia tutto in tutto». Infondi questa umiltà nell'animo di ciascuno e offri te stesso come modello per tutti, dicendo: *Siate miei imitatori, come anch'io sono imitatore di Cristo*.

[15] Cf. *ibid.*, 22, 126 (IV, p. 87, 10-19).
[16] Cf. *ibid.*, 21, 123 (IV, p. 86, 18-22).
[17] L'erede è Salomone; quello degenere (*decolorato* sottointende *herede*) non può essere che Assalonne. Non mi è chiaro perché a questo punto i Maurini citino 2 Re 12, 1 ss., capitolo nel quale si narra anche la nascita di Salomone, ma soprattutto l'intervento di Natan dopo il peccato di Davide.

26.   Discant bonorum operum diuitias quaerere et morum esse locupletes. Pulchritudo diuitiarum non in sacculis diuitum, sed in alimentis pauperum est. In illis infirmis et egenis melius opes lucent. Discant itaque pecuniosi non sua, sed ea quae sunt Christi quaerere, ut illos et Christus requirat, ut illis sua largiatur. Impendit pro illis sanguinem suum [a], effundit illis spiritum suum, offert illis regnum suum. Quid amplius dabit, qui se ipsum obtulit? Aut quid est quod non sit daturus pater, qui pro nobis unicum filium tradidit morti? Admone igitur illos seruire domino in sobrietate et gratia, tota mentis sedulitate erigere oculos ad caelestia, nihil ponere in lucro, nisi quod uitae aeternae sit; nam iste omnis huius quaestus saeculi animarum dispendium est. Denique omnium detrimentum passus est [b], qui uolebat Christum lucrari; quod etsi mirabiliter dixerit, minus tamen expressit quam acceperat. Hic enim de alienis locutus est, Christus autem dixit: *Qui uult post me uenire, abneget se ipsum sibi* [c], ut ipse suum detrimentum sit, quo fiat lucrum Christi [d]. Caduca haec omnia, cum damno, sine lucro; illud solum est lucrum, ubi fructus perpetuus, ubi aeternae merces quietis.

27.   Commendo tibi, fili, ecclesiam, quae est ad Forum Cornelii, quo eam de proximo interuisas frequentius, donec ei ordinetur episcopus. Occupatus diebus ingruentibus quadragesimae, tam longe non possum excurrere.

28.   Habes illic Illyrios de mala doctrina Arianorum; caue eorum zizania: non appropinquent fidelibus, non serpant adulterina semina; aduertant quid propter suam perfidiam acciderit sibi, quiescant ut ueram fidem sequantur. Difficile quidem imbuti animi infidelitatis uenenis abolere possunt impietatis suae glutinum; si tamen in iis uirus infaustum inoleuerit, nec facile iis credendum putes. Nerui enim sunt et quidam artus sapientiae non temere credere, et maxime in causa fidei, quae raro perfecta est in hominibus.

29.   Tamen si quis est, qui, licet suspectae sit infirmitatis et nutantis affectus, purgare habitam de se opinionem uelit, permitte ut satisfecisse se putet, indulge aliquantulum; cuius enim excluditur satisfactio, auertitur animus. Nam etiam medendi periti, cum uident notas aegritudinis, ut ipsi appellant, medicinam quidem

---

26. [a] Cf. Rom 8, 32.
    [b] Cf. Phil 3, 8.
    [c] * Lc 9, 23.
    [d] Cf. Phil 1, 21.

29, 5   aegritudines *Maurini, qui tamen malint* aegritudinis.

26.   Imparino a cercare la ricchezza delle opere buone e ad essere ricchi di buoni costumi. Il pregio delle ricchezze non sta nelle borse dei ricchi, ma nei cibi dei poveri [18]. In quei malati e bisognosi risplendono meglio i beni, di fortuna. Imparino dunque i danarosi a cercare non i loro beni ma quelli che sono di Cristo, affinché anche Cristo li cerchi per largire loro i suoi tesori. Spende per essi il proprio sangue, per essi effonde il proprio spirito, offre ad essi il proprio regno. Che cosa può dare di piú chi ha offerto se stesso? O che cosa non darà il Padre, che per noi ha abbandonato alla morte il suo unico Figlio? Ammoniscili, dunque, a servire il Signore nella sobrietà e nella grazia, a rivolgere gli orecchi ai beni celesti con tutto l'impegno dell'animo loro, a non considerare guadagno se non quello per la vita eterna; infatti ogni guadagno di questo mondo è una perdita per le nostre anime. Perciò ha sopportato ogni danno colui che voleva guadagnare Cristo; e, pur avendo detto questo mirabilmente, lo ha espresso meno efficacemente di come lo aveva appreso. Egli infatti parlava dei beni estranei alla propria persona, Cristo invece ha detto: *Chi vuole venire dietro di me, rinneghi se stesso*, per essere egli stesso proprio danno con cui guadagnare Cristo. Tutte queste cose sono caduche, con danno senza guadagno. Guadagno è quello solo in cui c'è la ricompensa senza fine, il premio dell'eterna pace.

27.   Ti affido, figlio, la Chiesa che è in Imola, perché — data la vicinanza [19] — tu la visiti con una certa frequenza, finché per essa sia ordinato un vescovo. Occupato come sono per l'imminenza della Quaresima, non posso spingermi cosí lontano.

28.   Là, trovi degli Illirici, aderenti all'eresia degli Ariani: stai attento alla loro zizzania. Non si avvicinino ai fedeli, non si diffondano semi fallaci; considerino che cosa è loro accaduto per la loro malafede, rimangano tranquilli in modo da seguire la fede vera. Senza dubbio, animi imbevuti dei veleni dell'eresia difficilmente potrebbero eliminare la colla della loro empietà; se tuttavia l'infausto succo si sarà sviluppato in essi, non potresti nemmeno pensare di poterti fidare facilmente di loro. Infatti, il non credere con leggerezza, specialmente nel campo della fede — che negli uomini di rado è perfetta —, corrisponde ai muscoli e, per cosí dire, alle articolazioni della sapienza [20].

29.   Tuttavia, se c'è qualcuno che, sebbene sia di sospetta instabilità e di sentimenti vacillanti, vuole cancellare l'opinione che si ha sul suo conto, lascia che pensi di essere giustificato, abbi per lui un po' d'indulgenza. Infatti l'animo dell'uomo, di cui si esclude la giustificazione, diventa ostile. Anche gli esperti in medicina, quando vedono i sintomi di una malattia — come dicono essi —, non ricorrono ai farmaci, ma attendono il momen-

---

[18] Cf. PHILO, *De Ioseph*, 22, 144 (IV, p. 91, 6-7).
[19] *Claterna*, sede episcopale di Costanzo, era vicina ad Imola. Vedi sopra, nota 1.
[20] Cf. CIC., *De pet. cons.*, 10, 39: *Quam ob rem* Ἐπιχαρμεῖον *illud teneto, «neruos atque artus esse sapientiae non temere credere».*

non adhibent, sed tamen medicinae tempus exspectant; nec deserunt inualidum, sed lenioribus uerbis aut, quibus possunt, palpant delinimentis, ne aut intermissa aegritudo desperatione animi grauescat aut crudior medicinam respuat, eo quod ad maturitatem peruenire nequeat, si indigeste insolens rerum huiusmodi medicus adhibeat manus. Siquidem et pomum, cum immaturum exagitatur, cito deperit.

30. Et quia de agro exemplum sumpsimus, praecipe illis inuiolata confinii seruare iura, paternos custodire terminos, quos lex tuetur [a]. Supra fraternam caritatem frequenter est uicini gratia; ille enim saepe longe, hic in proximo est, uitae omnis testis, conuersationis arbiter. Delectet eum per finitima spatia laxari liberum pecus et in herba uiridi proiectum secura captare otia.

31. Seruos quoque dominus iure seruitii subditos habeat pro moderamine coercitionis, quasi animae consortes. Pater familias enim dicitur, ut quasi filios regat, quoniam et ipse dei seruus est et patrem appellat dominum caeli, moderatorem potestatum omnium.

Vale et nos dilige, ut facis, quia nos te diligimus.

XXXVII (Maur. 47)
Ambrosius Sabino

1. Transmisi petitum codicem scriptum apertius atque enodatius quam ea scriptura est, quam dudum direxi, ut legendi facilitate nullum iudicio tuo afferatur impedimentum. Nam exemplaris liber non ad speciem, sed ad necessitatem scriptus est; non enim dictamus omnia, et maxime noctibus, quibus nolumus aliis graues esse ac molesti, tum quia ea quae dictantur impetu quodam proruunt et profluo cursu feruntur.

2. Nobis autem, quibus curae est senilem sermonem familiari usu ad unguem distinguere et lento quodam figere gradu, aptius uidetur propriam manum nostro affigere stilo, ut non tam deflare aliquid uideamur, quam abscondere, neque alterum scribentem

---

30. [a] Cf. Deut 19, 14.

---

10 indigestae *Maurini, manifeste erratum.*

to di intervenire. Non abbandonano però l'ammalato, ma lo blandiscono con dolci parole o con i mezzi calmanti di cui dispongono, perché la malattia, lasciata senza cura, non si aggravi per la disperazione dell'animo o, essendo ancora immatura, respinga la medicina. Infatti non potrebbe giungere a maturità, se un medico inesperto di un tale modo di procedere intervenisse fuor di luogo. Tant'è vero che anche un frutto, quando è scosso ancora immaturo, presto marcisce.

30.   E poiché abbiamo preso l'esempio dalla campagna, ordina loro di mantenere inviolati i diritti di confine, di osservare i limiti stabiliti dai padri, garantiti dalla legge. Spesso, piú dell'amore di un fratello, vale l'amicizia del vicino: quello spesso è lontano, questo è accanto a te, testimone di tutta la tua vita, spettatore del tuo modo di vivere. Egli a suo piacimento possa lasciar pascolare il bestiame nei terreni confinanti e, disteso sull'erba [21], godersi tranquilli riposi.

31.   Il padrone tenga i servi sottomessi secondo il diritto di servitú invece di ricorrere alla repressione, come compagni della sua vita. Si chiama infatti «padre di famiglia», perché li guidi come figli, in quanto anch'egli è servo di Dio e chiama Padre il Signore del Cielo, che governa ogni potere.

Sta' sano ed amaci, come appunto fai, perché noi ti amiamo.

37 (Maur. 47)

Ambrogio a Sabino [1]

1.   Ti mando [2] il codice richiesto, scritto in modo piú chiaro e comprensibile di quanto non sia il testo che ti ho inviato or non è molto, cosí che per la facilità della lettura non si frapponga alcun ostacolo al tuo giudizio. Il libro che serviva di modello fu scritto non badando all'eleganza, bensí alla necessità; infatti, non dettiamo tutto al copista, e specialmente di notte, durante la quale non vogliamo essere di peso e di incomodo agli altri. Inoltre, ciò che si detta prorompe con un certo impeto e scorre come un fiume abbondante d'acqua.

2.   A noi invece, che ci preoccupiamo — secondo un uso che ci è familiare — di punteggiare alla perfezione il nostro discorso da persona anziana e, per cosí dire, di procedere [3] a passi lenti, sembra piú conveniente impugnare lo stilo di mano propria, perché sembri che non tanto buttiamo fuori qualche

---

[21] Cf. VERG., Buc., 1, 75: uiridi proiectus in antro.

[1] Vedi vol. I, lettera 27, nota 1; vedi anche PALANQUE, op. cit., p. 471. Secondo i Maurini, la lettera è del 390; cf. par. 2: senilem sermonem.

[2] Transmisi, evidentemente, è forma dello stile epistolare.

[3] Intendo figere = figere uestigium; cf. VERG., Aen., VI, 159: et paribus curis uestigia figit.

erubescamus, sed ipsi nobis conscii sine ullo arbitro non solum auribus, sed etiam oculis ea ponderemus, quae scribimus. Velocior est enim lingua quam manus, dicente scriptura: *Lingua mea calamus scribae uelociter scribentis* [a].

3.   Sed forte dicas quia uelocitatem ad scribentem rettulit. Non te fallit tamen id significari quod scribae uelociter scribentis celeritas sola possit linguae propheticae excipere sermones. Apostolus quoque Paulus sua scribebat manu, sicut ipse ait: *Mea manu scripsi uobis* [a]: ille propter honorificentiam, nos propter uerecundiam.

4.   Tamen dum adhuc habes de libris iudicium, interludamus epistulis, quarum eiusmodi usus est, ut disiuncti locorum interuallis, affectu adhaereamus; in quibus inter absentes imago refulget praesentiae et collocutio scripta separatos copulat; in quibus etiam cum amico miscemus animum et mentem ei nostram infundimus.

5.   Iam si, ut hortaris, aliquid et de ueteribus scripturis redoleat in epistulis, non solum animi conglutinari uidentur per uerae doctrinae profectum, sed etiam plenioris colloqui species et forma exprimi, ut inter quaerendi et respondendi mutuas uices assumpta concertatio in unum conducere et coram uideatur amicos locare, qui tali se lacessunt et complectuntur munere.

6.   Quid autem maiorum nostrorum exempla proferam, qui epistolis suis fidem infuderunt populorum mentibus atque ad integros et confertos scripserunt populos et praesentes se esse, cum absentes scriberent, significarunt, dicente sancto apostolo quia absens erat corpore, sed praesens spiritu [a], non solum cum scriberet, sed etiam cum iudicaret? Denique absens per epistulam condemnabat, et idem adsoluebat per epistulam; epistula enim Pauli quaedam effigies erat eius praesentiae et forma operis.

7.   Non enim, ut aliorum epistulae, *graues*, inquit, *et fortes, praesentia autem corporis infirma et sermo contemptibilis* [a], talis et apostoli; sed talis huius epistula, ut talis esset forma praecepti, qualis esset operationis substantia: *quia quales sumus*, inquit, *uerbo per epistulam absentes, tales et praesentes sumus in opere* [b]. Imaginem praesentiae suae in epistulis expressit, fructum et testimonium in opere significauit.

Vale et nos dilige, ut facis, quia nos et te diligimus.

2. [a] Ps 44, 2.
3. [a] Gal 6, 11.
6. [a] Cf. 1 Cor 5, 3.
7. [a] 2 Cor 10, 10.
    [b] * 2 Cor 10, 11.

parola, quanto che la nascondiamo, e cosí non dobbiamo arrossire di fronte all'altro che scrive, ma — consapevoli di fronte a noi stessi senza alcun testimone — ponderiamo non solo con gli orecchi, ma anche con gli occhi ciò che andiamo scrivendo. Infatti la lingua è piú veloce della mano, come dice la Scrittura: *La mia lingua è penna d'uno scriba che scrive velocemente*.

3.   Ma forse potresti osservare che intendeva riferire la velocità allo scrivente. Non credo tuttavia che con ciò si voglia dire che la sola velocità d'uno scriba che scrive velocemente possa ricevere i discorsi d'una lingua profetica. Anche l'apostolo Paolo scriveva di propria mano, come dice egli stesso: *Vi ho scritto di mia mano*: egli in segno di onore, noi per modestia.

4.   Tuttavia, mentre devi ancora esprimere il tuo giudizio sui libri, divertiamoci con le nostre lettere, la cui utilità è quella di farci sentire vicini, pur essendo separati dalla distanza dei luoghi. In esse, tra assenti, brilla l'illusione della reciproca presenza e il colloquio per iscritto riunisce chi è lontano; in esse, inoltre, ci confidiamo con l'amico e riversiamo in lui i nostri pensieri.

5.   Inoltre se, come mi esorti a fare, nelle mie lettere c'è anche qualche sentore delle antiche Scritture, pare non solo che gli animi siano congiunti strettamente dal profitto della vera dottrina, ma anche che trovi la sua espressione la forma ideale d'un piú completo colloquio, cosí che, tra l'alternarsi reciproco delle domande e delle risposte, la discussione intrapresa sembri riunire insieme e collocare l'uno in presenza dell'altro gli amici che con tale finzione si provocano e si abbracciano.

6.   Perché non dovrei addurre gli esempi dei nostri maggiori, che con le loro lettere infusero la fede nell'animo dei popoli [4] e scrissero a popoli interi e numerosi e affermarono d'essere presenti pur scrivendo da lontano, come quando il santo Apostolo dice di essere assente col corpo ma presente con lo spirito? E non solo scriveva, ma anche giudicava. Perciò, pur assente, per lettera pronunciava condanne e ugualmente per lettera assolveva. Una lettera di Paolo era l'immagine della sua presenza e la norma di ciò che si doveva fare.

7.   Infatti, anche la lettera dell'Apostolo non era come quelle degli altri — dice —, *dure e forti, mentre la presenza fisica è debole e la parola dimessa*; ma la sua lettera era tale che la forma del precetto corrispondeva alla sostanza dell'agire. *Quali siamo*, dice, *a parole per lettera da assenti, tali anche siamo con i fatti di presenza*. Nelle lettere manifestò l'immagine della sua presenza, espresse il frutto e la testimonianza nell'agire.

Sta' sano ed amaci, come fai, perché anche noi ti amiamo.

---

[4] Si allude evidentemente alle lettere degli Apostoli.

XXXVIII (Maur. 55)
Ambrosius Eusebio

1.　Faustinus uterque tibi redditus est, nobis utrumque Ambrosium pignus resedit. Ipse habes quod primum in patre et quod iucundissimum est in filio minore, quia et uirtutis apicem tenes et humilitatis exhibes gratiam; nos quod medium inter patrem et iuniorem filium. Tecum summa totius domus et perpetuati uocabuli iugis successio; apud nos parca mediocritas quae et de summo pendeat et in posteriore subsistat. Tecum igitur requies utriusque nostrum, quae cum inuicem nobis refunditur, omnem animi abstergit sollicitudinem. Tecum is qui et moribus et operibus suis et sobole tali inuenit gratiam apud dominum nostrum. Tecum is qui inter mundi huius procellas spiritalem nutriuit columbam, quae ei fructus afferat pacis [a], uncta oliuo integritatis. Tecum is qui aedificauit aram deo, quem benedixit deus et filios eius dicens: *Crescite et multiplicamini* [b], cum quo testamentum pacis statuit suae, ut sit ei et filiis eius in progeniem aeternam.

2.　Habes igitur heredem diuinae benedictionis, consortem gratiae, participem iustitiae. Sed uide, quaeso, ne iste noster Noe agricola, bonus plantator feracis uineae, cum fuerit amoris et gratiae tuae inebriatus poculo, tamquam *crapulatus a uino* [a], diu-

---

1. [a] Cf. Gen 8, 11 s.
　[b] Gen 9, 9.
2. [a] Ps 77, 65.

38 (Maur. 55)
Ambrogio ad Eusebio [1]

1.   A te è stato restituito l'uno e l'altro Faustino [2], con noi si sono trattenuti entrambi i nostri carissimi Ambrogi [3]. Tu possiedi ciò che sta al primo posto nel padre e riesce graditissimo nel figlio, perché disponi del vertice della virtú e puoi esibire l'attrattiva dell'umiltà [4]; noi possediamo ciò che è intermedio tra padre e figlio minore. Con te sta la parte principale di tutta la casa e l'ininterrotta successione di un nome che continua perenne [5]; con noi c'è una moderata via di mezzo che deriva dalla sommità e si colloca davanti a ciò che segue [6]. Con te, dunque, si trova la pace di entrambi noi, che, in noi riversandosi reciprocamente, cancella ogni preoccupazione dell'animo. Con te è colui [7] che con la sua condotta e le sue opere e con tale prole ha trovato grazia presso il Signore Dio nostro. Con te è colui che tra le procelle di questo mondo ha nutrito la colomba spirituale [8], perché gli arrechi i frutti della pace, unta dell'olio dell'integrità. Con te è colui che ha innalzato l'altare a Dio, che Dio ha benedetto insieme con i suoi figli dicendo: *Crescete e moltiplicatevi*; quello con cui ha stabilito il patto della sua pace, perché duri per lui e per i suoi figli in una generazione senza fine.

2.   Hai dunque l'erede della benedizione divina, che ha il dono della grazia, che partecipa della giustizia. Ma bada, ti prego, che questo nostro Noè contadino [9], buon piantatore di una vigna feconda, quando sarà inebriato dalla coppa del tuo amore e della

---

[1] Come scrive il Faller (CSEL 82, X, I, p. 179), non si tratta dell'omonimo vescovo di Vercelli, morto nel 371, ma di un amico di Bologna. Vedi anche vol. I, lettera 26, nota 1. Cosí anche i Maurini. Invece il Palanque (*op. cit.* p. 470), e con lui il Paredi (*S. Ambrogio e la sua età*, Hoepli, Milano 1960², p. 198), lo dice vescovo di Bologna e lo identifica con la persona cui è inviato il *De institutione uirginis*. La lettera sarebbe del 392 (Maurini).

[2] Secondo i Maurini, Eusebio sarebbe il padre del Faustino cui è indirizzata la lettera 8 (M. 39) e nonno del piccolo Faustino, sofferente di tosse, di cui alla lettera 26 (M. 54) sopra citata.

[3] Sempre secondo i Maurini, si tratterebbe dei due fratelli Ambrogio e Ambrosia, destinataria quest'ultima del *De institutione uirginis*, nipote — secondo il Paredi (*op. cit.*, p. 198) — di Eusebio, vescovo di Bologna. Sull'argomento, cf. PL 16, 317-318.
    G. Mamone (*Le epistole di S. Ambrogio*, in «Didaskaleion», N.S., I, 2 [1924], p. 127) suppone che siano figli della matrona defunta di cui alla lettera 8 (M. 39), e avanza inoltre l'ipotesi che Faustino *iunior* possa essere loro fratello (p. 123 e nota 1). Che si tratti di fratelli, mi sembra appaia incontestabilmente dal tenore della presente lettera; non convincenti invece mi sembrano le ragioni per ritenere che essi siano figli della defunta sorella di Faustino *senior*.

[4] Secondo il Mamone (*op. cit.*, p. 123), l'allusione si riferirebbe rispettivamente a Faustino padre e figlio. In ogni caso, l'espressione è oscura.

[5] Evidentemente si tratta del nome di famiglia.

[6] L'espressione, che riprende il *quod medium*, che precede, sembrerebbe riferirsi ai due Ambrogi, piú anziani del giovane Faustino.

[7] Faustino *senior*, suo figlio.

[8] Ambrosia, figlia di Faustino; nipote, quindi, di Eusebio.

[9] Deve trattarsi sempre di Faustino *senior*.

tius quieti indulgeat; ac si forte indormierit, excitet eum Sem nostri desiderium.

3.   Est et ibi Iaphet iunior ex fratribus [a], qui pietatis reuerentia patrem induat, quem pater et dormiens uideat nec umquam de pectore dimittat suo, quin semper oculis et complexu teneat atque euigilans intellegat quae ei fecerit filius suus iunior. Qui latitudo Latine dicitur, eo quod in labiis eius diffusa gratia sit et in moribus; propter quod benedixit eum dominus, quia ipse tamquam Bononiam retrorsum rediens patrem texit pio caritatis uelamine [b] et detulit pietati honorem, de quo et pater ait: *Laetificet deus Iaphet in domibus Sem* [c]. Vnde et in enumeratione generationum [d] praefertur seniori fratri, in benedictione substituitur: praefertur propter honorem nominis, substituitur propter praerogatiuam senioris aetatis et honorificentiam naturae debitam.

4.   Sem autem dicitur Latine nomen. Et bene hic noster Ambrosius bonum nomen in cuius domibus dilatetur Iaphet; *quia potius est nomen bonum super multas diuitiarum copias* [a]. Sit ergo et iste benedictus et gratia eius super aurum et argentum, sit in portione eius semen Abrahae, sit benedictio omnis in posteritate et omni familia iusti uiri. Sed maledictus nemo, benedicti omnes; benedictus enim Sarae fructus.

5.   Salutant te Ambrosii, salutat Partenius dulcissimus, salutat Valentinianus paratus ad humilitatem; quod Hebraice Chanaan dicitur, quasi puer fratris sui, cui et nomine suo cessit. Et ideo tamquam Nembroth, gemini gigas nominis, uenator egregius super terram, de quo dictum est: *Tamquam Nembroth gigas uenator*

---

3. [a] Cf. Gen 9, 23.
   [b] Cf. Gen 9, 26.
   [c] * Gen 9, 27.
   [d] Cf. Gen 10, 1 ss.
4. [a] * Prou 22, 1.

tua bontà, come in preda ai fumi del vino non indulga troppo a lungo al riposo e, se per caso si sarà addormentato, non lo svegli il desiderio del nostro Sem.

3. Lí c'è anche Jafet, il piú giovane dei fratelli, che col rispetto proprio dell'amor filiale ricoprirà il padre; e il padre, pur dormendo, lo vedrà e non lo cancellerà mai dal suo cuore, ma anzi lo terrà sempre negli occhi e tra le braccia e, una·volta desto, comprenderà che cosa ha fatto per lui il suo figlio minore. Il suo nome, in latino, significa «larghezza», perché sulle sue labbra è stata sparsa la dolcezza e cosí nel suo carattere; perciò il Signore lo benedirà perché egli [10], per cosí dire, tornando a Bologna ha coperto il padre con la veste del suo affetto e ha onorato la pietà filiale, e di lui anche il padre ha detto: *Dio allieti Jafet nelle case di Sem*. Perciò, anche nella elencazione delle generazioni è anteposto al fratello maggiore, è collocato dopo di lui nella benedizione: è anteposto per l'onore del nome [11], è collocato dopo di lui per il privilegio della maggiore età, per l'onore dovuto alla natura.

4. Sem invece, in latino, equivale a «nome». E davvero è un buon nome questo nostro Ambrogio nella cui casa si dilaterà Jafet [12], *perché è preferibile un buon nome a una grande abbondanza di ricchezze*. Sia dunque benedetto anche costui, e il suo pregio sia superiore all'oro e all'argento, nella sua parte di eredità sia il nome di Abramo, sia ogni benedizione nella posterità e in tutta la famiglia dell'uomo giusto. Ma nessuno sia maledetto, siano benedetti tutti; infatti benedetto è il figlio di Sara.

5. Ti salutano gli Ambrogi, ti saluta il carissimo Partenio [13], ti saluta Valentiniano, disposto all'umiltà [14]; ciò, in ebraico, si dice Canaan [15], in quanto servo di suo fratello [16], cui lasciò la precedenza anche riguardo al suo nome [17]. E perciò è come Nembrot, gigante dalla duplice denominazione [18], cacciatore famoso sulla

---

[10] Faustino *iunior* (Maurini).

[11] Vedi sopra: *eo quod in labiis*, ecc.

[12] Cf. Gen 9, 27: *Dilatet deus Iaphet et habitet in tabernaculis Sem*.

[13] Non sappiamo chi sia.

[14] Da quanto si dice successivamente sembrerebbe un ecclesiastico (?) insofferente d'essere sottoposto al vescovo bolognese. Se cosí fosse, Eusebio risulterebbe vescovo di Bologna, come afferma il Palanque (vedi sopra, nota 1). Certo, anche in questo passo, Ambrogio — scrivendo a persona informata — procede per allusioni che non peccano d'eccessiva chiarezza.

[15] Cf. HIERON. *Nom. Hebr.*, 7: *Chanaan, σάλος, hoc est motus eorum, uel negotiator aut humilis*.

[16] Cf. Gen 9, 27: *sitque Chanaan seruus eius*. Precedentemente (vv. 18 e 22), Chanaan è detto figlio di Cam. Come si vede, anche per Valentiniano Ambrogio fa riferimento ad uno dei figli di Noè, e precisamente a Cam, anche se attenua la durezza del richiamo rifacendosi al preteso significato etimologico di Canaan. Sulla questione «Cam-Canaan», vedi *Genesi*, a cura di P.E. TESTA, Marietti, Torino 1967, I, p. 400.

[17] A Gen 9, 27 Cam è nominato dopo Jafet.

[18] A Gen 10, 8, si dice che Nembrot (Nimrod) fu il primo che divenne potente nella regione; al v. 10 si aggiunge che era *robustus uenator coram Domino*. Egli, dunque, sarebbe stato ad un tempo potente sovrano e valido cacciatore (TESTA,

ante dominum [a]. Namque ingenio subrusticus, uiribus ualidus, quos ingenio aequare non potest, uiribus superat, ut Comacinas rupes gestare secum et, faciem tauro propior, uultu uideatur exprimere, posthabitum se indignatus et paterno exutum uocabulo, metropolitanum uirum Bononiensi subditum, quia infantiae nescit blanditias et de nutricis gremio se illaesus excussit.

Vale et nos dilige, quia nos te diligimus.

XXXIX (Maur. 46)
Ambrosius Sabino

1.   Quem scripsisti maledici sermonis seminatorem, leuissimus est, qui iam ueneni sui mercedem recepit. Siquidem responsum est ei publice et quod priuatim seuerat, palam messuit. Ego autem uanum ante et inuisorem tantum habebam; at ubi iste sermo ad aures peruenit meas, statim respondi quod eum uirus infecerit Apollinaris, qui non potest audire quod dominus noster Iesus pro nobis seruitutem susceperit in istius corporis susceptione, cum apostolus clamet quod formam serui acceperit [a]. Hoc munimentum, haec sepes est fidei nostrae; qui hanc destruit, destruetur ipse, sicut scriptum est: *Quia destruentem sepem mordebit serpens* [b].

2.   Equidem primo leniter mandaui ei: «Qua ratione bonam rem malo animo facis?». Ego enim beneficio annumero, si quis mea legens scripta dicat mihi quo uideatur moueri. Primum quia

---

5. [a] * Gen 10, 9.

1. [a] Cf. Phil 2, 7.
   [b] * Eccle 10, 8.

terra, di cui si disse: *Come il gigante Nembrot, cacciatore al cospetto di Dio.* Infatti egli, che è alquanto rozzo d'intelligenza ma robusto di forza [19], supera con le sue forze quelli che non riesce a uguagliare con l'intelligenza. Cosí sembra che porti con sé le rupi Comacine [20] e, somigliante piuttosto nell'aspetto ad un toro [21], ne riproduca nel volto la durezza, essendo sdegnato di essere stato messo in seconda linea e privato del nome paterno; di essere stato, lui — cittadino d'una metropoli —, sottoposto a un bolognese, per il fatto d'ignorare le carezze che ricevono i bimbi e di essersi staccato incolume dal grembo della nutrice.

Sta' sano ed amaci, perché noi ti amiamo.

39 (Maur. 46)

Ambrogio a Sabino [1]

1. È del tutto privo di credito l'individuo che hai scritto essere seminatore di maldicenze, tant'è vero che ha già ricevuto la ricompensa del veleno sparso. Infatti gli è stata data una risposta ufficiale e ha mietuto in pubblico ciò che aveva seminato in privato. Io, prima, lo consideravo soltanto vuoto e invidioso; ma quando codesto discorso giunse ai miei orecchi, risposi subito che lo aveva contagiato il veleno di Apollinare [2], che non può sentire che il Signore nostro Gesú Cristo si è fatto servo assumendo questo corpo, mentre l'Apostolo proclama che ha assunto la condizione di servo. Questo è il baluardo, questa è la barriera della nostra fede. Chi la distrugge sarà distrutto, come sta scritto: *Chi distrugge una siepe, sarà morso da un serpente.*

2. Quanto a me, dapprima gli mandai a chiedere pacatamente: «Per quale ragione fai un'opera buona con animo maligno?». Io, infatti, considero un beneficio che uno, leggendo i miei scritti, mi dica che cosa — a suo giudizio — lo turba. Anzitutto perché,

---

op. cit., p. 415). Se però a *geminus* si attribuisce il significato di «pari», «uguale» (CIC., *Rosc. Am.*, 40, 118; VARRO, *L.L.*, X, 4), si potrebbe anche intendere «della medesima stirpe». Il passo, insomma, rimane piuttosto problematico.

[19] Come Nembrot.

[20] Non si possono identificare con valide ipotesi; in ogni caso, la parola «rupi» non indica certo remissività di carattere.

[21] I Maurini separano con una virgola *faciem* da *tauro*, ma il riferimento preciso a *Georg.* III, 58 (*et faciem tauro propior*) m'induce a ritenere che sant'Ambrogio abbia, una volta di piú, citato testualmente Virgilio. Considero quindi *Comacinas rupes* complemento oggetto anche di *exprimere*.

---

[1] Vedi lettera 37, nota 1.

[2] Apollinare di Laodicea, dal 361 c. vescovo della sua città natale, affermava che il *Logos* aveva assunto un corpo privo di anima o di νοῦς, intendendo salvaguardare con questa dottrina l'intervento divino nell'opera della redenzione. La sua eresia fu condannata nel Concilio ecumenico di Costantinopoli del 381. Vedi QUASTEN, *Patrologia*, Marietti, II, Casale 1980, pp. 380 ss.; M. SIMONETTI, *La crisi ariana nel IV secolo*, Augustinianum, Roma 1975, pp. 368-370.

et in iis quae scio falli possum. Multa aurem praetereunt, multa quibusdam aliter sonant: pulchrum est, si fieri potest, cauere omnia. Deinde quia non debeo moleste ferre, cum de apostolicis et ipsis euangelicis dominicisque uerbis plerique multas quaestiones serant, si etiam in meis scriptis reperiant de quo disputandum putent; plerique enim studio indulgent suo, ut iste, qui propterea orbem circuiuit, ut quaereret quem reprehenderet, non quem sibi imitandum arbitraretur.

3.   Hic igitur, ut arroderet aliquid de meis scriptis, eam sibi amplam uiam reperit, quoniam eo loci ubi dixit dominus Iesus: *Confiteor tibi, pater, domine caeli et terrae* [a], diximus ideo dictum, ut nos intellegamus patrem filii esse et dominum creaturae. Quamquam in psalmo euidenter dominum dixerit patrem filius: *Viderunt me et mouerunt capita sua: adiuua me, domine deus meus* [b]. Etenim secundum formam serui locutus, dominum uocauit quem patrem nouerat, aequalis in dei forma, seruum secundum carnis substantiam se praedicans; seruitus enim carnis, dominatus autem diuinitatis est.

4.   Aduertis igitur primum pro tua admirabili prudentia ea quae in euangelio dicuntur ad euangelii tempus referri, quo dominus Iesus inter homines humana specie conuersabatur; nunc enim secundum hominem iam non nouimus Christum [a]. Sit ita uisus et cognitus ueteribus, iam *transierunt uetera et omnia noua facta sunt* [b]. Omnia tamen ex deo, qui nos sibi per Christum reconciliauit; eramus enim mortui, et ideo unus pro omnibus seruus factus est [c]. Quid dicam: seruus? Peccatum, opprobrium, maledictum factus est. Dixit enim apostolus quia pro nobis peccatum factus est [d], quia maledictum factus est [e] dominus Iesus. Dixit quia, cum sibi subiecerit omnia, tunc et ipse subiectus erit. Dixit et Petrus: *In nomine Iesu Nazareni surge et ambula*, in actibus apostolorum [f]. Dixit ibi quia *glorificauit puerum suum Iesum* [g], et nemo calumniatur de tempore. In Apocalypsi autem et agnus dictus est a Ioanne [h]; dictus est in psalmo *uermis et non homo* [i]. Haec omnia factus est, ut nostrae obtunderet mortis aculeum [l], nostram seruitutem tolleret, maledicta, peccata, opprobria deleret.

---

3. [a] Mt 11, 25.
   [b] Ps 108, 25.26.
4. [a] Cf. 2 Cor 5, 16.
   [b] * 2 Cor 5, 17.
   [c] Cf. Phil 2, 7.
   [d] Cf. 2 Cor 5, 21.
   [e] Cf. Gal 3, 13.
   [f] Act 3, 6.
   [g] * Act 3, 13.
   [h] Cf. Apoc 5, 12.
   [i] Ps 21, 7.
   [l] Cf. 1 Cor 15, 55.

anche in quello che so, posso sbagliare. Molte cose passano per gli orecchi, molte per taluni danno un suono diverso: è bello, se è possibile, guardarsi da ogni rischio. In secondo luogo, perché non devo irritarmi, dal momento che molti suscitano discussioni sulle parole degli Apostoli, del Vangelo stesso e del Signore, se anche nei miei scritti trovano materia su cui credono si debba discutere. Molti, infatti, indulgono alle loro propensioni, come costui che ha girato il mondo in cerca di una persona da criticare, non già di una che ritenesse di dover imitare.

3. Costui, dunque, per mordicchiare qualcosa dai miei scritti, si trovò aperta un'ampia via, perché, in quel passo dove il Signore Gesú ha detto: *Ti lodo, Padre, Signore del cielo e della terra,* abbiamo affermato [3] che è stato detto cosí perché noi comprendiamo che è Padre del Figlio e Signore del creato. Del resto, chiaramente nel salmo il Figlio ha chiamato Signore il Padre: *Mi hanno veduto e hanno scosso il loro capo: aiutami, Signore Dio mio.* Infatti, parlando secondo la condizione di servo, chiamò Signore Colui che sapeva Padre, uguale nella natura divina, mentre si proclamava servo secondo la natura carnale: la servitú è propria della carne; la signoria, invece, della divinità.

4. Ti rendi conto, dunque, anzitutto — nella tua ammirevole saggezza — che ciò che si dice nel Vangelo si riferisce al tempo del Vangelo, nel quale il Signore Gesú viveva tra gli uomini in aspetto umano; ora, infatti, non conosciamo piú Cristo secondo la carne. Cosí sia stato visto e conosciuto dagli antichi, ma ormai *le cose vecchie sono passate e tutte sono diventate nuove.* Tutto proviene da Dio, che ci ha riconciliati con Sé per mezzo di Cristo: eravamo — infatti — morti, e perciò uno solo divenne servo per tutti. Che dire: servo? Divenne peccato, obbrobrio, maledizione. Ha detto l'Apostolo che per noi il Signore Gesú divenne peccato, divenne maledizione. Ha detto che quando avrà sottomesso ogni cosa a Sé, allora anch'Egli sarà sottomesso. Ha detto anche Pietro, negli Atti degli Apostoli: *Nel nome di Gesú di Nazaret alzati e cammina.* Lí, ha detto che Dio *ha glorificato suo figlio Gesú,* e nessuno falsa la verità a seconda delle circostanze. Nell'Apocalisse, poi, da Giovanni è stato chiamato anche Agnello; nel salmo è stato chiamato *verme e non uomo.* Egli divenne tutto ciò per ottundere l'aculeo della morte, eliminare la nostra schiavitú, cancellare le maledizioni, i peccati, gli obbrobri.

[3] Cf. *De fide,* V, 8, 102: *Et bene dominus suum quidem patrem, caeli autem et terrae dominum praedicauit.*

5.   Haec et alia, quae consulenti cuidam et multo plura a te scripsisti relata, cum scriptura diuina habeat, quemadmodum quisquam dubitabit dicere quae pie scripta sunt, quoniam ad gloriam Christi spectant, non ad imminutionem? Nam, cum de dono eius, hoc est manna, dictum sit quia *et qui minus collegit, non diminuit, et qui plurimum, non ampliauit* [a], num potuit ipse uel minui uel augeri? Quid enim in eo imminutum est, quod nostram seruitutem, nostras infirmitates susceperat? Erat humiliatus, erat in serui forma, sed idem in gloria dei patris. Erat uermis in cruce, sed idem dimittebat peccata etiam persecutorum suorum. Erat opprobrium, sed idem maiestas domini, sicut scriptum est: *Et uidebitur maiestas domini et uidebit omnis caro salutare dei* [b]. Quid amisit, cui nihil minus est? Non habebat quidem speciem [c] neque decorem, sed habebat plenitudinem diuinitatis. Infirmus aestimabatur, sed non destiterat esse dei uirtus. Videbatur ut homo, sed fulgebat in terris maiestas diuina et patris gloria.

6.   Vnde pulchre apostolus eiusdem uerbi repetitione usus est dicens de domino Iesu: *Qui cum in forma dei esset, non rapinam arbitratus est esse se aequalem deo; sed semetipsum exinaniuit, formam serui accipiens* [a]. Quid est in dei forma, nisi in plenitudine diuinitatis, in illa perfectionis diuinae expressione? Ergo, cum esset in plenitudine diuinitatis, exinaniuit se et accepit plenitudinem naturae et perfectionis humanae; sicut deo nihil deerat, ita nec hominis consummationi, ut esset perfectus in utraque forma. Vnde et Dauid dicit: *Speciosus forma prae filiis hominum* [b].

7.   Concluditur apollinarista nec quo se uertat habet, suis clauditur retibus. Ipse enim dixerat: «Formam serui accepit, non seruus lectus est». Iterum ergo interrogo: «Quid est in forma dei?». Respondet: «In natura dei. Sunt enim, ait apostolus, *qui non sunt natura dii*» [a]. Quaero quid sit *formam serui accipiens* [b]. Sine dubio perfectionem naturae et condicionis, ut dixi, humanae, ut esset in hominum similitudine. Et pulchre non carnis, sed hominum dixit similitudinem, quia in carne eadem. Sed quia sine peccato erat solus, omnis autem homo in peccato, in specie hominis uidebatur. Vnde et propheta ait: *Et homo est et quis cognoscet eum?* [c]. Homo secundum carnem, sed ultra hominem

5. [a] * Ex 16, 18.
  [b] * Is 40, 5.
  [c] Cf. Is 52, 2.
6. [a] Phil 2, 6-7.
  [b] Ps 44, 3.
7. [a] Gal 4, 8.
  [b] Phil 2, 7.
  [c] * Ier 17, 9.

5. Poiché la Scrittura divina contiene queste ed altre verità, che in numero ancora piú grande hai scritto di aver esposto a un tale che t'interrogava, come uno esiterà a dire che mira alla gloria di Dio, non alla sua diminuzione, quello che è stato scritto con intenzione devota? Infatti, siccome è stato detto del suo dono, cioè della manna: *Chi ne raccolse meno, non ne mancò, e chi moltissimo, non ne ebbe di piú*, forse Egli avrebbe potuto essere diminuito o aumentato? Che cosa fu diminuito in Lui, per il fatto che aveva assunto la nostra schiavitú, la nostra debolezza? Era stato umiliato, era nella condizione di servo, ma era anche nella gloria di Dio Padre. Era verme, sulla croce, ma nello stesso tempo rimetteva i peccati anche dei suoi persecutori. Era un obbrobrio, ma era anche maestà di Dio, come sta scritto: *E sarà rivelata la maestà di Dio, e ogni uomo vedrà la salvezza di Dio*. Che cosa ha perduto, chi non ha niente di meno? Non aveva né apparenza né bellezza, ma aveva la pienezza della divinità. Era giudicato debole, ma non aveva cessato di essere la potenza di Dio. Era visto quale uomo, ma risplendevano in terra la maestà divina e la gloria del Padre.

6. Perciò opportunamente l'Apostolo ripeté la medesima parola, dicendo del Signore Gesú: *Egli, essendo di natura divina, non considerò un tesoro geloso quello d'essere uguale a Dio, ma si annientò assumendo la condizione di servo*. Che cosa significa «di natura divina» se non essere nella pienezza della divinità, nella completa manifestazione della perfezione divina? Dunque, pur essendo nella pienezza della divinità, si annientò e assunse la pienezza della natura e della perfezione umana. Come a Dio non mancava nulla, cosí nemmeno alla perfetta attuazione dell'uomo, cosí da essere perfetto nell'una e nell'altra natura. Perciò anche Davide dice: *Superi in bellezza i figli degli uomini*.

7. Il seguace di Apollinare è bloccato e non sa da che parte volgersi, è imprigionato nelle sue reti. Apollinare infatti aveva detto: «Assunse la condizione di servo, non: fu scelto quale servo». Io chiedo una seconda volta: «Che significa *in forma dei*?». Risponde: «Di natura divina; vi sono infatti, dice l'Apostolo, *esseri che non sono di natura divina*». Domando che cosa significhi: *assumendo la condizione di servo*. Senza dubbio: la perfetta natura e condizione umana, come ho detto, per essere del tutto simile agli uomini. E giustamente ha parlato di somiglianza non della carne ma degli uomini, perché aveva la medesima [4] carne. Ma siccome Lui solo era senza peccato, mentre ogni uomo sta nel peccato, appariva simile [5] ad un uomo. Perciò anche il profeta dice: *Ed è uomo e chi lo conoscerà?* [6]. Uomo secondo la carne, ma piú che

---

[4] Cioè, non una carne soltanto «simile».

[5] L'uso di *species* in questo passo risulta equivoco, anche se nel contesto si comprende bene ciò che s'intende qui con questa parola. Altrettanto si dica di *uidebatur* al posto di *erat*. Insomma, Cristo era in tutto uguale a un uomo fuorché nel peccato. Per questa ragione, sant'Ambrogio usa l'espressione *in specie hominis* che esprime somiglianza, non identità.

[6] *Et homo est*, non si trova sia nei *Settanta* sia nella *Vulgata*.

secundum diuinam operationem. Denique, cum leprosum tangeret, homo uidebatur; sed ultra hominem, cum emundaret [d]. Et cum Lazarum fleret mortuum [e], quasi homo flebat; sed supra hominem erat, cum mortuum iuberet uinctis pedibus exire [f]. Homo uidebatur, cum penderet in cruce [g]; sed supra hominem cum, reseratis tumulis, mortuos resuscitaret.

8.   Nec sibi blandiatur uirus Apollinaris, quia ita legitur: *Et specie inuentus est ut homo* [a]; non enim negatus est homo Iesus, cum alibi ipse Paulus de eo dicat: *Mediator dei et hominum homo Christus Iesus* [b], sed confirmatus est. Id enim est usus et moris scripturae sic significare sicut et in euangelio legimus: *Et uidimus gloriam eius, gloriam quasi unigeniti a patre* [c]. Sicut ergo quasi unigenitus dicitur et non abnuitur unigenitus dei filius, ita ut homo dicitur et perfectio fuisse in eo hominis non negatur.

9.   Cum esset igitur in forma serui, humiliatus usque ad mortem, erat tamen in dei gloria. Quid ei igitur obfuit seruitus? Seruus autem factus legitur, quia legitur factus ex uirgine et creatus in carne; omnis enim creatura seruit, dicente propheta: *Quia uniuersa seruiunt tibi* [a]. Vnde et deus pater ait: *Inueni Dauid seruum meum, in oleo sancto unxi eum... Ipse uocabit me: «Pater meus es tu, deus salutis meae». Et ego primogenitum ponam eum* [b]; et in alio psalmo: *Custodi animam meam, quoniam sanctus sum; saluum fac seruum tuum* [c]; et infra in eodem psalmo: *Da potestatem puero tuo et saluum fac filium ancillae tuae* [d]. Congessi enim patris et filii uoces, ut ei non argumenta humana, sed diuina responderent oracula.

10.   Alibi inquit: *In manus tuas commendo spiritum meum* [a], et: *Statuisti in loco spatioso pedes meos* [b]; et: *Super omnes inimicos meos factus sum opprobrium* [c], et in eodem psalmo: *Illustra faciem tuam super seruum tuum* [d]. Per Isaiam quoque dicit ipse filius dei: *Ex utero matris meae uocauit dominus nomen meum et posuit os meum ut gladium acutum et sub tegumento manus suae protexit me. Posuit me sicut sagittam electam et pharetra sua texit me et*

---

[d] Cf. Mt 8, 3.
[e] Cf. Io 11, 35.
[f] Cf. Io 11, 44.
[g] Cf. Mt 27, 52.
8. [a] Phil 2, 7.
   [b] 1 Tim 2, 5.
   [c] Io 1, 14.
9. [a] * Ps 118, 91.
   [b] * Ps 88, 21.27-28.
   [c] Ps 85, 2.
   [d] * Ps 85, 16.
10. [a] Ps 30, 6.
    [b] Ps 30, 9.
    [c] Ps 30, 12.
    [d] Ps 30, 17.

uomo secondo l'operazione divina. Perciò, quando toccava il leb-
broso, appariva uomo; ma era piú che uomo quando lo guariva.
E quando piangeva Lazzaro morto, piangeva in quanto uomo; ma
era piú che uomo quando gli ordinava di uscire dalla tomba
nonostante che avesse i piedi legati. Appariva uomo quando
pendeva dalla croce; ma era piú che uomo quando, apertisi i
sepolcri, risuscitava i morti.

8.   E il veleno di Apollinare non si lusinghi, perché si legge
cosí: *E nell'aspetto fu trovato come uomo*; infatti, non fu negato
che Gesú fosse uomo, dato che altrove lo stesso Paolo dice:
Mediatore tra Dio e gli uomini l'uomo Cristo Gesú, ma è stato
confermato tale. Appartiene all'uso consueto della Scrittura espri-
mersi cosí, come leggiamo anche nel Vangelo: *E abbiamo visto la
sua gloria, gloria come di unigenito dal Padre*. Come dunque è
detto: «come unigenito», e non si nega che sia Figlio unigenito
di Dio, cosí si parla di Lui come uomo e non si nega che in Lui
ci fosse la perfezione umana.

9.   Pur essendo dunque nella condizione di servo, umiliato
fino alla morte, era tuttavia nella gloria di Dio. In che cosa gli
nocque l'essere servo? Ma si legge che divenne servo, perché si
legge che fu concepito dalla Vergine e creato nella carne; infatti
ogni creatura è serva, secondo le parole del profeta: *Poiché tutte
le cose senza eccezione servono a te*. Perciò anche Dio Padre dice:
*Ho trovato Davide mio servo, l'ho unto con l'olio santo. Egli mi
chiamerà: «Tu sei mio padre, Dio della mia salvezza»*. *E io lo
costituirò mio primogenito*; e in un altro salmo: *Custodisci la mia
anima, poiché sono santo: salva il tuo servo*; e sotto, nel medesimo
salmo: *Da' potere al tuo servo e salva il figlio della tua ancella*. Ho
riunito infatti le parole del Padre e del Figlio, perché gli dessero
la risposta non gli argomenti umani ma le rivelazioni divine.

10.   Altrove dice: *Alle tue mani affido il mio spirito*; e: *Hai
posto i miei piedi in un luogo spazioso*; e: *Sono divenuto un obbrobrio piú* [7] *di tutti i miei nemici*. E nel medesimo salmo: *Fa' splendere
il tuo volto sul tuo servo*. Anche per bocca d'Isaia dice, lo stesso
Figlio di Dio: *Dal grembo di mia madre il Signore ha chiamato il
mio nome e ha reso la mia bocca come una spada affilata e sotto
il riparo della sua mano mi ha protetto. Mi ha reso come saetta
scelta e mi ha custodito nella sua faretra e mi ha detto: «Israele, tu*

---

[7] La *Noua Vulgata* ha *apud*.

dixit mihi: «Seruus meus es tu, Israel» [e]. Dicitur enim dei filius et Israel, sicut alibi: *Iacob puer meus, Israel dilectus meus* [f]. Solus enim uere deum patrem non solum uidit, sed etiam enarrauit [g].

11.   Et sequitur: *In te glorificabor. Et ego dixi: «In uacuum laboraui et in nihilum dedi uires meas; ideo iudicium meum ante dominum et dolor meus ante deum meum»* [a]. *Et nunc sic dicit dominus, qui finxit me seruum ex utero sibi ad congregandum Iacob et Israel* [b]. Quis congregauit dei populum nisi Christus? Quis glorificatus est ante dominum? Quis est dei uirtus? Cui dixit pater: *Magnum tibi est uocari te puerum meum* [c]? Et cui dicit: *Ecce posui te in testamentum generis mei, in lucem gentium, ut sis in salutem usque ad extremum terrae* [d]? De quo etiam per os Ezechiel locutus est dicens: *Suscitabo super eos pastorem unum, et reget eos seruus meus Dauid et erit eorum pastor; et ego dominus ero illis in deum, et Dauid in medio eorum princeps* [e]. Dauid utique rex iam defunctus erat, et ideo uerus Dauid, uerus humilis, uerus mansuetus, uerus manu fortis dei filius hoc annuntiatur nomine; qui etiam in Zachariae prophetae libro significatur, dicente deo patre: *Ecce ego mittam seruum meum, Oriens nomen est ei* [f]. Numquid, quia habebat uestimenta sordida, ideo fulgorem diuinitatis suae sol iustitiae non habebat?

12.   Et quid plura? An infirmius putamus seruitium esse quam peccatum, quam maledictum, quam opprobrium, quam infirmitates, quas pro nobis suscepit, ut a nobis auerterentur? Factus est enim haec omnia, ut uniuersa uacuaret. Sed haec ideo non recipiunt, quod seruus, opprobrium, peccatum, maledictum factus sit; quia uerbum et carnem unius asserunt esse substantiae et dicunt: «Ergo, quia nos redemit, seruus dictus est et peccatum debuit dici». Nec aduertunt quod haec Christi gloria sit, quia seruitutem suscepit in corpore suo ut libertatem omnibus redderet: peccata nostra portauit, ut mundi peccatum tolleret.

13.   Seruus, peccatum, maledictum factus est, ut tu peccati seruus esse desisteres et te diuinae sententiae maledicto absolueret. Ille ergo maledictum suscepit tuum: *Maledictus enim omnis qui pendet in ligno* [a]. Ille maledictum in cruce factus est, ut tu benedictus esses in dei regno. Ille dehonestatus et depretiatus

---

e * Is 49, 1-3.
f Is 44, 1.
g Cf. Io 1, 18.
11. a * Is 49, 3-4.
    b * Is 49, 5.
    c * Is 49, 6.
    d * Ibid.
    e Ez 34, 23-24.
    f Zach 3, 8.
13. a Gal 3, 13.

sei mio servo». Infatti il Figlio di Dio è chiamato anche Israele, come in un altro passo: *Giacobbe mio servo, Israele mio diletto.* Fu il solo, infatti, non solo a vedere il Padre, ma anche a parlare di Lui.

11. E prosegue: *In te sarò glorificato. Ed io risposi: «Ho faticato invano e per nulla ho speso le mie forze; perciò il mio giudizio è davanti al Signore e il mio dolore davanti al mio Dio».* Anche ora, così dice il Signore, *che mi ha reso suo servo fin dal grembo materno per radunare Giacobbe e Israele.* Chi ha radunato il popolo di Dio se non Cristo? Chi fu glorificato davanti al Signore? Chi è la potenza di Dio? A chi ha detto il Padre: *È una gran cosa* [8] *per te essere chiamato mio servo?* E a chi dice: *Ecco, ti ho costituito quale patto per la mia stirpe, quale luce per le nazioni, perché tu sia la salvezza sino all'estremità della terra?* Di questo ha parlato anche per bocca di Ezechiele dicendo: *Susciterò per loro un pastore e li governerà il mio servo Davide e sarà loro pastore; e io, il Signore, sarò loro Dio e Davide principe in mezzo a loro.* Certamente il re Davide era ormai morto, e per questo viene annunziato con questo nome il vero Davide, il vero umile, il vero mansueto, il vero forte di mano: il Figlio di Dio; si indica Lui anche nel libro del profeta Zaccaria, là dove Dio Padre dice: *Ecco, io manderò il mio servo, il suo nome è Oriente.* Forse, poiché aveva gli abiti sudici, il Sole di giustizia non aveva il fulgore della sua divinità?

12. E perché aggiungere altro? Forse riteniamo la schiavitú piú impotente del peccato, della maledizione, dell'obbrobrio, delle debolezze che accettò per noi, perché da noi fossero allontanate? Divenne tutto questo, per sopprimerlo tutto senza eccezione. Ma non ammettono che Egli sia divenuto servo, obbrobrio, peccato, maledizione, poiché affermano che il Verbo e la carne sono di una sola sostanza [9], e dicono: «Dunque, perché ci ha redenti fu detto servo e dovette essere chiamato peccato». E non si rendono conto che è questa la gloria di Cristo: che Egli, per così dire, assunse nel suo corpo la schiavitú per ridonare a tutti la libertà, portò i nostri peccati per togliere il peccato del mondo.

13. Divenne servo, peccato, maledizione, perché tu cessassi di essere servo del peccato e per assolverti dalla maledizione della sentenza divina. Egli, dunque, prese su di Sé la tua maledizione. *Maledetto è, infatti, ognuno che pende dal legno.* Egli divenne maledizione, sulla croce, perché tu fossi benedetto nel regno di

---

[8] La *Vulgata* ha *parum,* i *Settanta* μέγα.
[9] Cf. *De Inc.,* 6, 49: *Sed dum hos redarguimus, emergunt alii, qui carnem domini dicant et diuinitatem unius naturae. Quae tantum sacrilegium inferna uomuerunt?* La confutazione di Ambrogio si estende sino a tutto il par. 61.

est, nec aliquid aestimatus. Ille dicebat: *In uacuum laboraui* [b] —
per quem meruit Paulus dicere: *Non in uacuum laboraui* [c] —, ut
boni operis fructum et euangelicae praedicationis gloriam suis
conferret seruulis, per quam uniuersi sarcina laboris absolueren-
tur.

14. His igitur auditis, derelictus est in dimidio dierum suorum perdix, qui clamauit ut congregaret quae non peperit [a], et
oppressus est uoce domini Iesu. Denique adornat fugam.

Vale et nos dilige, quia nos te diligimus.

XL (Maur. 32)
Ambrosius Sabino salutem

1. *Clamauit perdix, congregauit quae non peperit* [a]. Licet enim
mihi de superioris fine epistulae sequentis mutuari exordium.
Celeberrima quaestio; et ideo ut possimus eam absoluere, quid
de natura auis istius habeat historia, consideremus. Nam et hoc
considerare non mediocris prudentiae est, siquidem et Salomon
cognouit naturas animalium et locutus est de pecoribus et uolatili-
bus et de reptilibus et de piscibus [b].

2. Dicitur itaque auis ista plena esse doli, fraudis, fallaciae,
quae decipiendi uenatoris uias calleat atque artes nouerit, ut eum
a pullis auertat suis, omniaque tentamenta uersutiae non praeter-
mittere, quo possit uenantem abducere a nido et cubilibus suis.
Certe, si insistere aduerterit, tamdiu illudit, quamdiu soboli fu-
giendi signum tribuat et potestatem. Quam ubi euasisse senserit,
tunc se et ipsa subtrahit et lubrica arte deceptum insidiantem
relinquit.

3. Fertur etiam promiscuae esse permixtionis, ut in feminas
cum summo certamine mares irruant et uaga calescant libidine.
Vnde impurum et maleuolum et fraudulentum animal aduersario
et circumscriptori generis humani fallacissimoque et impuritatis
auctori conferendum putatur.

---

[b] Is 49, 4.
[c] Phil 2, 16.
14. [a] Cf. Ier 17, 11.

---

1. [a] * Ier 17, 11.
   [b] Cf. 3 Reg 4, 33.

Ep. 40 tit. Irenaeo *Maurini*, Sabino *Palanque Zelzer.*

Dio. Egli fu disonorato e disprezzato e stimato un nulla. Egli diceva: *Ho faticato invano* — e per causa sua Paolo meritò di dire: *Non ho lavorato invano* —, per accordare ai suoi servi il frutto della sua buona opera e la gloria della predicazione evangelica, mediante la quale tutti fossero liberati dal peso della fatica.

14.   Dopo aver ascoltato, dunque, queste parole, fu abbandonato nel mezzo dei suoi giorni, come la pernice che grida per radunare i piccoli che non ha partorito, e fu annientato dalla voce del Signore Gesú. Perciò prepara [10] la fuga.

Sta' sano ed amaci, perché noi ti amiamo.

40 (Maur. 32)
Ambrogio saluta Sabino [1]

1.   *La pernice grida, raduna i piccoli che non ha partorito.* Mi è consentito, infatti, prendere in prestito l'inizio della lettera che segue dalla fine di quella che precede [2]. È una questione famosissima; e perciò, per poterla risolvere, consideriamo che cosa dice la storia naturale di questo uccello [3]. Infatti, considerare ciò, è indizio di non scarsa prudenza, poiché anche Salomone conobbe la natura degli animali e parlò del bestiame, dei volatili, dei rettili e dei pesci.

2.   Si dice, dunque, che questo uccello sia pieno d'inganno, di frode, di falsità; che sia quello che è esperto nei mezzi per ingannare il cacciatore e conosce le astuzie per tenerlo lontano dai suoi piccoli, e che non trascuri di ricorrere ad ogni furberia per poterlo allontanare dal nido e dai suoi giacigli. In ogni caso, se si accorge che il cacciatore gli è addosso, lo inganna fino al momento di dare alla prole il segnale e la possibilità di fuggire. Quando capisce che si è posta in salvo, allora fugge anch'esso e lascia l'insidiatore, beffato dalla sua abilità, nell'inganno.

3.   Si dice anche che abbia rapporti sessuali promiscui, cosí che i maschi assalgono le femmine con violentissima lotta e ardono di errabonda libidine. Perciò viene considerato un animale impuro, maligno e fraudolento, degno di essere paragonato al nemico [4] e ingannatore del genere umano, maestro nella menzogna e promotore dell'impurità.

---

[10] Il soggetto è il seguace di Apollinare, precedentemente nominato (parr. 1 e 7). Secondo i Maurini, la presente lettera avrebbe lo scopo d'informare Sabino di ciò che era accaduto a Milano, in risposta ad una lettera di lui che rendeva edotto Ambrogio di ciò che era accaduto a Piacenza.

[1] I Maurini ritengono che il destinatario di questa lettera sia Ireneo e non Sabino; ma le ragioni addotte non convincono. Di parere diverso il Palanque (*op. cit.*, p. 470); cosí anche la Zelzer (CSEL 82, pars X, p. XV).

[2] Vedi lettera 39 (M. 46), 14.

[3] Cf. ARIST., *Hist. anim.*, IX, 6; PLIN., *N. H.*, X, 33; cf. anche BASIL., *Hexaem.*, 8, 172 C, e AMBR., *Exam.*, VI, 3, 13.

[4] Cioè, al diavolo.

3A.   Clamauit ergo perdix, qui a perdendo nomen accepit, Satanas ille, qui Latine Contrarius dicitur. Clamauit in Eua primum [a], clamauit in Cain [b], clamauit in Pharao [c], Datan, Abiron, Core [d]. Clamauit in Iudaeis, quando petierunt sibi fieri deos, cum Moyses legem acciperet [e]. Clamauit iterum, quando de saluatore dixerunt: *Crucifigatur, crucifigatur* [f], et: *Sanguis eius super nos et super filios nostros* [g]. Clamauit, quando sibi regem fieri postulauerunt, ut recederent a domino deo rege [h]. Clamauit in omni uano et perfido.

4.   His uocibus congregauit sibi populos, quos non creauerat; deus enim hominem ad imaginem et similitudinem suam fecit [a], et diabolus sibi hominem uocis suae fraude sociauerat. Congregauit sibi nationum populos, faciens diuitias non cum iudicio. Vnde in prouerbio est de diuite auaro quia perdix iste congregat diuitias non cum iudicio. At uero meus Iesus quasi iudex bonus cum iudicio omnia agit, qui uenit, sicut scriptum est, dicens: *Ego loquor iustitiam et iudicium salutis* [b].

5.   Ea igitur gratia depraedatus est perdicem illum diabolum, abstulit ei male congregatas diuitias multitudinis, reuocauit ab errore animas gentium mentesque nationum deuiantium. Et quia diaboli uoce deceptos sciebat, et ipse, ut uincula nexusque ueteris erroris solueret, clamauit primum in Abel, cuius clamauit uox sanguinis [a]. Clamauit in Moyse, cui dixit: *Quid clamas ad me?* [b]. Clamauit in Iesu Naue [c]. Clamauit in Dauide qui ait: *Clamaui ad te, salua me* [d]. Clamauit et in omnibus prophetis. Vnde et ad Esaiam dicit: *Clama, et ille ait: Quid clamabo?* [e]. Clamauit in Salomone conuocans cum altissima praedicatione sapientia: *Venite, edite de meis panibus et bibite uinum quod miscui uobis* [f]. Clamauit etiam in corpore suo, sicut scarabaeus in ligno [g]. Clamauit ut insidiatorem falleret et circumueniret, dicens: *Deus, deus meus,*

3A.[a] Cf. Gen 3, 1-5.
 [b] Cf. Gen 4, 9 ss.
 [c] Cf. Ex 5, 2.
 [d] Cf. Num 16, 2.
 [e] Cf. Ex 32, 1.
 [f] Mt 27, 23.
 [g] Mt 27, 25.
 [h] Cf. 1 Reg 8, 5.
4. [a] Cf. Gen 1, 27.
 [b] * Is 63, 1.
5. [a] Cf. Gen 4, 10.
 [b] Ex 14, 15.
 [c] Cf. Ios 1, 1.
 [d] * Ps 118, 146.
 [e] Is 40, 6.
 [f] * Prou 9, 5.
 [g] Cf. Hab 2, 11.

4, 1   quod non creauerat *Maurini, manifeste erratum.*
5, 10 praedicatione sapientia *Maurini* praedicatione ac sapientia *Vat. unus.*

3A. Gridò dunque la pernice, che ha preso il suo nome da «perdere» [5], cioè quel Satana, che in latino significa «Avversario». Gridò anzitutto in Eva, gridò in Caino, nel Faraone, in Datan, Abiron e Core. Gridò nei Giudei, quando chiesero che fossero fabbricati loro degli idoli, mentre Mosè riceveva la Legge. Gridò ancora, quando a proposito del Salvatore dissero: *Sia crocifisso, sia crocifisso*, e: *Il suo sangue ricada su di noi e sui nostri figli*. Gridò quando pretesero che fosse fatto loro un re, per staccarsi dal Signore Dio loro re. Gridò in ogni individuo menzognero e sleale.

4. Con queste parole radunò intorno a sé i popoli che non aveva creato; Dio, infatti, creò l'uomo a sua immagine e somiglianza, e il diavolo aveva associato a sé l'uomo con l'inganno della sua parola. Radunò intorno a sé i popoli pagani, procacciando ricchezze senza discernimento. Perciò il proverbio dice, del ricco avaro, che questa pernice ammassa ricchezze senza discernimento. Ma il mio Gesú, quale buon giudice, tutto compie con discernimento; Lui, che è venuto — come sta scritto — dicendo: *Io pronuncio parole di giustizia e giudizio di salvezza* [6].

5. Egli, dunque, spogliò di tale grazia quella pernice che è il diavolo, gli tolse le ricchezze della moltitudine malamente accumulate, distolse dall'errore le anime dei pagani e le menti dei popoli sviati. E poiché li sapeva ingannati dalla parola del diavolo, anch'Egli — per sciogliere i lacci dell'antico errore — in primo luogo gridò in Abele, nel quale gridò la voce del sangue. Gridò in Mosè, cui disse: *Perché gridi verso di me?* Gridò in Giosuè. Gridò in Davide che disse: *A te ho gridato, salvami*. Gridò anche in tutti i Profeti. Perciò, anche ad Isaia, dice: *Grida*; e quello gli chiede: *Che cosa griderò?* Gridò in Salomone, chiamando a raccolta con la sublime sapienza del suo insegnamento: *Venite, mangiate dei miei pani e bevete il vino che ho versato per voi*. Gridò anche nel proprio corpo, come uno scarabeo [7], sulla croce. Per ingannare l'insidiatore e raggirarlo, gridò dicendo: *Dio mio, Dio mio, perché*

---

[5] È un prestito dal gr. πέρδιξ.
[6] Cosí i *Settanta*. La *Noua Vulgata* ha *potens ad saluandum*.
[7] Vedi *De ob. Theod.*, 46, e *Opera omnia*, 18, p. 245, nota 64. Si tratta, in sostanza, di un errore dei *Settanta*, che in Ab 2, 11 hanno reso con χάνθαρος (scarabeo) l'ebr. *pãfĩs* (legno, trave).

quare me dereliquisti? [h]. Clamauit ut dispoliaret, respondens latro-
ni: *Amen, amen dico tibi, hodie mecum eris in paradiso* [i]. Itaque,
ubi clamauit Iesus, continuo perdix ille a congregatis in dimidio
dierum suorum derelictus est.

6.   Vnde et quidam naturae perdicis etiam istud aptandum
putarunt, eo quod aliena diripiat oua et foueat suo corpore atque
hac sua fraude partus alienos studeat acquirere. Sed — quod
aiunt cornici oculum: habent enim et uolatilia suas artes — ubi
istud aduerterit, cuius aut singula oua direpta aut cubile fuerit
inuasum aut sollicitata soboles errore similitudinis, speciei simu-
latione decepta, etsi infirmior uiribus, induit se atque armat uersutia; et cum labor omnis impensus nutrimentorum educantem
exhauserit atque adolescere pulli coeperint, tunc uocem emittit
et quadam pietatis tuba prolem aduocat. Quae naturali quodam
auditu excitata agnoscit parentem et simulantem deserit. Ita, cum
uult congregare quae non peperit, amittit quos nutriendos putauit.

7.   Non superfluo igitur et Iesus clamauit ut, quia totius
mundi populus uoce perdicis, blanditiis, arte, specie deceptus ab
auctore proprio deuiauerat lubricas artes secutus, ueri parentis
uoce reuocatus fallacem relinqueret atque in dimidio dierum eius
fraudulentum desereret, id est, ante huius finem saeculi, cui nos
eripuit dominus Iesus, et ad uitam aeternam uocauit. Itaque nunc
mortui mundo uiuimus deo [a].

8.   Cum igitur perdix iste penitus a falsis filiis derelictus
fuerit, tunc erit stultus ille, quem elegit deus et sapientem confu-
dit, saluus, quoniam quae stulta sunt mundi elegit deus. Ideoque,
si quis uidetur sapiens esse in hoc saeculo, stultus fiat, ut sit
sapiens.

Vale, fili, et nos dilige, ut facis, quoniam nos te diligimus.

---

[h] Mt 27, 46.
[i] Lc 28, 43.
7. [a] Cf. Rom 6, 8.

mi hai abbandonato? Per privarlo di quell'anima, gridò al ladrone: *In verità ti dico, oggi sarai con me in paradiso.* Pertanto, quando Gesú ebbe gridato, subito quella pernice fu abbandonata da coloro che aveva radunato nella metà dei suoi giorni [8].

6.   Perciò alcuni credettero di dover attribuire alla natura della pernice anche l'abitudine di sottrarre le uova altrui e di covarle col proprio corpo, e mediante questo inganno cercare di procurarsi i piccoli degli altri uccelli. Ma — come dice il proverbio, la cornacchia cava l'occhio alla cornacchia; infatti anche gli uccelli hanno le loro astuzie — quando se ne accorge l'uccello del quale o sono state sottratte singole uova o è stato invaso il nido o dall'aspetto simulato è stata ingannata la prole sollecitata dall'errore dovuto alla somiglianza, pur inferiore di forze ricorre alla furberia facendosene un'arma. E quando tutta la fatica spesa per nutrirli ha esaurito chi li ha allevati e i piccoli hanno cominciato a farsi grandicelli, allora esso lancia il suo verso e — per cosí dire — con la tromba dell'amore, chiama a sé la prole. Questa, spinta — per dire cosí — dal richiamo di natura, riconosce il genitore e abbandona il falso padre. In tal modo, mentre vuole raccogliere le creature che non ha partorito, la pernice perde quei piccoli che aveva pensato di allevare.

7.   Non inutilmente, dunque, anche Gesú lanciò il suo grido, affinché il popolo di tutto il mondo — poiché ingannato dal verso, dalle seduzioni, dall'astuzia, dall'apparenza della pernice si era allontanato dal proprio Creatore seguendo arti mendaci —, richiamato dalla voce del vero padre, lasciasse il falso e abbandonasse il fraudolento alla metà dei giorni di costui, cioè prima della fine di questo mondo, cui il Signore Gesú ci ha strappati chiamandoci alla vita eterna. Perciò ora, morti al mondo, viviamo per Dio.

8.   Quando, dunque, questa pernice sarà stata abbandonata completamente dai figli non suoi, allora sarà salvo lo stolto che Dio ha scelto, mentre ha confuso il sapiente, poiché Dio ha scelto ciò che è stolto in questo mondo. Perciò, se uno sembra sapiente in questo secolo, diventi stolto per essere sapiente.

Sta' sano, figlio, ed amaci come appunto fai, perché noi ti amiamo.

---

[8] Vedi sotto, par. 7: *in dimidio dierum eius... id est ante huius finem saeculi.*

XLI (Maur. 86)
Ambrosius Syricio

Prisco amico et aequaeuo meo dedisti aduenienti litteras, ego quoque reuertenti reddidi, quas et pro officio et pro amore debui. Vtrumque igitur nostrum suo officio remuneratus est, qui et mihi tuas et meas tibi restituit; ideo eius officii pretium incremento debet adipisci gratiae.

Vale et nos, frater, dilige, quia nos te diligimus.

XLII (Maur. 88)
Ambrosius Attico

Prisco meo dedisti litteras. Priscus meus mihi reddidit et ego Prisco. Tu Priscum, ut soles, dilige, et plus etiam quam soles; quod ego suadeo, quia et ipse Priscum meum facio plurimi. Est enim erga eum Priscus hic noster amor, qui a pueritia iam inde nobiscum aetate accreuit simul; sed eum multo post uidi tempore, ut uere mihi non solum nomine, sed etiam tanti interuallo temporis Priscus aduenerit.

Vale et nos amantes tui dilige, quia nos te diligimus.

XLIII (Maur. 3)
Ambrosius Felici

1. Misisti mihi tubera, et quidem mirae magnitudinis, ut stupori forent ea tam grandia. Nolui in sinu, ut aiunt, abscondere, sed aliis quoque demonstrare malui. Itaque partem direxi amicis, partem mihi reseruaui.

41 (Maur. 86)
Ambrogio a Siricio [1]

Tu hai dato una lettera al mio amico e coetaneo Prisco; anch'io al suo ritorno gliene ho data [2] una, di cui sono debitore con te per dovere ed amore. Egli ci ha ricambiati entrambi con la sua cortesia, perché ha recato a me la tua lettera e ti ha portato la mia; perciò deve ottenere la ricompensa del suo servizio mediante un aumento del nostro favore.

Sta' sano ed amaci, fratello, perché noi ti amiamo.

42 (Maur. 88)
Ambrogio ad Attico [1]

Hai dato una lettera al mio Prisco. Il mio Prisco me l'ha recapitata. Anch'io ne do una a Prisco [2]. Ama Prisco, secondo che suoli, ed anzi piú di quanto suoli: ti suggerisco questo, perché anch'io amo moltissimo il mio Prisco. È di antica data questo nostro amore per lui, che dalla fanciullezza, via via, è cresciuto insieme con noi; ma l'ho rivisto dopo molto tempo, sicché veramente è giunto da me di antica data non solo per il nome [3], ma anche per lo spazio di un tempo cosí lungo.

Sta' sano ed amaci, affezionati come ti siamo, perché noi ti amiamo.

43 (Maur. 3)
Ambrogio a Felice [1]

1. Mi hai mandato dei tartufi, e per giunta di straordinaria grossezza, cosí che le loro inusitate proporzioni lasciavano a bocca aperta. Non ho voluto — come suol dirsi — nasconderli in grembo, ma ho preferito farne mostra ad altri. Perciò ne ho destinato una parte agli amici e una parte ne ho tenuta per me.

---

[1] Forse papa Siricio, «sans qu'on puisse en être sûr» (PALANQUE, op. cit., p. 473). Vedi però lettera 46 (M. 85) e nota 1.
[2] Reddidi dal contesto non pare forma dello stile epistolare.

---

[1] Secondo il Palanque (op. cit., p. 477), potrebbe essere Nonius Atticus Maximus, console nel 397; vedi Seeck, SYMMACHI Opera, MGH, Auct. antiq., Berolini 1883, p. CLXXIII.
[2] Conservo la ripetizione del nome, senza dubbio voluta.
[3] Priscus.

---

[1] È il vescovo di Como, su cui vedi vol. I, lettera 5. Secondo i Maurini, la lettera sarebbe del 380.

2. Suaue munus, non tamen ita praepollens, ut comprimeret querelam meam iure excitatam, quod nos tamdiu amantes tui nequaquam reuisas. Et caue posthac ne maiora inuenias doloris tubera. Nam huius nominis diuersa ratio; ut enim grata in munere, ita in corpore atque in affectu molesta sunt. De te impetra quominus te abesse doleam; nam causa commotionis meae desiderium est tui. Effice, si potes, ut minus gratus sis.

3. Rem exposui, causam probaui. Intorquenda est amentata illa non manipularis sententia. Metuisti certe; sed uide quam mouear, ut delectet iocari. Postea tamen ne excusaueris; etenim, quamuis tua haec uectigalis mihi sit excusatio, male tamen de te iudicat nec de me melius, si aut tuam absentiam muneribus compensandam aut me muneribus redimendum putes.

Vale et nos amantes tui dilige.

XLIV (Maur. 68)

Ambrosius Romulo

1. Cum sis in agro, miror qua ratione de me quaerendum putaueris, cur dixerit deus: *Ponam caelum aereum et terram ferream* [a]. Nam species ipsa agri et praesens fertilitas docere nos potest quanta clementia sit aeris et caeli indulgentia, quando dignatur deus ubertatem dare; quando autem sterilitas, quemadmodum clausa omnia, spissus aer, ut in rigorem aeris solidatus putetur. Vnde alibi habes quia in diebus Eliae clausum est caelum annis tribus et mensibus sex [b].

2. Significatur igitur clausum caelum aereum esse, usum sui terris negare. Terra quoque ferrea est, cum prouentus abnuit et iacta sibi semina tamquam hostili duritia genitali excludit aruo,

1. [a] * Deut 28, 23.
   [b] Cf. 3 Reg 17, 1.

2.   Regalo gradito, non tale però da soffocare il mio lamento legittimo, perché da tanto tempo non ti sogni [2] di farci visita, nonostante l'affetto che abbiamo per te. Bada però di non trovare in avvenire «tuberi», che ti facciano soffrire, piú grandi di questi. Tale nome, infatti, indica specie diverse; come sono graditi in dono, cosí sono molesti nel corpo e nell'animo. Quanto a te, cerca di ottenere che io non mi dolga della tua assenza. Se ci riesci, procura d'essermi meno caro.

3.   Ho esposto il fatto, ne ho addotto le prove. Come un giavellotto con la sua correggia, deve essere scagliata [3] una sentenza di non ordinaria amministrazione [4]. Senza dubbio hai preso paura. Ma guarda quanto sia grande la mia irritazione, al punto che provo gusto a scherzare. In seguito, però, non addurre scuse; infatti, quantunque codesto tuo scusarti mi rechi dei vantaggi, ti fa fare una brutta figura, né migliore la farebbe fare a me, se tu credessi di compensare la tua assenza con regali o di comperarmi con doni.

Sta' sano ed amaci, perché noi ti amiamo.

44 (Maur. 68)

Ambrogio a Romolo [1]

1.   Poiché sei in campagna, mi domando con stupore perché tu abbia creduto di dovermi chiedere per quale ragione Dio abbia detto: *Farò il cielo di rame e la terra di ferro*. Infatti l'aspetto stesso della campagna e la fertilità di questi giorni ci possono insegnare quanta sia la dolcezza dell'aria e la benignità del cielo, quando il Signore si degna di concederci la fecondità; quando invece c'è la sterilità, come tutto sia chiuso, come sia densa l'aria, cosí che la si crede solidificata fino ad assumere la rigidità del rame. Perciò in un altro passo tu trovi che ai tempi di Elia il cielo rimase chiuso per tre anni e sei mesi.

2.   Si dice, dunque, che il cielo chiuso è di rame, cioè che nega alla terra i propri benefici. Anche la terra è di ferro, quando rifiuta i propri prodotti e — per cosí dire — con crudeltà di nemica non accoglie nel suolo fecondo i semi che vi vengono

---

[2] *Nequaquam*: ho cercato di renderlo, dato il carattere della lettera, con il nostro familiare «non ti sogni». Si potrebbe tradurre anche «non pensi».
  [3] Cf. TERT, *C. Marc.*, 4, 33: *amentauit hanc sententiam*. Vedi l'espressione ecclesiastica «fulminare una scomunica».
  [4] *Manipularis*, propriamente significa «da soldati semplici», quindi «ordinario», «comune». Si potrebbe anche rendere qui l'intera espressione con «fuori dell'ordinario», «particolarmente severa».

---

[1] Il destinatario è senza dubbio *Flauius Pisidius Romulus*, consolare d'Emilia-Liguria nel 385, *comes sacrarum largitionum* nel 392; cosí il Palanque (*op. cit.*, p. 477), che rinvia al SEECK, *op. cit.*, p. CXCVIII.

quae gremio solet blandae matris fouere. Quando enim ferrum fructificat? Quando aes imbres relaxat?

3.   His igitur miserandam famem minatur impiis, ut qui pietatem filiorum communi omnium domino et patri exhibere nesciunt, careant nutrimento paternae indulgentiae, sit illis caelum aereum, concreto aere et solidato in metalli rigorem, sit illis terra ferrea, partus suos nesciens, ut quod plerumque inopia habeat, discordias serens. Rapto enim utuntur qui uictu indigent, ut alienis dispendiis famen suam ableuent.

4.   Iam si et offensa inhabitantium huiusmodi sit, ut diuina commotione iis inferantur proelia, uere terra est ferrea, telorum segetibus inhorrens et suis nuda fructibus, fecunda ad poenam, sterilis ad alimoniam. Vbi autem abundantia? *Ecce ego pluo uobis panes, dicit dominus* [a].
Vale et nos dilige, quia nos te diligimus.

XLV (Maur. 52)
Ambrosius Tatiano (?)

1.   Venit tibi innocens uictoria, ut sine uoti amaritudine potiaris uictoriae securitate. Rufinus enim ex magistro officiorum factus est in consulatu praefectus praetorio, ac per hoc plus posse coepit, sed tibi iam nihil obesse; est enim aliarum praefectus partium. Quam gaudeo uel illi ut amico, quia honore auctus, inuidia leuatus est, uel tibi ut filio, quia liberatus es ab eo, quem

4. [a] Ex 16, 4.

gettati, mentre solitamente li riscalda nel suo grembo di madre affettuosa. Quando, infatti, il ferro dà frutto? Quando, il rame lascia cadere la pioggia?

3. A questi empi dunque si minaccia una miserevole carestia, affinché coloro, che non sanno dimostrare al Signore e Padre a tutti comune la pietà di figli, manchino del nutrimento della benignità paterna; per essi il cielo sia di rame, essendosi ispessita l'aria e divenuta solida sino ad assumere la rigidezza del metallo; per essi la terra sia di ferro, ignorando i propri prodotti, provoncando discordie, come avviene in ogni situazione dominata dal bisogno. Vivono infatti di rapina quelli che mancano di cibo, cosí che alleviano la loro fame con danno degli altri.

4. Inoltre, se anche la colpa degli abitanti è tale che lo sdegno divino muova loro guerra, la terra è veramente di ferro, irta di una messe di lance [2] e spoglia dei suoi frutti, feconda di sofferenza, sterile di alimento. Ma dov'è l'abbondanza? *Ecco, io vi faccio piovere pani, dice il Signore.*

Sta' sano ed amaci, perché noi ti amiamo.

45 (Maur. 52)

Ambrogio a Taziano (?) [1]

1. Hai ottenuto una vittoria senza colpa, cosí che, senza l'amarezza del desiderio, raggiungi la sicurezza di chi ha vinto. Infatti Rufino [2], da ministro della casa imperiale, è stato fatto — durante il suo consolato — prefetto del pretorio, e per tale nomina ha cominciato ad accrescere la sua potenza, ma ormai senza poterti piú nuocere. Infatti è prefetto in altre regioni [3]. Quanto mi rallegro, sia con lui — come con un amico — perché ha raggiunto una posizione piú onorifica e si è liberato dall'invidia, sia con te — come con un figlio —, perché ti sei liberato di lui,

---

[2] Cf. VERG., *Georg.*, II, 142: *Nec galeis densisque uirum seges horruit hastis.*

---

[1] È controverso il nome del destinatario di questa lettera. Secondo alcuni sarebbe il Taziano prefetto del pretorio sotto Teodosio (ZOS., *N.H.*, 45, 1), caduto in disgrazia e sostituito da Rufino all'inizio del settembre 392 (cf. *ibid.*, 52, 1-4). Vedi anche PALANQUE, *op. cit.*, p. 544. Il Dudden (*The life and the Times of St. Ambrose*, Clarendan Press, Oxford 1935, II, pp. 701-702) invece la ritiene indirizzata a un Tiziano, distinto dal precedente personaggio. Senza dubbio, se la lettera fosse rivolta al Taziano di cui sopra, sembrerebbe per lo meno inopportuna la menzione dei rallegramenti di sant'Ambrogio a Rufino, chiaramente nemico dello stesso Taziano. Potrebbe però sempre trattarsi di un'altra persona.

[2] Era originario dell'Aquitania e, verso la fine del regno, esercitò una notevole influenza su Teodosio. *Magister officiorum* nel 388, nel 392 procurò la disgrazia di Taziano, il quale era stato prefetto del pretorio in Oriente durante l'assenza di Teodosio, recatosi in Occidente (388-391), e gli successe nella carica, che teneva ancora alla morte dell'imperatore (395). Vedi A.H.M. JONES, *Il tardo impero romano*, trad. it., Il Saggiatore, Milano 1973, I, p. 210.

[3] Evidentemente Taziano doveva trovarsi in Occidente. Vedi sopra, nota 2.

tibi grauiorem iudicem arbitrabare, ut, si de negotio definiueris cum tua nepte, pietatis tuae sit, non formidinis.

2. Ideoque promptior esto decisioni, cuius et spes potior et fructus est. Spes, quia pater neptis tuae, qui de illius sententia sibi plurimum blandiebatur, iam quod de eo speret, non habet; ille enim alia curat, praeterita neglegit uel cum illo, quod tunc gerebat, deposuit officio; iste negotii sui meritum, non sententiae patronum considerat. Et fructus iucundior est, ut tibi referatur decisionis gratia, qui potueris iam spernere et non spreueris, pietatem spectans necessitudinis, non stimulum offensionis.

Vale et nos dilige ut filius, quia nos te, ut parentes, diligimus.

XLVI (Maur. 85)
Ambrosius Syricio

1. Gratum est mihi cum litteras accipio tuas. At cum de conseruitio nostro aliquos dirigis, ut fratrem nostrum et compresbyterum Syrum tuis es prosecutus litteris, geminatur laetitia. Sed utinam fructus fuisset iste diuturnior! Nam, statim ut uenit, recurrendum putauit, quod quidem desiderium meum plurimum minuit, ad sui gratiam multum addidit.

2. Nam ego diligo eos uel presbyteros uel diaconos qui, cum aliquo processerint, nequaquam se patiuntur a suo diutius abesse munere. Dicit enim propheta: *Non laboraui sequens post te* [a]. Quis autem potest laborare sequens Iesum, cum ipse dicat: *Venite ad me omnes qui laboratis et onerati estis, et ego uos reficiam* [b]? Sequamur ergo Iesum semper nec desinamus. Quod si semper sequamur, numquam deficimus; dat enim uires sequentibus se. Itaque, quo propior uirtuti fueris, eo fortior eris.

3. Plerumque, cum sequimur, dicitur nobis ab aduersariis: *Vbi est uerbum domini? Veniat* [a]. Sed nos non fatigemur sequendo, non aduertamur subdolae interrogationis impedimento. Diceba-

2. [a] * Ier 17, 16.
  [b] Mt 11, 28.
3. [a] Ier 17, 15.

che ritenevi un giudice troppo severo nei tuoi riguardi. Cosí, se giungerai ad una definizione della controversia con tua nipote [4], sarà dovuto al tuo affetto per lei, non al timore.

2. Perciò, affretta la decisione di cui maggiori sono la speranza e il frutto. La speranza, perché il padre di tua nipote, che si lusingava moltissimo della sentenza di quello [5], non ha ormai di che sperare da lui. Egli, infatti, si preoccupa di altri affari, trascura quelli passati o li ha messi da parte con l'ufficio che allora esercitava [6]; costui [7] considera il merito dell'affare di sua competenza, non il patrocinatore della sentenza. Anche il frutto è piú lieto: sarà attribuita a te la benignità della decisione, perché avresti potuto non tener conto dei rapporti affettivi e non l'hai fatto, considerando lo sprone della parentela, non quello dell'offesa.

Sta' sano ed amaci come un figlio, perché noi, come un padre, ti amiamo.

46 (Maur. 85)
Ambrogio a Siricio [1]

1. È un piacere per me ricevere una tua lettera. Ma quando tu indirizzi a me uno della nostra comunità di servi di Dio, come hai accompagnato con una tua lettera il nostro fratello e collega di sacerdozio Siro, la nostra gioia si raddoppia. E magari questo godimento fosse durato piú a lungo! Infatti, subito — com'è avvenuto — ha creduto di dover tornare. Tale fatto ha diminuito assai il mio rimpianto e ha di molto accresciuto il suo prestigio.

2. Infatti, io amo molto quei preti o diaconi che, quando si recano in qualche luogo, non sopportano assolutamente di star troppo a lungo lontani dal loro ufficio. Dice infatti il profeta: *Non ho faticato a seguirti*. Ma chi può provare fatica a seguire Gesú, poiché Egli stesso dice: *Venite a me tutti voi che siete affaticati e oppressi, e io vi ristorerò?* Dunque, seguiamo sempre Gesú senza desistere. Se lo seguiamo sempre, non veniamo mai meno; infatti, dà le forze a quelli che lo seguono. Perciò, quanto piú sarai vicino alla forza, tanto piú forte sarai.

3. Spesso, quando lo seguiamo, ci viene detto dagli avversari: *Dov'è la parola del Signore? Si compia*. Ma noi non stanchiamoci di seguirlo, non lasciamoci distogliere dal subdolo ostacolo di

---

[4] Non ne conosciamo l'oggetto. Vedi sotto, par. 2.
[5] Cioè, Rufino.
[6] Evidentemente quello di *magister officiorum*; vedi sopra, par. 1.
[7] Cioè, l'attuale *magister officiorum*.

---

[1] Vedi lettera 41 (M. 86), nota 1. A favore dell'identificazione di Siricio con l'omonimo pontefice, sta la frase finale: *et parentem diligimus*.

tur hoc prophetae, cum mitteretur in carcerem, cum demergeretur in uoraginem luti: *Vbi est uerbum domini? Veniat.* Sed ille multo magis secutus est, et ideo ad brauium peruenit, ideo accepit coronam, quia non laborauit, qui sequebatur Iesum: *Non est enim labor Iacob nec dolor uidebitur in Israel* [b].

Vale et nos dilige, quia et nos amantem nostri et parentem diligimus.

XLVII (Maur. 87)
Ambrosius Foegadio et Delphino episcopis

1. Polybius filius noster, cum de Africanis regressus partibus, in quibus proconsularem iurisdictionem egregie repraesentauit, aliquantulos nobiscum exegisset dies, summa gratia se meis uisceribus infudit.

2. Deinde cum abire hinc et demeare uellet, poposcit ut utrique uestrum scriberem. Promisi futurum. Itaque dictaui epistolam et utriusque conscriptam nomine dedi. Postulauit alteram. Dixi ad utrumque uestrum datam more usuque nostro, eo quod sancta mens uestra non epistolarum numero, sed coniunctione nominum delectaretur nec perpeti posse ut fieret uocabulorum separatio, quorum affectus conueniret, idque praescriptum nostro muneri, ut uteremur caritatis compendio.

3. Quid plura? Exegit alteram, dedi, ut neque illi negarem quod posceret nec mihi immutarem quod in usum uenerat. Ita et ille habet quod utrique reddat, quia id solum praetendit, ne, cum alteri reddidisset, alteri uacuus foret. Et ego uobis indiuisae gratiae munus sine ullo dependam offensionis periculo et diuisionis scrupulo, cum praesertim etiam haec forma scriptionis apostolicae sit, ut et unus ad plures, ut Paulus ad Galatas, et duo ad unum possint scribere, sicut scriptum est: *Paulus, uinctus Iesu Christi, et Timotheus frater Philemoni* [a].

Salutem uobis dico: diligite nos et orate pro nobis, quia ego uos diligo.

---

[b] Num 23, 21.

---

3. [a] Phm 1.

Ep. 47 tit. Segatio *Maurini.*

questa domanda. Si diceva cosí al profeta quando veniva gettato in carcere, quando era sprofondato in una voragine di fango: *Dov'è la parola del Signore? Si compia.* Ma egli lo seguí molto di piú, e perciò raggiunse il premio, ricevette la corona. Infatti non provò fatica, poiché seguiva Gesú: *Non c'è,* infatti, *fatica per Giacobbe né si vedrà dolore in Israele* [2].

Sta' sano ed amaci, perché noi amiamo chi ci ama ed è nostro padre.

47 (Maur. 87)
Ambrogio a Fegadio e a Delfino [1]

1.   Il nostro figlio Polibio, essendosi trattenuto vari giorni con noi al suo ritorno dalle regioni africane, dove aveva egregiamente esercitato la giurisdizione proconsolare, penetrò nel mio cuore con la sua straordinaria piacevolezza.

2.   Quindi, siccome voleva partirsene e scendere da voi, mi chiese di scrivere a entrambi voi. Promisi di farlo. Perciò dettai una lettera e la indirizzai a tutti e due. Ne chiese un'altra. Gli dissi che era stata indirizzata ad entrambi secondo la nostra solita abitudine, perché il vostro animo santo provava piacere non per il numero ma per l'unione dei nomi, né poteva sopportare che fossero separati i nomi di quelli che l'affetto univa; e il nostro ufficio esigeva che esprimessimo il nostro amore nella maniera piú breve.

3.   Perché dire di piú? Ne volle un'altra; la scrissi in modo da non rifiutargli quel che chiedeva e da non cambiare la consuetudine adottata. Cosí egli ha uno scritto da consegnare a ciascuno dei due; perché egli adduce questo solo motivo: di non presentarsi a mani vuote all'uno dopo aver consegnato la lettera all'altro. Ed io, senza alcun pericolo di offesa e scrupolo di divisione, vi pagherò il tributo di un amore indiviso, specialmente perché questa è una forma usata dagli Apostoli nelle loro lettere, cosí che possano scrivere uno a piú persone — come Paolo ai Galati — e due persone ad uno solo, come sta scritto: *Paolo prigioniero di Gesú Cristo, e il fratello Timoteo a Filemone.*

Vi saluto: vogliateci bene e pregate per noi, perché io vi voglio bene.

---

[2] Cosí i *Settanta.*

---

[1] Sono i Vescovi rispettivamente d'Agen e di Bordeaux. *Foegadius* è corruzione di *Foebadius* (PALANQUE, *op. cit.,* p. 471).

XLVIII (Maur. 66)
Ambrosius Romulo

1. Epistolarum genus propterea repertum, ut quidam nobis cum absentibus sermo sit, in dubium non uenit; sed fit hoc usu exemploque pulchrius, si inter parentem ac filios crebra et iucunda alloquia caedantur, ut uere inter disiunctos corpore quaedam imago referatur praesentiae; his enim adolescit officiis amor, sicut tuis ad me aut meis ad te augetur litteris. Sed hoc multo locupletius proximis tuae dilectionis experiri coepi affatibus, quibus me consulendum putasti, quid sibi uellet quod Aaron aurum detraxerit populo poscenti sibi fieri deos et quod eo aurum figuratum sit uituli caput uel quod Moyses tam dure indignatus sit, ut iuberet proximum quemque insurgere gladiis in necem proximi sui [a]. Magnum est enim nullum pati absentibus damnum irrepere non solum suauitatis, sed etiam collationis et liberalis scientiae. Quid igitur de eo sentiam, quoniam exposcis, conferendi magis quam exponendi studio loquar.

2. Cum Moyses in monte Sina legem acciperet, populus erat cum Aaron sacerdote; et quamuis frequenter ad culpam lubricus, tamen, quamdiu lex dabatur, sacrilegio errasse non proditur. Verum, ubi diuinum conticuit oraculum, peccatum irrepsit, ut peterent sibi fieri deos. Coactus Aaron petiit anulos eorum et inaures mulierum; quae tradita in ignem misit et conflatum est uituli caput.

3. Neque excusare tantum sacerdotem possumus neque condemnare audemus. Non imprudens tamen qui anulos Iudaeis et inaures abstulit; etenim qui sacrilegium moliebantur, nec fidei signaculum habere poterant nec ornamenta aurium. Denique et patriarcha Iacob abscondit inaures cum simulacris gentium, quando in Sichimis abscondit [a], ut nullus audiret superstitiones gentilium. Pulchre autem dixit: *Deponite anulos et inaures aureas, quae sunt inaures mulierum uestrarum* [b], non quo uirorum inaures relinqueret, sed quod uiros non habere manifestaret. Congrue quoque inaures auferuntur mulieribus, ne iterum Eua uocem serpentis audiret.

1. [a] Cf. Ex 32, 2 ss.
3. [a] Cf. Gen 35, 4.
   [b] * Ex 32, 2.

48 (Maur. 66)
Ambrogio a Romolo [1]

1.   Non c'è dubbio che il genere epistolare è stato inventato, perché abbiamo una possibilità di colloquio con chi è assente; ma ciò diventa piú bello, per la consuetudine e l'esempio, quando si intrecciano frequenti e lieti conversari tra padre e figli. Cosí, veramente, tra chi è separato col corpo si riproduce una certa immagine di reciproca presenza: con tali manifestazioni d'affetto cresce l'amore, come aumenta per le tue lettere a me o per le mie a te. Ma ho cominciato a farne un'esperienza molto piú splendida per le ultime tue espressioni con le quali hai creduto di dovermi chiedere che cosa significasse il fatto che Aronne aveva tolto l'oro al popolo, che chiedeva che gli si fabbricassero dèi, e che con quell'oro era stato foggiato il capo del vitello, e che Mosè si era sdegnato con tanta durezza da ordinare che ognuno si levasse con la spada per uccidere le proprie persone care. È una gran cosa, infatti, non permettere che gli assenti [2] debbano subire — senza quasi rendersene conto [3] — un danno non solo nel piacere, ma anche nei reciproci rapporti e nella cultura liberale. Quale sia il mio parere, poiché me lo chiedi, te lo dirò piú per il desiderio d'intrattenermi con te che per quello di farti una lezione.

2.   Mentre Mosè sul Monte Sinai riceveva la Legge, il popolo stava con il sacerdote Aronne e, quantunque fosse proclive alla colpa, tuttavia, finché si promulgava la Legge, non si tramanda che abbia commesso sacrilegio. Ma quando tacque l'oracolo divino, si insinuò il peccato, cosí che chiesero che fossero loro fabbricati degli dèi. Aronne, costretto, chiese i loro anelli e gli orecchini delle donne; dopo che gli furono consegnati, li gettò nel fuoco, e per fusione si ottenne la testa di un vitello.

3.   Non possiamo scusare un sacerdote cosí insigne né osiamo accusarlo. Tuttavia non fu sconsiderato nel togliere ai Giudei gli anelli e gli orecchini; infatti coloro che tramavano un sacrilegio non potevano avere né il sigillo della lealtà né gli ornamenti degli orecchi. Perciò anche il patriarca Giacobbe nascose gli orecchini con i simulacri pagani, quando li nascose a Sichem, perché nessuno sentisse parlare delle superstizioni dei Gentili. Giustamente disse: *Deponete gli anelli e gli orecchini d'oro, che sono gli orecchini delle vostre donne* [4], non per trascurare gli orecchini degli uomini, ma per indicare che gli uomini non ne avevano. Opportunamente, anche, si tolgono alle donne gli orecchini, perché Eva non desse ascolto una seconda volta alla voce del serpente.

---

[1] Vedi lettera 44 (M. 68), nota 1.
[2] Come Romolo.
[3] Rendo cosí *irrepere*.
[4] Il testo citato non corrisponde esattamente né alla *Vulgata* né ai *Settanta*.

4. Et ideo, quia sacrilegium audierant, conflatis earum inauribus, conflata est imago sacrilegii; qui enim male audit, conflare sacrilegium solet. Cur autem caput uituli exierit, sequentia docent, quia significabatur futurum quod Hieroboam posteriore tempore hoc genus sacrilegii induceret, ut populus Hebraeorum adoraret uitulas aureas [a], siue quod omnis perfidia similis immanitatis atque insipientiae bestialis sit.

5. Cuius rei indignitate percitus fregit tabulas Moyses et comminuit uituli caput atque in puluerem redegit, ut omnia impietatis aboleret uestigia. Fractae sunt enim primae tabulae, ut repararentur secundae, quibus per euangelii praedicationem perfidia comminuta euanuit. Sic Moyses typhum illum dissipauit Aegyptium et altitudinem extollentem se compressit aeternae legis auctoritate. Vnde et Dauid ait: *Et confringet dominus cedros Libani et comminuet eas tamquam uitulum Libani* [a].

6. Itaque absorbuit populus omnem perfidiam ac superbiam, ne eum absorberet impietas et arrogantia. Melius est enim ut unusquisque praeualeat carni et uitiis eius, ne dicatur de eo quia deuorauit eum mors praeualens [a], sed dicatur magis: *Deuorata est mors in uictoria. Vbi est, mors, uictoria tua? Vbi est, mors, aculeus tuus?* [b]. Et de domino dictum: *De torrente in uia bibet* [c], quia acetum accepit, ut absorberet uniuersorum tentationes.

7. Quod autem occidi fecit a proximis proximos, filios a parentibus, a fratribus fratres, praeceptum euidens, quia praeferenda est religio necessitudini, pietas propinquitati; ea est enim uera pietas, quae praeponit diuina humanis, perpetua temporalibus. Vnde et ipse Moyses ad filios Leui dixit: *Qui paratus est a domino, ueniat ad me. Et dixit illis: «Haec dixit dominus deus Israel: imponite unusquisque gladium suum in femore suo, et pertransite»* [a], ut contemplatione atque amore reuerentiae diuinae perimeretur omnis affectus necessitudinis. Et occisa quidem scribuntur tria milia hominum, nec numeri inuidia mouemur, quia melius est paucorum supplicio uniuersos exui, quam in omnes uindicari. Neque uero aliquid durum uidetur pro uindicta iniuriae caelestis.

8. Denique sanctiora ceteris ad hoc munus eliguntur ministeria leuitarum, quorum portio deus; nesciunt enim suis parcere, qui nihil suum norunt, quoniam sanctis omnia deus est. Est etiam

4. [a] Cf. 3 Reg 12, 30.
5. [a] Ps 28, 5-6.
6. [a] Cf. Is 25, 8.
   [b] * 1 Cor 15, 54-55.
   [c] Ps 109, 7.
7. [a] * Ex 32, 27.

4. E siccome avevano dato ascolto al sacrilegio, una volta fusi i loro orecchini venne fusa l'immagine del sacrilegio [5]; infatti, chi presta orecchio ai cattivi suggerimenti [6], suole ordire un sacrilegio. Ciò che segue spiega perché sia venuta fuori la testa di un vitello: perché si indicava che sarebbe accaduto che Geroboamo, in seguito, introducesse questa specie di sacrilegio, cosí che il popolo ebreo adorasse vitelle d'oro, oppure che ogni empietà assomiglia alla mostruosità e alla stoltezza di una bestia.

5. Mosè, sdegnato per l'indegnità di questo fatto, spezzò le tavole e frantumò la testa del vitello e la ridusse in polvere, per cancellare ogni traccia di empietà. Infatti furono spezzate le prime tavole, affinché venissero approntate al loro posto le seconde, mediante le quali fu dissolta l'empietà, infranta dalla predicazione del Vangelo. Cosí Mosè disperse quel fumo egiziano di superbia, e con l'autorità della legge eterna contenne l'alterigia che innalzava il capo. Perciò anche Davide dice: *Il Signore spezzerà i cedri del Libano e li frantumerà come un vitello del Libano.*

6. Pertanto il popolo ingoiò [7] ogni perversione e superbia, perché non lo ingoiassero l'empietà e l'arroganza. È meglio infatti che ciascuno prevalga sulla carne e sui vizi propri [8], perché di lui non si dica che l'ha divorato la morte vittoriosa, ma si dica piuttosto: *La morte è stata divorata nella vittoria. Dov'è, morte, la tua vittoria? Dov'è, morte, il tuo pungiglione?* E del Signore è stato detto: *Berrà dal torrente lungo la via*, perché bevve l'aceto per tranguigiare le tentazioni di tutti gli uomini.

7. Quanto al fatto che Mosè fece uccidere gli amici dagli amici, i figli dai padri, i fratelli dai fratelli, è un ordine ben chiaro, perché la religione va messa innanzi ai legami di parentela. Infatti, la vera pietà è quella che antepone le cose divine alle umane, le eterne alle temporanee. Perciò anche lo stesso Mosè disse ai figli di Levi: *Chi è stato preparato dal Signore venga da me. E disse loro: «Questo ha detto il Signore Dio d'Israele: mettete ciascuno di voi la vostra spada al vostro fianco e passate»*, affinché per la considerazione e l'amore del rispetto dovuti a Dio venisse annullato ogni affetto per la parentela. E si scrive che furono uccisi tremila uomini, né ci turbiamo per l'odiosità del numero, perché è meglio che tutti siano assolti con la pena di pochi, piuttosto che si faccia vendetta su tutti. E, d'altra parte, niente sembra crudele, quando si tratta di punire un'offesa recata a Dio.

8. Perciò vengono scelte a tale compito, perché siano di norma agli altri, le funzioni dei leviti, di cui Dio è la parte spettante. Non sanno infatti risparmiare le cose loro quelli che sanno che nulla loro appartiene, perché per i santi Dio è tutto.

---

[5] Cioè, la testa del vitello.

[6] Qui, *male audire* — come risulta dal contesto — non può significare «avere cattiva fama».

[7] Riferimento a quanto è narrato in Es 32, 20.

[8] *Eius*, grammaticalmente, sembrerebbe riferito a *populus*, ma il senso esige che si riferisca a *unusquisque*.

ille leuita uerus ultor et uindex, qui carnem interimit ut seruet spiritum, qualis erat ille qui ait: *Castigo corpus meum et seruituti redigo*ᵃ. Quid autem tam proximum quam caro animae? Quid tam proximum quam sunt passiones corporis? Eas in se leuita bonus interimit spiritali gladio, qui est uerbum dei bis acutum et ualidum ᵇ.

9.   Est et gladius spiritus, qui pertransit animam sicut ad Mariam dictum est: *Tuam ipsius animam pertransibit gladius, ut reuelentur multorum cordium cogitationes*ᵃ. Nonne caro animae fraterno quodam copulatur consortio? Nonne etiam menti nostrae affinis et propinquus sermo est? Cum igitur comprimimus sermonem, ne multiloquio peccatum incidamus, ius germanitatis abrumpimus et fraternae uinculum propinquitatis dissoluimus; irrationabile quoque suum anima tamquam cognatum rationabili uigore dissociat.

10.   Sic ergo Moyses docuit populum insurgere in proximos suos, per quos fides reuocaretur et uirtus impediretur, ut desecaretur in nobis quidquid a uirtute deuium foret, confusum erroribus, uitiis innexum. Hac institutione populi meruit ut non solum deliniret indignationem diuinam atque offensam auerteret, uerum etiam conciliaret gratiam.

11.   Pro captu itaque nostro quid sentiremus, quoniam consuluisti, expressimus. Ipse si quid melius habes, nobiscum participato, ut ex te et ex nobis discamus quid potius eligendum et sequendum sit.

Vale et ut filius nos dilige, quoniam et nos te diligimus.

XLIX (Maur. 59)
Ambrosius Seuero episcopo

1.   Ex ultimo Persidis profectus sinu Iacobus, frater et compresbyter noster, Campaniae sibi ad requiescendum litora et uestras elegit amoenitates. Aduertis quibus in locis quasi ab huius mundi uacuam tempestatibus suppetere sibi posse praesumpserit securitatem, ubi post diuturnos labores reliquum uitae exigat.

2.   Remota enim uestri ora litoris non solum a periculis, sed etiam ab omni strepitu tranquillitatem infundit sensibus et traducit animos a terribilibus et saeuis curarum aestibus ad honestam

8. ᵃ * 1 Cor 9, 27.
ᵇ Cf. Hebr 4, 12.
9. ᵃ * Lc 2, 35.

È inoltre vero punitore e vindice quel levita che distrugge la
carne e salva lo spirito, quale era colui che disse: *Castigo il mio
corpo e lo riduco in servitú.* Ma che c'è di cosí prossimo, come la
carne all'anima? Che c'è di cosí prossimo, come le passioni del
corpo? Il buon levita le annienta in sé con la spada spirituale
che è la parola di Dio, affilata e robusta.

9. C'è anche la spada dello spirito, che trapassa l'anima,
come fu detto a Maria: *Una spada trapasserà la tua anima, perché
siano rivelati i pensieri di molti cuori.* Non è vero che la carne è
unita all'anima, per cosí dire, in società fraterna? Non è forse
vicino e affine alla nostra mente il nostro discorso? Quando
freniamo le parole per non cadere in peccato col parlare troppo,
spezziamo il diritto di fraternità e sciogliamo il vincolo di fraterna
parentela. L'anima, infatti, separa da sé con la forza della ragione
il proprio elemento irrazionale, a lei, per cosí dire, unito da
parentela.

10. Cosí, dunque, Mosè insegnò al popolo a levarsi contro
i propri cari, per colpa dei quali veniva ripudiata la fede e impedi-
ta la virtú, affinché fosse ucciso in noi tutto ciò che devia dalla
virtú, che è mescolato ad errori, legato ai vizi. Educando cosí il
popolo, meritò non solo di placare lo sdegno di Dio e di allonta-
narne l'offesa, ma anche di ottenerne la benevolenza.

11. Secondo la nostra capacità, poiché ce l'hai chiesto, ti
abbiamo espresso il nostro parere. Tu stesso, se hai di meglio,
fammelo sapere, affinché da parte tua e da parte nostra diciamo
quale opinione si debba preferire e seguire.

Sta' sano ed amaci come un figlio, ·perché anche noi ti
amiamo.

49 (Maur. 59)

Ambrogio a Severo [1]

1. Dopo essere partito dall'estrema regione della Persia,
Giacomo, fratello e collega nostro nel sacerdozio [2], ha scelto per
riposarsi i lidi della Campania e i vostri ameni paesi. Comprendi
in quali luoghi abbia supposto che gli potesse essere offerta una
tranquillità al riparo, per cosí dire, dalle tempeste di questo
mondo, dove trascorrere — dopo lunghi travagli — il resto della
sua vita.

2. La spiaggia del vostro litorale — lontana non solo dai
pericoli, ma anche da ogni frastuono — infonde nei sensi la
tranquillità e trasferisce gli animi dai flutti terribili e crudeli delle

---

[1] Si tratta probabilmente del vescovo di Napoli (PALANQUE, *op. cit.*, p. 472).
Vedi anche SYMM., *Ep.*, VI, 51. Secondo i Maurini, la lettera sarebbe del 395 c.
Vedi però la nota 3.
[2] Ignoto.

quietem, ut illud commune omnium specialiter uobis uideatur
congruere et conuenire, quod ait Dauid de sancta ecclesia: *Ipse
super maria fundauit eam et super flumina praeparauit eam* ª. Etenim liber animus a barbarorum incursibus et proeliorum acerbi-
tatibus uacat orationibus, inseruit deo, curat ea quae sunt domini,
fouet illa quae pacis sunt et tranquillitatis.

3.   Nos autem obiecti barbaricis motibus et bellorum procel-
lis in medio uersamur omnium molestiarum freto et pro his
laboribus et periculis grauiora colligimus futurae uitae pericula.
Vnde de nobis propheticum illud concinere uidetur: *Pro laboribus
uidi tabernacula Aethiopum* ª.

4.   Etenim in istius mundi tenebris, quibus obumbratur ueritas futurae perfectionis, cum annum tertium et quinquagesimum
iam perduxerim in hoc corpore situs, in quo tam graues iamdudum sustinemus gemitus, quomodo non in tabernaculis Aethiopum tendimus et habitamus cum habitantibus Madian? Qui propter tenebrosi operis conscientiam diiudicari etiam ab homine
mortali reformidant ª: *Spiritalis enim diiudicat omnia, ipse autem
a nemine diiudicatur* ᵇ.
Vale, frater, et nos dilige, ut facis, quia nos te diligimus.

L (Maur. 25)
Ambrosius Studio

1.   Recognosco purae affectum mentis et fidei studium et
domini nostri Iesu Christi timorem. De quo etiam ego uererer
responsum referre, constrictus altero, quod est commissum uobis
propter custodiam legum, altero autem propter misericordiam
et gratiam, nisi de hoc apostolicam haberes auctoritatem: *Quia
non sine causa gladium portat qui iudicat* ª; dei enim uindex est
in eos qui male agunt.

2. ª Ps 23, 2.
3. ª * Hab 3, 7.
4. ª Cf. Ps 119, 5.
   ᵇ 1 Cor 2, 15.

1. ª * Rom 13, 4.

preoccupazioni ad una onorevole quiete, sicché sembra che si adatti e si convenga specificamente a voi quell'affermazione, valida per tutti, che Davide fa sulla santa Chiesa: *Egli l'ha fondata sui mari e l'ha predisposta sui fiumi.* Infatti, l'animo, quand'è libero dall'assillo delle invasioni barbariche, ha tempo per attendere alla preghiera, è al servizio di Dio, cura ciò che appartiene al Signore, si dedica amorosamente alle occupazioni proprie della pace e della tranquillità.

3. Noi, invece, esposti alle incursioni barbariche e alle tempeste della guerra, ci troviamo nel bel mezzo del mare di tutti gli affanni e, in cambio di tutti questi travagli e pericoli, ci procacciamo pericoli per il futuro [3]. Perciò sembra suoni per noi quel detto profetico: *In cambio dei miei travagli ho visto le tende degli Etiopi.*

4. Infatti, nelle tende di questo mondo, che avvolge di un'ombra la verità della perfezione futura — poiché ho compiuto già cinquantatré anni [4] dimorando in questo corpo, nel quale da un pezzo sopportiamo gravi pene —, come possiamo non essere attendati nelle tende degli Etiopi e non abitare con gli abitanti di Madian? Questi, per la consapevolezza della loro attività tenebrosa, hanno paura di essere giudicati anche da un uomo mortale: *L'uomo spirituale giudica tutto, ma egli non è giudicato da nessuno.*

Sta' sano, fratello, ed amaci, come fai, perché noi ti amiamo.

50 (Maur. 25)
Ambrogio a Studio [1]

1. Riconosco in te l'affetto d'un animo puro, l'impegno per la fede e il timore del Signore nostro Gesú Cristo. Su questo anch'io avrei timore a dare una risposta, trovandomi stretto tra una ragione che è l'incarico [2] a voi affidato per l'osservanza delle leggi, e un'altra, che consiste nella misericordia e nella benevolenza, se tu non avessi a questo proposito l'autorevole insegnamento degli Apostoli [3]: *Poiché non senza motivo porta la spada chi giudica;* Dio, infatti, esercita la sua vendetta su coloro che agiscono male.

---

[3] Secondo il Palanque (*op. cit.*, pp. 542 s.) e il Dudden (*op. cit.*, p. 702; cf. p. 416, nota l), queste parole alluderebbero alla situazione dell'aprile 392, poco prima della morte di Valentiniano II. Altri autori credono invece che l'allusione si riferisca al 387, quando, nell'estate, Massimo invade l'Italia. Sull'argomento, vedi PAREDI, *op. cit.*, p. 18.

[4] Se si accetta come data di nascita di sant'Ambrogio il 334, sarebbe confermata per questa lettera la data del 387. Vedi PAREDI, *op. cit.*, pp. 17-18. Al Paredi rinvia anche M.G. MARA, in *Patrologia*, Marietti, III, Casale M. 1978, p. 135.

---

[1] Secondo i Maurini, questa lettera sarebbe stata scritta dopo il 385 e prima del 387. Nulla sappiamo di Studio, senza dubbio un alto magistrato.

[2] Intendo *commissum* con valore di sostantivo.

[3] È la protasi del periodo ipotetico dell'irrealtà che ha come apodosi *uererer.*

2.   Quod tamen etsi cognitum tibi foret, non otiose sciscitandum putasti. Nam sunt, extra ecclesiam tamen, qui eos in communionem non uocent sacramentorum caelestium, qui in aliquos capitalem sententiam ferendam aestimauerunt. Plerique etiam sponte se abstinent, et laudantur quidem, nec ipsi eos possumus non praedicare, qui auctoritatem apostoli eatenus obseruamus, ut iis communionem non audeamus negare.

3.   Vides igitur quid auctoritas tribuat, quid suadeat misericordia. Excusationem habebis, si feceris, laudem, si non feceris. Sed si non potueris facere nec tamen nocentes atterere squalore carceris, sed absoluere, plus quasi sacerdos probabo. Potest enim fieri ut, causa cognita, recipiatur ad sententiam reus, qui postea aut indulgentiam sibi petat aut certe sine graui seueritate, quod quidam ait, habitet in carcere. Scio tamen plerosque gentilium gloriari solitos, quod incruentam de administratione prouinciali securim reuexerint. Si hoc gentiles, quid christiani facere debent?

4.   Ad omnia tamen accipe responsum saluatoris [a]. Nam cum adulteram reperissent Iudaei, obtulerunt eam saluatori, captantes ut, si absolueret eam, uideretur legem soluere, qui dixerat: *Non ueni legem soluere, sed adimplere* [b], si damnaret, uideretur aduersus finem uenisse propositi sui. Hoc igitur praeuidens dominus Iesus, inclinato capite scribebat in terra. Quid scribebat, nisi illud propheticum: *Terra, terra, scribe hos uiros abdicatos* [c], quod de Iechonia descriptum est in Hieremia propheta?

5.   Cum Iudaei interpellant, in terra scribuntur nomina Iudaeorum; cum adeunt christiani, non scribuntur in terra fidelium nomina, sed in caelo. In terra autem scribuntur abdicati a patre proprio, qui patrem tentant et contumelias irrogant auctori salutis. Cum interpellant Iudaei, inclinat caput Iesus; et quia non habet ubi reclinet caput suum, iterum erigit quasi dicturus sententiam et ait: *Qui sine peccato est, prior lapidet eam* [a]. Et iterum inclinato capite, scribebat in terra.

6.   Audientes illi exire coeperunt singuli incipientes a senioribus [a], uel quod ipsi plura haberent crimina, qui diu uixerant, uel quia priores uim intellexerunt sententiae, quasi prudentiores, et coeperunt sua magis peccata deflere, qui alieni criminis uenerant accusatores.

4. [a] Cf. Io 8, 3 ss.
  [b] Mt 5, 17.
  [c] * Ier 22, 29.
5. [a] * Io 8, 8.
6. [a] Cf. Io 8, 7.

2.   Ma anche se tutto questo ti fosse noto, non inutilmente hai ritenuto d'informarti. Infatti vi sono, tuttavia fuori della Chiesa [4], quelli che non chiamano a partecipare ai sacramenti celesti coloro che ritennero di dover pronunciare a carico di taluni una sentenza capitale. Molti anche, spontaneamente, se ne astengono; e sono lodati e non possiamo non citarli a titolo d'onore anche noi che osserviamo l'autorevole insegnamento degli Apostoli fino al punto di non negare loro la comunione.

3.   Vedi, dunque, quali poteri conferisca l'autorità, che cosa suggerisca la misericordia. Se lo farai, sarai scusato; ti loderei, se non lo facessi. Ma se non potrai farlo, e tuttavia potrai non logorare i colpevoli nello squallore del carcere ma liberarli, come vescovo ti approverei di piú. Può accadere, infatti, che, dopo che una causa è stata giudicata, l'accusato sia riammesso al giudizio in modo da chiedere successivamente indulgenza o almeno restare in carcere senza opprimente severità, per cosí dire. So tuttavia che molti pagani sono soliti vantarsi di aver riportato dal governo provinciale la scure senza macchie di sangue. Se cosí si comportano i pagani, che dovrebbero fare i cristiani?

4.   Tuttavia, sotto ogni riguardo, ascolta la risposta del Salvatore. Infatti, avendo i Giudei sorpreso un'adultera, la presentarono al Salvatore, volendo che, se l'assolveva, sembrasse abolire la Legge, se invece la condannava, apparisse in contrasto con lo scopo che si proponeva. Il Signore Gesú, dunque, conoscendo questo in anticipo, a capo chino scriveva per terra. Che cosa scriveva se non il detto profetico: *Terra, terra, scrivi questi uomini rinnegati* [5], che sta scritto nel profeta Geremia a proposito di Jeconia [6]?

5.   Quando i Giudei interrogano, si scrivono per terra i nomi dei Giudei; quando si fanno avanti i cristiani, i nomi non si scrivono per terra, ma in cielo. Per terra si scrivono quelli rinnegati dal proprio Padre, che lo tentano e infliggono contumelie all'Autore della salvezza. Quando i Giudei lo interrogano, Gesú china il capo; e siccome non ha dove reclinarlo, lo alza di nuovo, quasi per pronunciare una sentenza, e dice: *Chi è senza peccato, sia il primo a lapidarla*. E, chinato nuovamente il capo, scriveva per terra.

6.   A queste parole quelli, ad uno ad uno, presero ad allontanarsi, cominciando dai piú vecchi, o perché avevano piú colpe, poiché erano vissuti piú a lungo, o perché per primi avevano compreso, come quelli che erano piú saggi, e cominciarono a piangere di piú i loro peccati, mentre erano venuti come accusatori d'una colpa altrui.

[4] I Novaziani, secondo i Maurini.
[5] *Settanta*: ἐκκήρυκτον ἄνθρωπον.
[6] Jeconia o Joakin, re di Giuda, figlio e successore di Joakin. Regnò soltanto tre mesi e fu deportato in Babilonia da Nabucodonosor. Dopo la morte di costui (562), fu parzialmente reintegrato nella sua dignità regale (Mc KENZIE-MAGGIONI, *Diz. biblico, sub uoce*).

7.   Recedentibus ergo illis, remansit solus Iesus, et eleuans caput ad mulierem ait: «*Vbi sunt qui te accusabant? Nemo te lapidauit?*». *Et illa respondit:* «*Nemo*». *Dicit ei Iesus:* «*Nec ego te damnabo. Vade et uide amodo ne pecces*» [a]. Non damnat, quasi redemptio; corrigit, quasi uita; quasi fons, abluit. Et quia, quando se inclinat Iesus, ideo inclinat, ut iacentes eleuet, ideo ait remissio peccatorum: *Nec ego te damnabo.*

8.   Habes quod sequaris; potest enim fieri ut ille criminosus possit habere spem correctionis; si sine baptismo est, ut possit accipere remissionem; si baptizatus, ut paenitentiam gerat et corpus suum pro Christo offerat. Quantae sunt ad salutem uiae!

9.   Et ideo maiores maluerunt indulgentiores esse circa iudices, ut, dum gladius eorum timetur, reprimeretur scelerum furor et non incitaretur; quod si negaretur communio, uideretur criminosorum uindicata poena. Maluerunt igitur maiores nostri ut in uoluntate magis abstinentis quam in necessitate sit legis.
Vale et nos dilige, quia nos quoque te diligimus.

LI (Maur. 15)

Ambrosius Anatolio, Numerio, Seuero, Philippo, Macedonio, Ammiano, Theodosio, Eutropio, Claro, Eusebio et Timotheo, domini sacerdotibus, et omni clero et plebi Thessalonicensium dilectis, salutem

1.   Dum semper affixum tenere animo desidero uirum sanctum atque omnes actus eius quasi in specula positus exploro, hausi nimia indaginis sollicitudine amaritudinem nuntii celerioris et, quod adhuc mallem nescire, cognoui in caelestibus iam requiescere uirum quem in terris requirebamus.

2.   Quaeritis quis hoc annuntiauerit, cum uestrae sanctitatis nondum uenissent litterae. Non teneo auctorem nuntii, et usu

---

7. [a] Io 8, 10-11.

1, 3   nimia indagine sollicitudinus *Maurini, probabili genitiui permutatione.*

7.   Mentre gli altri si allontanavano, rimase solo Gesú e, sollevando il capo verso la donna, disse: «*Dove sono quelli che ti accusavano? Nessuno ti ha lapidata?*». E quella rispose: «*Nessuno*». *Le dice Gesú: «Nemmeno io ti condannerò. Va' e d'ora innanzi vedi di non peccare*». Non condanna, perché è Redenzione; ammonisce, perché è Vita; lava, perché è Fonte. E perché, quando Gesú si china, si china per rialzare chi è a terra, per questo, Lui, Remissione dei peccati, dice: *Nemmeno io ti condannerò.*

8.   Hai un esempio da imitare. Può darsi che quel peccatore possa avere una speranza di correggersi: se non ha ricevuto il battesimo, che possa ottenere la remissione dei suoi peccati; se è stato battezzato, che faccia penitenza e offra il suo corpo a Cristo. Quante sono, le vie per la salvezza!

9.   E per questo i nostri padri preferirono essere alquanto indulgenti nei riguardi dei giudici, affinché, per timore della loro spada, fosse represso e non stimolato il furore dei delitti. Se venisse negata la comunione, sembrerebbe una vendetta per la pena inflitta ai colpevoli. I nostri maggiori, dunque, preferirono che ciò dipendesse dalla volontà di chi si astiene [7], piuttosto che dalla costrizione della legge.

Sta' sano ed amaci, perché anche noi ti amiamo.

51 (Maur. 15)

Ambrogio ad Anatolio, Numerio, Severo, Filippo, Macedonio, Ammiano, Teodosio, Eutropio, Claro, Eusebio e Timoteo, Vescovi del Signore, e a tutto il clero e il popolo di Tessalonica, a me cari, salute [1]

1.   Mentre desidero sempre conservare fisso nel mio animo il ricordo di quel santo uomo [2] e, come da un posto di osservazione, esamino tutti i suoi atti, ho tranguiato — con la ricerca troppo frettolosa d'informazioni, dovuta alla mia sollecitudine — l'amarezza della notizia troppo rapida e, cosa che avrei preferito ancora ignorare, ho appreso che riposava ormai in cielo quell'uomo che richiedevamo come necessario sulla terra.

2.   Mi chiedete chi mi abbia dato questa notizia, visto che non era giunta ancora la lettera della Santità vostra? Non ricordo chi me l'abbia data, ed è nostra consuetudine di non ricordare

---

[7] Dai sacramenti; vedi sopra, par. 2.

[1] Con questa lettera, Ambrogio risponde all'episcopato macedone e al clero di Tessalonica, che gli avevano annunciato la morte di Acolio (PALANQUE, *op. cit.*, p. 469). Essa risale al 383 (PAREDI, *op. cit.*, pp. 286-287), all'inizio della primavera, secondo il Dudden (*op. cit.*, p. 701).

[2] Cioè, di Acolio, vescovo di Tessalonica. Vedi lettera 52 (M. 16).

quidem uenit ut non libenter teneamus nuntium maestitudinis; sed tamen, clauso tunc temporis mari, occupatis terrarum barbarica infestatione regionibus, cum deesset qui aduenire potuerit, non defuit qui nuntiaret, ut mihi uideatur ipse sanctus annuntiasse se nobis, eo quod iam perpetuo laboris sui potiretur stipendio et, solutis uinculis corporis, inter angelorum ministeria Christo adhaereret, cupiens amantis sui errorem absoluere, ne illi longaeuitatem uitae huius deprecaremur, cui uitae aeternae iam praemia deferebantur.

3.   Abiit ergo, non obiit, et emigrauit a nobis ueteranus Christi Iesu, caelo terrae istius solum mutans, et plaudens alis atque remigiis spiritalibus dicit: *Ecce elongaui fugiens* [a]. Cupiebat enim apostolico spiritu iamdudum terras relinquere, sed tenebatur uotis uniuersorum, sicut de apostolo legimus [b], quia remorari eum diutius in carne erat ecclesiae necessarium. Viuebat enim non sibi, sed omnibus et populi erat uitae aeternae minister, ut prius eius fructum etiam in aliis quam cognitionem in se adipisceretur.

4.   Est igitur iam superiorum incola, possessor ciuitatis aeternae illius Hierusalem, quae in caelo est. Videt illic urbis eius mensuram immensam, purum aurum, lapidem pretiosum, lumen sine sole perpetuum; et haec omnia iamdudum quidem sibi comperta, sed nunc facie ad faciem manifestata uidens dicit: *Sicut audiuimus, ita et uidemus in ciuitate domini uirtutum, in ciuitate dei nostri* [a]. Ibi ergo positus appellat populum dei dicens: *O Israel, quam magna est domus dei et quam ingens locus possessionis eius! Magnus et non habens finem* [b].

5.   Sed quid hoc est? Dum merita uiri considero et quasi discedentem spiritu sequor et sanctorum choris deducentibus intermisceor, non merito ullo sed affectu, paene sum oblitus mei. Itane ergo raptus est nobis murus fidei, gratiae et sanctitatis, quem toties, ingruentibus Gothorum cateruis, nequaquam tamen potuerunt barbarica penetrare tela, expugnare multarum gentium bellicus furor? Denique in ceteris populatores locis illic pacem rogabant, mirantibusque quid sibi sine milite ullo obsisteret, a prudentioribus intimabatur Elisaei intus imitatorem degere, aetate supparem, non imparem spiritu: cauerent ne exemplo Syriaci agminis sibi quoque caecitas offunderetur [a].

6.   Et tamen circa discipulos suos diuersa dona Christi sunt. Elisaeus quidem in Samariam captiuas acies induxit Syrorum;

---

3. [a] Ps 54, 8.
   [b] Cf. Phil 1, 23-24.
4. [a] * Ps 47, 9.
   [b] * Bar 3, 24-25.
5. [a] Cf. 4 Reg 7, 1 ss.

volentieri le notizie tristi; ma tuttavia, essendo allora chiuso il mare alla navigazione ed occupate le regioni dalle invasioni barbariche, pur mancando chi potesse giungere qui, non mancò chi mi desse l'annuncio, sicché mi pare che ce l'abbia dato lo stesso santo uomo. Ormai egli godeva il premio senza fine delle sue fatiche e, scioltisi i legami del corpo, stava accanto a Cristo tra le schiere degli angeli, desideroso di eliminare l'errore di chi lo amava, affinché non chiedessimo nelle nostre preghiere una lunga vita per una persona cui ormai si concedevano i premi della vita eterna.

3.   Se ne è andato, dunque: non è morto; è partito da noi questo veterano di Cristo Gesú, mutando col cielo il suolo di questa terra; e battendo le ali[3] e i remeggi spirituali, dice: *Ecco, mi sono allontanato fuggendo.* Desiderava infatti già da un pezzo, con la disposizione d'animo dell'Apostolo, lasciare la terra; ma ne era trattenuto per tutti voi, come leggiamo dell'Apostolo, perché era necessario per la Chiesa che egli indugiasse piú a lungo nel corpo. Viveva infatti non per sé ma per tutti, ed era strumento della vita eterna per il popolo, cosí da ottenerne prima il frutto negli altri che la conoscenza in se stesso.

4.   È dunque, ormai, abitante delle regioni superne, possessore della città eterna, di quella Gerusalemme che sta nel cielo. Là, vede, di quella città eterna, l'immensa ampiezza, l'oro puro, le pietre preziose, la luce perpetua senza il sole. E vedendo tutte queste cose, già da un pezzo — è vero — a lui note, ma ora manifeste a faccia a faccia, dice: *Come abbiamo sentito, cosí anche vediamo nella città del Signore delle virtú, nella città del Dio nostro.* Collocato colà, dunque, chiama il popolo di Dio: *O Israele, quant'è grande la casa del Signore e quant'è vasto il luogo del suo dominio! Grande e senza limiti.*

5.   Ma che è questo? Mentre considero i meriti dell'uomo e quasi in spirito lo seguo nella sua partenza e mi unisco ai cori dei santi che gli fanno scorta, non per qualche mio merito ma per affetto, mi sono quasi dimenticato di me. Cosí, dunque, ci è stato rapito un baluardo della fede, della grazia e della santità, che, pur assalendoci tante volte le orde dei Goti, le armi barbariche non riuscirono mai a trapassare né ad espugnare il furore guerresco di molte genti? Tant'è vero che, devastatori in tutti gli altri luoghi, lí chiedevano la pace; e a quelli che si domandavano stupiti che cosa si opponesse loro senza alcun soldato, dai piú saggi si faceva presente che dentro la città viveva un imitatore di Eliseo, quasi pari d'età, non diverso nello spirito: stessero attenti che, sull'esempio dell'esercito di Siria, anche sui loro occhi non calasse la cecità.

6.   E tuttavia diversi sono i doni del Signore nei riguardi dei suoi discepoli. Eliseo, è vero, introdusse prigioniere in Samaria le schiere dei Siri; ma il santo Acolio, con le sue preghiere, riuscí a mettere in fuga i vincitori dalle regioni della Macedonia. Non

---

[3] Cf. VERG., *Aen.*, V, 515-516: et alis / plaudentem... columbam.

sanctus autem Acholius precibus suis fecit ut de partibus Macedoniae uictores fugaret. Nonne et hoc intellegimus uirtutis superioris fuisse, ut ubi miles nullus aderat, illic pellerentur sine milite? Nonne et hoc caecitatis est, ut fugerent quos nullus urgebat? Sed urgebat et proeliabatur sanctus Acholius non gladiis, sed orationibus, non telis, sed meritis.

7. An incognitum nobis est dimicare sanctos etiam cum feriantur? Nonne otiosus erat Elisaeus? Otiosus scilicet corpore, sed uibrabat spiritu et orationibus proeliabatur, quando in castris Syriae uox equitum et uox uirtutis magnae audiebatur, adeo ut putarent Syri aliorum regum aduersus se uenire exercitus, qui populo Israel adiumento forent; unde perculsi magno fugerunt pauore, ita ut leprosi quattuor, qui mortis egressi fuerant desiderio, castra hostium depraedarentur. Nonne in Macedonia similia dominus per orationes sancti Acholii fecit mira aut prope maiora? Non enim inani metu nec superflua suspicione, sed saeuiente lue et ardenti pestilentia perturbati Gothi ac territi sunt. Denique tunc fugerunt, ut euaderent; regressi postea pacem rogauerunt, ut uiuerent.

8. Vidimus itaque in tanti uiri meritis superiora saecula et opera prophetarum, quae legebamus aspeximus. Quasi Elisaeus inter arma, inter acies, dum uixit, uersatus est, meritis suis componens proelia. Denique ubi securitas cohabitantibus reddita est, quod ipso fuit durius bello, sanctum exhalauit spiritum. Quasi Elias usque ad caelum eleuatus est [a], non curru quidem igneo nec equis igneis, nisi forte illa non uidimus, nec in commotione aeris, sed in uoluntate et placiditate dei nostri et sanctorum angelorum laetitia, qui ad se tantum uirum transisse gratulabantur.

9. Certe dubitare illa nequaquam possumus, quandoquidem reliqua congruerunt. Siquidem eodem momento, quo ille adhuc eleuabatur, uelut quodam melotidis suae dimisso amictu, sanctum Anysium, discipulum suum, induit et sui uestiuit infulis sacerdotii; cuius meritum et gratiam non nunc primum audio nec in uestris epistulis didici, sed in uestris litteris recognoui. Nam, quasi praescius successurum sibi, etsi promissis tegebat, tamen indiciis designabat, adiutum se eius cura, labore, officio memorans, ut iam declarare consortem uideretur, qui non quasi nouus ad summum sacerdotium ueniret, sed quasi uetus sacerdotii executor accederet. Cui pulchre conuenit dictum illud euangelicum: *Euge, bone serue et fidelis, quoniam super pauca fidelis fuisti, super multa te constituam* [a].

8. [a] Cf. 4 Reg 2, 11.
9. [a] Mt 25, 23.

comprendiamo che fu opera di una superiore virtú anche il fatto che là, dove non c'era alcun soldato, fossero cacciati senza intervento militare? Non è forse una conseguenza della cecità che fuggissero quelli che nessuno incalzava? Ma li incalzava e li combatteva il santo Acolio, non con le spade ma con le preghiere, non con i giavellotti ma con i meriti.

7. O forse non sappiamo che i santi combattono per noi anche quando sono in riposo? Non riposava Eliseo? Riposava col corpo, ma era teso nello spirito e combatteva con le preghiere, quando nel campo dei Siri si udiva il frastuono di cavalieri e quello di un potente esercito, al punto che essi pensavano che muovessero contro di loro gli eserciti di altri re per recare aiuto al popolo d'Israele. Perciò, presi da grande paura, fuggirono, cosí che quattro lebbrosi, i quali erano usciti dalla città per desiderio di morire, potevano saccheggiare l'accampamento nemico. Non è vero forse che in Macedonia, per merito delle preghiere del santo Acolio, il Signore fece prodigi simili o quasi piú grandi ancora? Infatti, non da vano timore o da infondato sospetto, ma dall'infuriare del contagio e dalla violenza della peste i Goti furono sconvolti e atterriti. Perciò, per salvarsi, allora fuggirono; tornati, poi, chiesero la pace per sopravvivere.

8. Abbiamo visto, dunque, nei meriti di un sí grande uomo i secoli passati e abbiamo contemplato le opere dei Profeti, delle quali leggevamo la narrazione. Come Eliseo, finché visse egli si trovò tra le armi, tra gli eserciti, sedando gli scontri bellici con i suoi meriti. Perciò, quando agli abitanti fu restituita la sicurezza, cosa piú penosa della stessa guerra, egli esalò la sua santa anima. Come Elia, fu innalzato fino in cielo, non su un carro di fuoco né da cavalli ignei — a meno che per caso siano sfuggiti alla nostra vista — né in mezzo ad un turbine, ma nella volontà e nella pace del nostro Dio e nella gioia dei santi angeli, che si rallegravano che fosse passato nelle loro file un uomo di tale santità.

9. Certo, non possiamo dubitare di questo, dal momento che le altre circostanze corrisposero. Infatti, nello stesso istante in cui egli stava ancora salendo al cielo, come lasciando il suo mantello di pelle di pecora, lo pose indosso al santo Anisio, suo discepolo, e lo rivestí delle insegne della sua dignità episcopale. E di costui non sento ricordare ora per la prima volta il merito e il prestigio né l'ho appreso dalla vostra lettera, ma in essa ne ho trovato conferma. Infatti, quasi presago che quello gli sarebbe succeduto, pur promettendoglielo in segreto, lo designava al suo posto con taluni indizi, ricordando che era stato aiutato da lui con la diligenza, la fatica, il servizio, cosí che sembrava già dichiarare suo associato uno in grado di giungere alla dignità episcopale non come alle prime armi, ma di accedervi come da lungo tempo esperto delle funzioni di vescovo. A lui giustamente si adatta quel detto evangelico: *Bene, servo buono e fedele, poiché sei stato fedele nel poco, ti darò autorità su molto.*

10.   Haec mihi de sancto Acholio uobiscum communia; illud tamen speciale, quod deuinctus sum beatae memoriae uiro, quia tribuit mihi ut eum non ignorarem. Nam, cum eo ueniente ad Italiam, aegritudine confectus tenerer, ut non possem occurrere, ipse ad me uenit et uisitauit. Quo studio, quo affectu ipse in me et ego in eum irruimus! Quo gemitu mala istius saeculi et ea quae hic acciderent deplorauimus, ita ut lacrimarum profluuio uestem infunderemus, dum salutatione exoptatissima, mutuo desiderio et expetito diu fruimur, adhaeremus amplexu! Itaque, quod uoti mei erat, illius beneficii fuit, quia potui illum uidere. Nam etsi maior portio et plenior cognitio sit in spiritu, quo diligimus, tamen etiam in figura corporis uidere desideramus. Sic aliquando reges terrae quaerebant faciem Salomonis uidere et audire eius sapientiam [a].

11.   Discessit igitur a nobis et nos in hoc reliquit salo; sed quod illi utile, id multis ipso barbarico furore est grauius, quia illum iste depellebat, hunc nobis quis poterit repraesentare? Sed repraesentat dominus et se ipse in discipulo repraesentat. Repraesentant iudicia uestra, quibus dictum est: *Date Leui manifestos eius et ueritatem suam uiro sancto* [a]. Dedistis manifestum eius, utpote eius institutione fundatum; dedistis imitatorem uiri eius, qui dixit patri suo et matri suae: *Non uidi te* [b], et fratres suos non sciuit et filios non recognouit; custodiuit uerbum domini et testamentum eius obseruauit. Narrabunt populi iustitiam eius [c].

12.   Talis uiri uita, talis hereditas est, talis conuersatio, talis successio. Ille se monasteriis puer dedit et intra Achaiam angusto clausus tugurio gratia tamen multarum terrarum peragrauit diuortia. Ad summum sacerdotium a Macedonicis obsecratus populis, electus a sacerdotibus, ut, ubi ante fides per sacerdotem claudebatur, ibi postea per sacerdotem muralia fundamenta fidei confirmarentur.

10. [a] Cf. 3 Reg 10, 24.
11. [a] * Deut 33, 8.
   [b] * Deut 33, 9.
   [c] Cf. Eccli 44, 15.

10. Questi sentimenti ho in comune con voi nei riguardi del santo Acolio; tuttavia ve n'è uno particolare che mi lega a quell'uomo di felice memoria, perché ha fatto sí che non mi fosse sconosciuto. Infatti, siccome alla sua venuta in Italia ero prostrato da una malattia, cosí da non poterlo incontrare, venne lui da me e mi fece visita [4]. Con quale simpatia, con quale affetto ci lanciammo l'uno nelle braccia dell'altro. Con quali lamenti deplorammo i mali di questo mondo e quelli che accadevano qui! Mentre godevamo dei saluti attesissimi, del reciproco desiderio, e ci stringevamo nell'abbraccio a lungo bramato, bagnavamo le vesti di un profluvio di lacrime. Pertanto, ciò che io mi auguravo, cioè di poterlo vedere, dipese da un suo gesto di bontà. Infatti, anche se v'è una parte maggiore e una conoscenza piú perfetta nello spirito, quando amiamo con esso, tuttavia desideriamo vederci anche nell'aspetto fisico. Cosí, talvolta, i re della terra cercavano di vedere il volto di Salomone e di ascoltare il suo discorso sapiente.

11. Si è allontanato da noi, dunque, e ci ha lasciati in questo mare burrascoso. Ma ciò che è utile per lui, per molti è piú funesto dello stesso furore barbarico, perché, mentre egli respingeva quel furore, chi potrà, invece, far ricomparire lui davanti ai nostri occhi? Ma il Signore lo fa ricomparire, e nel discepolo Egli mostra Se stesso. Lo fanno ricomparire i vostri giudizi con i quali si è dichiarato: *Date a Levi quelli che lo rappresentino* [5] *e la verità di lui all'uomo santo*. Avete dato chi lo rappresenta, poiché è fondato sull'educazione ricevuta da lui; avete dato un imitatore di quell'uomo che ha detto a suo padre e a sua madre: *Non ti ho visto*, e non conobbe i suoi fratelli e non riconobbe i suoi figli: custodí la parola del Signore e osservò il suo patto. I popoli narreranno la sua giustizia.

12. Tale è la vita di quest'uomo, tale è la sua eredità, tale la sua condotta, tale la sua successione. Egli, ancora ragazzo, si consacrò in monasteri e, sebbene rinchiuso in una piccola capanna nel territorio d'Acaia, tuttavia con la sua influenza attraversò i confini di molte terre. Fu richiesto quale vescovo dai popoli di Macedonia, fu eletto dai sacerdoti, sicché, dove prima la fede era claudicante [6] per colpa del vescovo, per suo merito venivano rafforzati i fondamenti dell'edificio della fede.

---

[4] I Maurini non escludono che l'incontro sia avvenuto nel 382, in occasione del Concilio romano, al quale Acolio intervenne (PAREDI, *op. cit.*, p. 276). Il Paredi invece (*ibid.*, p. 287) afferma che l'incontro avvenne a Milano.

[5] La citazione corrisponde al testo dei *Settanta*: Δότε Λέυι δήλους αὐτοῦ καὶ ἀλήθειαν αὐτοῦ τῷ ἀνδρὶ τῷ ὁσίῳ; la *Vulgata* invece ha: *Perfectio tua et doctrina tua uiro sancto tuo*. Entrambi fraintendono il testo originale, abbastanza problematico anch'esso nel suo vero significato. Stando cosí le cose, il senso che Ambrogio attribuisce qui a *manifestos* non si può ricavare che da ciò che segue. Si noti che Deut 3, 8 è citato anche nel *De Patr.*, 3, 15, ma in forma diversa: *Date Leui sortem suffragii sui et ueritatem eius uiro sancto*.

[6] Da *claudeo* (anche *claudo*), nel senso di «zoppicare».

13.   Non alia etiam eius discipulus imitatione, qui et ipse *dixit patri suo et matri suae: «Non uidi te»* [a]. Non uidit enim studio, non uidit affectu et fratres suos non sciuit [b], quia dominum scire desiderauit. Et hic recognouit uerbum domini et custodiuit testamentum eius et imponet honorem in ara eius semper. Benedic, domine, fidem eius, sanctitatem, sedulitatem. Benedictio tua ueniat super caput eius et super ceruicem ipsius. Sit honorificus inter fratres suos; sit in eo tauri species, ut uentilet corda inimicorum suorum et sanctorum mentes demulceat et iudicium sacerdotum tuorum in eo sicut lilium floreat [c].

Valete, fratres, et diligite me, quia ego uos diligo.

LII (Maur. 16)

Ambrosius episcopus Anysio fratri

1.   Iamdudum teneo, etsi nunc primum lego, meritisque compertum habeo, quem oculis non uideram. Doleo quidem illud accidisse, sed hoc successisse gaudeo, quia, licet superstite me non optauerim illud contingere, speraui tamen post illius sancti uiri exitum hoc solum posse merito succedere. Tenemus ergo te sanctae memoriae Acholii dudum discipulum, nunc successorem heredemque eius uel honoris uel gratiae. Magnum meritum, frater. Gaudeo tibi ne uno quidem momento de successore tanti dubitatum uiri. Et magnum onus, frater, tanti nominis pondus subisse, tantae librae tantique examinis. Quaeritur in te Acholius, et sicut erat in affectu tuo, ita in officiis desideratur illius uirtutis, illius disciplinae effigies, illius fortitudo animi in tam senili corpore.

2.   Vidi, fateor, uirum; nam et hoc meritis illius debeo, quod illum uiderim: uidi ita illum esse in corpore, ut extra corpus putarem; uidi imaginem illius, qui se siue in corpore siue extra corpus nesciens raptum ad paradisum uiderat [a]; ita enim percurrebat omnia excursu frequenti, Constantinopolim, Achaiam, Epirum, Italiam, ut iuniores eum non possent consequi. Cedebant fortiores corpore, quia eum sine impedimento esse corporis noue-

---

13. [a] Deut 33, 9.
     [b] Cf. ibid.
     [c] Cf. Deut 33, 16-17.

---

2. [a] Cf. 2 Cor 12, 2.

13. Con imitazione non diversa si formò il suo discepolo, che *disse* anch'egli *a suo padre e a sua madre: «Non ti ho visto».* Non vide con la simpatia, non vide con l'affetto e non conobbe i suoi fratelli, perché desiderò di conoscere il Signore. E qui riconobbe la parola del Signore e osservò il suo patto e sul suo altare porrà sempre l'offerta in segno d'onore. Benedici, Signore, la sua fede, la sua santità, il suo zelo. Scenda la tua benedizione sul suo capo e sul suo collo. Sia oggetto di onore tra i suoi fratelli, sia in lui l'aspetto di toro, per mettere in agitazione i cuori dei suoi nemici e rasserenare le menti dei santi, e in lui fiorisca come giglio la saggezza dei tuoi sacerdoti.

State sani, fratelli, e amatemi, perché io vi amo.

52 (Maur. 16)

Il vescovo Ambrogio al fratello Anisio [1]

1. Da lungo tempo ti conosco, anche se ora ti leggo per la prima volta, e mi sei ben noto per i tuoi meriti, anche se non ti avevo visto ancora con gli occhi. Mi dolgo che sia accaduta quella disgrazia, ma sono lieto che sia seguita questa scelta di te, perché, pur avendo desiderato che — me vivo — non avvenisse quella morte, tuttavia, dopo la dipartita di quel santo uomo, ho sperato che a buon diritto questa sola nomina potesse seguire. Ti conosciamo dunque, da tempo, quale discepolo di Acolio di santa memoria, ed ora suo successore ed erede sia del suo onore sia del suo prestigio. È un grande merito, fratello. Godo per te che nemmeno per un solo momento vi sia stata incertezza sul successore di cosí santo uomo. Ed è un grave carico, fratello, l'aver preso sulle spalle il peso di un nome cosí illustre, di un confronto cosí impegnativo, di un esame cosí severo. In te si cerca Acolio; e come avveniva nei tuoi sentimenti, cosí nel ministero si desidera l'immagine di quella virtú, di quella austerità di vita, la fortezza di quell'animo pur in un corpo cosí invecchiato.

2. Io vidi, lo ammetto, quell'uomo. Infatti, anche questo debbo ai suoi meriti: di averlo visto. Vidi che egli era tale nel corpo da farmi pensare che ne fosse fuori; vidi l'immagine di colui che, non sapendo se nel corpo o fuori del corpo, si era visto rapito in paradiso. Infatti egli visitava con frequenti puntate tutti i paesi — Costantinopoli, l'Acaia, l'Epiro, l'Italia —, con tale rapidità che i piú giovani non riuscivano a tenergli dietro. Si arrendevano i piú robusti di corpo, perché sapevano che egli non ne aveva l'impaccio, cosí che se ne serviva solo come di una veste, non come di uno strumento compiacente; certo come di un mezzo

---

[1] Come si è visto nella lettera precedente, Anisio è il successore di Acolio nella sede di Tessalonica.

rant, ut eo tantum pro uelamine uteretur, non pro officio; certe ad seruitium, non ad subsidium; ita enim affecerat corpus suum, ut in eo mundum crucifigeret et mundo semetipsum [b].

3. Benedictus dominus et benedicta adulescentia eius, quam exegit in tabernaculis dei Iacob, positus in monasteriis, in quibus cum quaereretur a parentibus uel proximis, dicebat: *Qui sunt fratres mei aut quae mater mea?* [a]. Non noui patrem uel matrem uel fratres meos, nisi qui audiunt uerbum dei et faciunt. Benedictus etiam processus iuuentutis ipsius, in qua ad summum electus est sacerdotium, maturo iam probatus uirtutum stipendio. Venit enim tamquam Dauid ad pacem populi reformandam [b]. Venit tamquam illa nauis aurum secum intellegibile uehens et ligna cedrina et lapides pretiosos [c] et illas columbae pennas deargentatas, quibus medias inter sortes somno pacis et tranquillitatis sopore dormiuit [d].

4. Est enim sanctorum etiam somnus operarius, secundum quod scriptum est: *Ego dormio et cor meum uigilat* [a]. Et secundum quod Iacob sanctus diuina dormiens uidebat mysteria [b], quae uigilans non uiderat, de caelo ad terras aerem peruium sanctis, respicientem dominum et pollicentem terrae eius possessionem. Itaque breui somno dormiens impetrauit, quod magno labore postea acquisiuit hereditas eius. Est enim somnus sanctorum feriatus ab omnibus corporis uoluptatibus, ab omni animi perturbatione, tranquillitatem menti inuehens, placiditatem animae, ut tamquam soluta nexu corporis se ableuet et Christo adhaereat.

5. Hic est somnus uita sanctorum, quam uiuebat sanctus Acholius, cuius benedicta etiam senectus. Ipsa est uere senectus illa uenerabilis, quae non canis, sed meritis albescit [a]; ea est enim reuerenda canities, quae est canities animae, in canis cogitationibus et operibus effulgens. Quae est enim uere aetas senectutis, nisi uita immaculata [b], quae non diebus aut mensibus, sed saeculis propagatur, cuius sine fine est diuturnitas, sine debilitate longaeuitas? Quo enim diuturnior, eo fortior; et quo diutius eam uitam uixerit, eo fortius in uirum perfectum excrescit.

[b] Cf. Gal 6, 14.
3. [a] * Mt 12, 48.
   [b] Cf. 2 Reg 5, 3.
   [c] Cf. 2 Chron 9, 21.
   [d] Cf. Ps 67, 14.
4. [a] Cant 5, 2.
   [b] Cf. Gen 28, 13.
5. [a] Cf. Sap 4, 8.
   [b] Cf. Sap 4, 9.

per servire, non per averne un sostegno [2]. Egli, infatti, aveva disposto il suo corpo in modo tale da crocifiggere in esso il mondo e se stesso al mondo.

3.   Benedetto il Signore, e benedetta la sua giovinezza che egli trascorse nelle tende del Dio di Giacobbe, stando nei monasteri, e, quando in essi veniva cercato dai genitori o dai parenti, diceva: «*Quali sono i miei fratelli o qual è mia madre?* Non conosco né padre né madre né fratelli, all'infuori di coloro che ascoltano la parola di Dio e la mettono in pratica». Benedetto anche il progredire della sua piena virilità, nel corso della quale fu eletto all'episcopato, ormai esperimentato da un maturo esercizio delle virtú. Venne infatti, come il re Davide, a ristabilire la pace del popolo. Venne come la biblica nave, trasportando con sé simbolico oro e legname di cedro e pietre preziose e quelle penne argentee di colomba, mediante le quali in mezzo ai tesori [3] dormí del sonno della pace e del sopore della tranquillità.

4.   V'è infatti, nei santi, anche un sonno che opera, secondo ciò che sta scritto: *Io dormo e il mio corpo vigila.* E secondo tale detto il santo Giacobbe, dormendo, vedeva quei misteri che non vedeva da sveglio: cioè, l'aria accessibile ai santi dal cielo alla terra, il Signore che guardava e prometteva il possesso di quel paese. Perciò, con un breve sonno ottenne quello che con grande fatica acquistarono poi i suoi discendenti. Infatti, il sonno dei santi è svincolato da tutti i piaceri del corpo e da ogni turbamento, reca tranquillità alla mente, serenità all'anima, cosí che, come sciolta dai legami del corpo, essa si innalza e si unisce a Cristo.

5.   Questo sonno è la vita dei santi, vissuta dal santo Acolio, di cui fu benedetta anche la vecchiaia. È veramente degna di venerazione quella vecchiaia, appunto, che è candida non di capelli ma di meriti; è degna di rispetto quella canizie che è canizie dell'anima, splendendo in candidi pensieri e in candide opere. Qual è infatti, veramente, l'età della vecchiaia, se non la vita immacolata che si prolunga non in giorni o in mesi, ma in secoli, la cui durata è senza fine, la cui longevità senza debolezza? Infatti, quanto piú è duratura tanto piú è forte; e quanto piú a lungo uno la vive, con tanta maggiore energia cresce sino ad essere un uomo perfetto.

---

[2] Il significato di *pro officio* si ricava, a quanto credo, da *non ad subsidium.*
[3] I *Settanta* hanno ἀνὰ μέσον τῶν κλήρων, conservato nella *Vulgata.* L'edizione della CEI traduce: «tra gli ovili». Κλῆρος significa propriamente «bene ereditario». Il passo è citato anche in *De fuga saec.*, 5, 27; vedi *Opera omnia*, 4, p. 103, nota 4.

6.   Huius igitur successorem te dominus non solum honore, sed etiam moribus probet et summa fundare dignetur gratia, ut ad te quoque populi concurrant, de quibus dicas: *Qui sunt isti, qui sicut nebulae uolant et sicut columbae cum pullis suis?* [a]. Veniant quoque sicut naues Tharsis [b], quae accipiant frumentum, quod Salomon uerus impertiuit uiginti mensuras tritici. Accipiant oleum et sapientiam Salomonis, et sit pax inter te et populum et testamentum pacis custodias.

Vale, frater, et nos dilige, quia et nos te diligimus.

LIII (Maur. 91)
Ambrosius Candidiano fratri

Summus quidem splendor in sermone est tuo, sed magis in affectu elucet mihi; nam in epistulis mentis tuae aspicio fulgorem, dilectissime frater ac beatissime. Dominus te benedicat et det tibi suam gratiam; nam et ipse in epistulis tuis uota magis quam mea merita recognosco. Quae enim merita mea tantis tuis aequentur sermonibus?

Dilige nos, frater, quia nos te diligimus.

6. [a] Is 60, 8.
   [b] Cf. 2 Chron 9, 21.

6. Il Signore ti giudichi vero successore di lui non solo nell'ufficio ma anche nella condotta, e si degni di renderti saldo con la grazia piú alta, affinché anche a te accorrano i popoli, in modo che tu possa dire di loro: *Chi sono questi che volano come nebbie e come colombe con i loro piccoli?* Vengano anche come navi di Tarsis, per ricevere il frumento, perché il vero Salomone ha assegnato venti misure di grano. Ricevano l'olio e la sapienza di Salomone e sia pace fra te e il popolo e tu possa custodire il patto di pace.

Sta' sano, fratello, ed amaci, perché anche noi ti amiamo.

53 (Maur. 91)
Ambrogio al fratello Candidiano [1]

Nei tuoi discorsi c'è davvero uno straordinario splendore, ma esso brilla maggiormente per me nei tuoi sentimenti; infatti nelle tue lettere vedo il fulgore del tuo animo, dilettissimo e beatissimo fratello. Il Signore ti benedica e ti dia la sua grazia; infatti, anch'io nelle tue lettere riconosco le mie aspirazioni piú che i miei meriti. Quali meriti miei, infatti, potrebbero essere uguagliati ai tuoi discorsi cosí elevati?

Amaci, fratello, perché noi ti amiamo.

[1] Il Palanque (*op. cit.*, p. 474) avanza l'ipotesi che si tratti del vescovo che portò ad Anisio di Tessalonica una lettera di papa Siricio e morí durante il viaggio.

LIBER OCTAVVS

LIV (Maur. 64)

Ambrosius Irenaeo salutem

1. Quaeris a me cur dominus deus manna pluerit populo patrum et nunc non pluat. Si cognoscis, pluit, et quotidie pluit de caelo manna seruientibus sibi. Et corporeum quidem illud manna hodie plerisque in locis inuenitur, sed nunc non est tanti res miraculi, quia uenit quod perfectum est. Perfectum autem panis de caelo, corpus ex uirgine, de quo satis euangelium te docet. Quanto praestantiora haec superioribus? Illud enim manna, hoc est, panem illum qui manducauerunt, mortui sunt; hunc autem panem qui manducauerit, uiuet in aeternum [a].

2. Sed est spiritale manna, hoc est, pluuia spiritalis sapientiae, quae ingeniosis et quaerentibus de caelo infunditur et irrorat mentes piorum et obdulcat fauces eorum. Qui igitur intellexerit infusionem diuinae sapientiae, delectatur nec alium cibum requirit nec in solo pane uiuit, sed in omni uerbo dei [a]. Qui curiosior fuerit, quaerit quid sit istud quod melle dulcius sit. Respondit illi minister dei: *Hic est panis quem dedit tibi deus manducare* [b]. Quid sit iste panis, audi: *Sermo*, inquit, *quem ordinauit deus* [c]. Haec ergo ordinatio dei, haec alimonia alit animam sapientis et illuminat atque obdulcat, resplendens ueritatis corusco et mulcens, tamquam fauo quodam, ita diuersarum uirtutum suauitate et sermone sapientiae: *Faui enim mellis sermones sunt boni* [d], sicut scriptum est in prouerbiis.

3. Cur autem minutum sit, causam accipe, quia et granum sinapis minutum est, quod comparatur regno caelorum [a]; et fides, quae sicut granum est sinapis, potest montes tollere et iactare in mare [b]. Et *fermento simile est regnum caelorum, quod abscondit*

---

1. [a] Cf. Io 6, 49.52.
2. [a] Cf. Mt 4, 4.
  [b] * Ex 16, 15.
  [c] * Ex 16, 16.
  [d] * Prou 16, 24.
3. [a] Cf. Lc 13, 19.
  [b] Cf. Lc 17, 6.

LIBRO OTTAVO

54 (Maur. 64)
Ambrogio saluta Ireneo [1]

1. Mi domandi perché il Signore Dio ha fatto piovere la manna per il popolo dei nostri padri ed ora non la faccia piovere piú. Se te ne rendi conto, la fa piovere, ed ogni giorno la fa piovere dal cielo per chi lo serve. E quella manna materiale si trova oggi in molti luoghi, ma ora il fatto non desta tanta meraviglia, perché è venuta la manna perfetta. Manna perfetta è il pane celeste, il corpo nato dalla Vergine, su cui ti dà sufficienti insegnamenti il Vangelo. Queste realtà quanto piú nobili sono delle precedenti? *Coloro che mangiarono la manna, cioè quel pane, sono morti: chi mangia questo pane vivrà in eterno.*

2. Ma v'è la manna spirituale, cioè la pioggia della spirituale sapienza, che viene infusa negli uomini ricchi d'ingegno e dediti alle ricerche celesti e irrora la mente degli uomini pii e dolcifica la loro bocca. Chi comprende l'infusione della grazia divina, ne prova diletto e non cerca altro cibo e non vive di solo pane, ma di ogni parola di Dio. Chi è piú curioso, cerca che cosa sia questo cibo che è piú dolce del miele. Gli risponde il ministro di Dio: *Questo è il pane che Dio ti ha dato da mangiare.* Che cosa sia questo pane, ascolta: *La parola*, dice, *disposta da Dio.* Questa disposizione divina, dunque, quest'alimento nutre l'animo del sapiente e illumina e dolcifica — risplendendo col bagliore della verità e dilettando — come un favo, cosí con la dolcezza di varie virtú e col discorso della sapienza [2]: *Favi di miele, infatti, sono i discorsi buoni*, come sta scritto nei Proverbi.

3. Ma perché la manna sia minuta, eccone la spiegazione: perché è minuto anche il grano di senape, che viene paragonato al regno dei cieli, e la fede, che è come un grano di senape, può sollevare i monti e gettarli in mare. E *il regno dei cieli è simile*

---

[1] Su Ireneo vedi lettera 4 (M. 27), nota 1.
[2] Cf. PHILO, *De fuga et inu.*, 25, 137-139 (III, pp. 139, 2 - 140, 2).

mulier in farinae mensuris tribus, donec fermentetur totum [c]. Et
Moyses caput uituli aurei comminuit sicut puluerem et misit in
aquam et dedit populo bibere [d] — incrassatum enim erat cor
eorum perfidiae immanitate —, ut emolliretur et fidei sumeret
subtilitatem. Denique illa mulier, quae bene emoluerit, assumetur;
ea autem, quae male emoluerit, derelinquetur.

4.   Emole ergo et tu fidem tuam, ut sis sicut illa anima quae
Christi in se caritatem excitat, quam mirantur ascendentem uirtu-
tes caelorum, quod sine offensione ascendat et ex hoc mundo
ascendat cum laetitia et iucunditate; sicut uitis propago et sicut
fumus se ad superna subrigat, flagrans odorem resurrectionis
piae et suauitatem fidei, sicut habes scriptum: *Quae est haec, quae
ascendit a deserto sicut uitis propago fumo incensa, odorificata
myrrha et ture ab omnibus pulueribus unguenti?* [a]

5.   Pulchre subtilitatem eius expressit pulueris comparatione
et unguenti commemoratione, quia in Exodo subtile legimus [a] et
ex multis compositum thymiama illud esse incensum propheticum, quod est sanctorum oratio, ut dirigatur in conspectu domini,
sicut et Dauid dicit: *Dirigatur oratio mea sicut incensum in conspectu tuo* [b]. Denique Graecus κατευθυνθήτω ἡ προσευχή μου ὡς θυμία-
μα ἐνώπιόν σου. Et in Apocalypsi Ioannis legimus quia *stetit angelus ante altare habens turibulum aureum, et data sunt ei thymiamata
multa de orationibus sanctorum omnium. Et ascendit,* inquit, *fumus
thymiamatum orationum sanctorum de manu angeli in conspectu
dei* [c].

6.   Et umbilicus animae ac uenter subtilis est illius quae
ascendit ad Christum; ideoque laudatur uoce sponsi dicentis:
*Vmbilicus tuus crater tornatilis, non deficiens mixto, uenter tuus
aceruus tritici minuti inter lilia* [a]. Est enim in omni doctrina torna-
tus et potus spiritalis non deficiens plenitudine et caelestium
secretorum cognitione. Venter quoque animae mysticus sicut umbilicus, quo uentre non solum fortem cibum sumit, quo corda
firmantur, sed etiam suauem ac florulentum, quo delectantur. Et
fortasse hoc docuit Moyses multis orationibus et piis illud miti-
gandum sacrilegium.

7.   In libro quoque Regnorum, cum se dominus sancto reue-
laret Eliae, uox aurae tenuis praecessit, et statim se ei dominus
reuelauit [a], ut cognoscamus ea quae corporea sunt, crassa esse
et pinguia, ea quae spiritalia, mollia et subtilia, ut non possint
comprehendi oculis. Denique et spiritus sapientiae subtilis et

[c] * Lc 13, 21.
[d] Cf. Ex 32, 20.
4. [a] * Cant 3, 6.
5. [a] Cf. Ex 30, 8.
   [b] Ps 140, 2.
   [c] Apoc 8, 3-4.
6. [a] * Cant 7, 2.
7. [a] Cf. 3 Reg 19, 12.

al lievito che una donna nasconde in tre misure di farina, finché il tutto fermenti. E Mosè sminuzzò come polvere la testa del vitello d'oro e la gettò nell'acqua e la dette da bere al popolo — infatti il loro cuore era ispessito per l'enormità del loro tradimento — affinché si ammollisse e assumesse la sottigliezza della fede. Perciò sarà presa quella donna che avrà macinato bene; quella, invece, che avrà macinato male, sarà abbandonata.

4.   Macina anche tu la tua fede, per essere come quell'anima che suscita in sé la carità di Cristo, che le virtú dei cieli vedono con ammirazione salire, perché sale senza inciampi e sale da questo mondo con letizia e gioia — come la propaggine di una vite e come il fumo si levano verso l'alto —, odorosa del profumo di una pia risurrezione e della soavità della fede, come trovi scritto: *Chi è costei che sale dal deserto, come la propaggine di una vite che fuma bruciando, profumata di mirra e di incenso da tutte le polveri aromatiche?*

5.   Esattamente ne significò la sottigliezza con il paragone della polvere e la citazione del profumo, perché nell'Esodo leggiamo che fu bruciato quel profumo profetico sottile e composto di molti elementi che è la preghiera dei santi, affinché salisse al cospetto del Signore, come dice anche Davide: *Salga la mia preghiera come incenso al tuo cospetto.* Perciò il testo greco ha detto: *Si levi la mia preghiera come incenso davanti a te* [3]. E nell'Apocalisse di Giovanni leggiamo che *l'angelo stette davanti all'altare con un turibolo d'oro e gli furono dati molti profumi dalle preghiere di tutti i santi. E salí,* dice, *il fumo dei profumi delle preghiere dei santi dalla mano dell'angelo al cospetto di Dio.*

6.   Ed è sottile l'ombelico e il ventre di quell'anima che sale a Cristo; perciò viene lodato per bocca dello Sposo che dice: *Il tuo ombelico è un cratere tornito, non privo di vino drogato, il tuo ventre è un mucchio di grano sottile in mezzo ai gigli.* È infatti tornito di ogni dottrina e non manca della pienezza della bevanda spirituale e della conoscenza dei misteri celesti. Come un ombelico, v'è anche un ventre mistico dell'anima, con il quale, non solo prende un cibo robusto che fortifica i cuori, ma anche dolce e fiorito, che reca loro piacere. E forse questo insegnò Mosè, che cioè il sacrilegio doveva essere fatto dimenticare con molte e devote preghiere.

7.   Anche nel libro dei Re, quando il Signore si rivelò al santo Elia, prima spirò il soffio d'un vento leggero, e subito il Signore gli si rivelò. E questo, affinché conosciamo che le cose materiali sono spesse e grasse, quelle spirituali, molli e sottili, cosí che non possono essere afferrate dagli occhi. Perciò si legge nel libro della Sapienza che anche lo spirito della sapienza è

---

[3] Non si capisce lo scopo della citazione dei *Settanta,* data la perfetta corrispondenza col testo latino.

mobilis legitur in libro Sapientiae [b], quia est in illa spiritus intelle-
gentiae, sanctus, unicus, multiplex, subtilis et mobilis, qui sermones suos molat prius, ne quid offendat uel in sensu uel in alloquio.
Denique Babyloni illi, cum destruetur, dicetur: *Et uox molae non
audietur in te amplius* [c].

8.   Hoc igitur manna subtile erat et ad diem colligebatur, in
diem alterum non seruabatur, eo quod inuenta sapientiae in
tempore sint gratiora nec tam miranda quae spatio temporis
reperiuntur quam illa quae praesenti funduntur ingenii uiuacitate,
siue quia futura reuelantur mysteria, eo quod seruatum manna
usque ad solis exortum esui iam esse non posset, id est, usque
ad Christi aduentum habere gratiam; oriente autem iustitiae sole
et splendidioribus Christi corporis et sanguinis sacramentis reful-
gentibus, cessarent inferiora, perfecta illa sumenda populo forent.

Vale et nos dilige, quia nos quoque te diligimus.

LV (Maur. 8)

Ambrosius Iusto

1.   Negant plerique nostros secundum artem scripsisse. Nec
nos obnitimur; non enim secundum artem scripserunt, sed secundum gratiam, quae super omnem artem est; scripserunt enim
quae spiritus iis loqui dabat [a]. Sed tamen ii, qui de arte scripserunt, de eorum scriptis artem inuenerunt et condiderunt commen-
ta artis et magisteria.

2.   Denique in arte requiruntur praecipue ut sit αἴτιον, ὕλη,
ἀποτέλεσμα; cum igitur legamus sanctum Isaac patri dicere: *Ecce
ignis et ligna: ubi hostia?* [a], quid horum deest? Nam, qui quaerit,
dubitat; qui respondet quaerenti, pronuntiat et dubitationem absoluit. Ecce ignis, id est, αἴτιον; et ligna, id est, ὕλη, quae Latine
materia dicitur; tertium quid superest, nisi ἀποτέλεσμα, quod
filius quaesiuit, pater rettulit dicenti: *Vbi hostia? Deus*, inquit,
prouidebit sibi sacrificium, fili [b]?

---

[b] Cf. Sap 7, 22.
[c] Apoc 18, 22.

---

1. [a] Cf. Act 2, 4.
2. [a] * Gen 22, 7.
   [b] * Gen 22, 8.

sottile e mobile, perché in essa c'è lo spirito dell'intelligenza, santo, unico, molteplice, sottile e mobile, cosí che macina prima i suoi discorsi, per non trovare ostacolo o nel concetto o nell'esposizione. Quindi, alla famosa Babilonia, quando verrà distrutta, si dirà: *E in te non si udirà piú la voce della mola.*

8.   Questa manna, dunque, era sottile e si raccoglieva giorno per giorno e non si conservava per il giorno successivo, perché i ritrovati della sapienza sono graditi al momento giusto, e non tanto sono degni di ammirazione quelli che si trovano con l'andar del tempo, quanto quelli che si effondono con l'alacrità di un'intelligenza immediata. Oppure con ciò si rivelano i misteri che dovevano compiersi, perché la manna conservata fino al levar del sole non poteva piú essere mangiata, cioè avere la grazia fino alla venuta di Cristo; ma, al sorgere del Sole di giustizia, e risplendendo i piú luminosi sacramenti del corpo e del sangue di Cristo, venivano meno i cibi di minor valore e il popolo doveva ingerire quelli perfetti.

Sta' sano ed amaci, perché anche noi ti amiamo.

55 (Maur. 8)
Ambrogio a Giusto [1]

1.   Molti negano che gli autori cristiani abbiano scritto secondo i precetti dell'arte [2]. E noi non abbiamo nulla da obiettare. Non scrissero secondo i precetti dell'arte, ma ispirati dalla grazia, che è superiore ad ogni arte: infatti scrissero ciò che lo spirito faceva loro di scrivere. Ma tuttavia quelli che scrissero sull'arte ne trassero precetti e diedero origine alle creazioni e agli insegnamenti artistici.

2.   Infatti nell'arte si richiedono principalmente una causa, una materia, un risultato. Quando dunque leggiamo che il santo Isacco dice al padre: *Ecco il fuoco e la legna: dov'è la vittima?*, quale di questi elementi manca? Chi interroga, è dubbioso; chi risponde all'interrogante, dà una precisa risposta e risolve il dubbio. Ecco il fuoco, cioè la causa, e la legna, cioè la materia; quale terzo elemento, che cosa manca se non la soluzione che il figlio chiese e il padre indicò alla sua richiesta: *Dov'è la vittima? Dio*, rispose, *provvederà al suo sacrificio, figlio* [3]?

[1] Vedi vol. I, lettera 1, nota 1. Il Palanque (*op. cit.*, p. 474) ha qualche dubbio sull'identificazione dei Maurini con Giusto, vescovo di Lione. La presente lettera, sempre secondo i Maurini, sarebbe stata scritta prima del 381. Sul suo contenuto vedi LAZZATI, *op. cit.*, pp. 54-57 e, in particolare, le considerazioni a pp. 56-57.
[2] È una questione tipica di questo tempo, che trova la sua espressione piú drammatica nella vita e nell'opera di san Girolamo (lettera 22, 30).
[3] Cf. PHILO, *De fuga et inu.*, 24, 132s. (III, p. 138, 1-10): ."Ἴδωμεν οὖν τί ὁ μὲν ζητῶν ἀπορεῖ, ὁ δ'ἀποκρινόμενος φαίνεται, καὶ τρίτον τί τὸ εὑρισκόμενον ἦν."Ὁ μὲν οὖν πυνθάνεται τοιοῦτόν ἐστιν· ἰδοὺ τὸ δρῶν αἴτιον, τὸ πῦρ· ἰδοὺ καὶ τὸ πάσχον, ἡ ὕλη, τὰ ξύλα· ποῦ τὸ τρίτον, τὸ ἀποτέλεσμα; (133, p. 138, 6-10).

3. Differamus paulisper mysterium. Ostendit deus arietem pendentem cornibus [a]: aries autem est uerbum plenum tranquillitatis et moderationis atque patientiae, quo ostenditur bonum sacrificium esse sapientiam et prudenter emerendi ac propitiandi rationem cognoscere. Vnde et propheta ait: *Sacrificate sacrificium iustitiae* [b]. Itaque iustitiae, ita ut sapientiae sacrificium est.

4. Ecce ergo mens calida et feruens ut ignis, quae operatur; ecce et intellegibilia, id est, materia; ubi est tertium, intellegere? Ecce color; ubi est uidere? Ecce sensibilia; ubi est sentire? Materia enim non ab omnibus uidetur; ideoque deus dat munus intellegendi et sentiendi et uidendi.

5. Verbum ergo dei ἀποτέλεσμα est, id est, definitio et consummatio disputationis, quod infunditur prudentioribus et dubia confirmat. Pulchre autem etiam ii, qui in aduentum Christi non crediderunt, se ipsos reuincunt, ut confiteantur quod negandum putant. Dicunt enim arietem uerbum dei et non credunt passionis mysterium, cum in illo mysterio uerbum dei sit, in quo impletum est sacrificium.

6. Ergo primum accendamus in nobis ignem mentis, ut operetur in nobis. Quaeramus subicientis materiam, quid sit quod nutriat animam, tamquam in tenebris requiramus eam. Neque enim uel patres sciebant quid esset manna; inuenerunt, inquit, manna dicentes ipsum esse sermonem et uerbum dei [a], unde omnes disciplinae fonte iugi ac perpetuo fluunt atque deriuant.

7. Haec est esca caelestis. Significatur autem ex persona dicentis: *Ecce ego pluam uobis panes de caelo* [a]: αἴτιον ergo, eo quod operatur deus, qui irrigat mentes rore sapientiae; ὕλη quia uidentes animae et gustantes delectantur et requirunt unde sit illud splendidius luce, dulcius melle. Respondetur ei scripturae

3. [a] Cf. Gen 22, 13.
   [b] Ps 4, 6.
6. [a] Cf. Ex 16, 15-16.
7. [a] Ex 16, 4.

3. Spieghiamo [4] un po' il mistero. Dio mostrò un ariete impigliato per le corna. L'ariete è il Verbo pieno di tranquillità, di moderazione, di pazienza [5]; con ciò si dimostra che è un buon sacrificio la sapienza e la conoscenza della maniera per meritare e acquistarsi favore saggiamente. Perciò, anche il profeta dice: *Offrite un sacrificio di giustizia*. Pertanto il sacrificio di giustizia è tale quale quello di sapienza.

4. Ecco, dunque, una mente calda e fervente come il fuoco, la quale agisce; ecco anche i concetti comprensibili con l'intelligenza [6], cioè la materia; dov'è il terzo elemento, cioè il comprendere? Ecco il colore; dov'è il vedere? Ecco oggetti che cadono sotto i sensi; dov'è il provare sensazioni [7]? La materia, infatti, non è vista da tutti; perciò Dio dà il dono di comprendere, di provare sensazioni, di vedere.

5. La parola di Dio, dunque, è la soluzione — cioè la conclusione e il compimento della discussione — che viene infusa nei piú saggi e rende chiaro ciò che è dubbio. E opportunamente, anche coloro che non hanno creduto nella venuta del Signore confutano se stessi, cosí da riconoscere ciò che ritengono di dover negare. Chiamano ariete il Verbo di Dio e non credono nel mistero della Passione, poiché il Verbo di Dio è in quel mistero nel quale è stato compiuto il sacrificio.

6. Anzitutto, dunque, accendiamo in noi il fuoco dell'intelligenza, perché in noi operi. Indaghiamo, prendendo in esame successivamente [8] la materia, che cosa sia che nutre l'anima, cerchiamola come nelle tenebre. Infatti, nemmeno i nostri padri sapevano che cosa fosse la manna; trovarono la spiegazione, dice Mosè, affermando che essa è la parola e il Verbo di Dio. Perciò tutte le scienze scorrono e derivano da una fonte inesauribile e perenne [9].

7. Questo è il cibo celeste. È indicato dalla persona di chi dice: *Ecco, io vi farò piovere pani dal cielo*: c'è dunque la causa, perché agisce Dio che irriga le menti con la rugiada della sapienza; la materia, perché le anime che lo vedono e lo gustano ne provano diletto e cercano dove sia quell'oggetto che è piú luminoso della

[4] *Differamus* = *expandamus* (*Maur.*).
[5] Cf. PHILO, *ibid.*, 24, 135-136 (III, p. 138, 16-18): «Κριὸς δ'εὑρίσκεται κατεχόμενος», τουτέστι λόγος ἡσυχάζων καὶ ἐπέχων. Ἄριστον γὰρ ἱερεῖον ἡσυχία καὶ ἐποχὴ περὶ ὧν πάντως οὔκ εἰσι πίστεις. Come osserva E. Lucchesi (*L'usage de Philon dans l'oeuvre exégetique de Saint Ambroise*, E.J. BRILL, Leiden 1977, p. 51), qui sant'Ambrogio avrebbe frainteso il testo filoniano.
[6] Vedi PIZZOLATO, *op. cit.*, pp. 236-237; LAZZATI, *op. cit.*, pp. 13 ss.
[7] Cf. PHILO, *ibid.*, 24, 134 (III, p. 138, 11-13): Πάλιν ἰδοὺ ἡ ὅρασις, ἰδοὺ τὸ χρῶμα, ποῦ τὸ ὁρᾶν; καὶ συνόλως ἰδοὺ ἡ αἴσθησις, τὸ κριτήριον ἀλλὰ καὶ τὰ αἰσθητά, αἱ ὕλαι· τὸ οὖν αἰσθάνεσθαι ποῦ;
[8] Il testo è controverso. Se si vuol conservare, come fanno i Maurini, la lezione *subicientis*, per ottenere un senso soddisfacente bisogna ammettere che si tratti di una forma poetica del nominativo plurale = *subicientes*, nel significato di «far seguire».
[9] Cf. PHILO, *ibid.*, 25, 137 (III, p. 139, 2-4): Ζητήσαντες καὶ τί τὸ τρέφον ἐστὶ τὴν ψυχήν — «οὐ γὰρ» ἦ φησι Μωυσῆς «ἤδεισαν τί ἦν» — εὖρον μαθόντες ῥῆμα θεοῦ καὶ λόγον θεῖον, ἀφ'οὗ πᾶσαι παιδεῖαι καὶ σοφίαι ῥέουσιν ἀέννασι.

serie: *Hic est panis quem dedit uobis manducare dominus* [b]; et hoc
est uerbum dei, quod disposuit deus uel ordinauit, quo pascitur
anima prudentium et delectatur; quod est candidum et suaue,
ueritatis splendore illuminans et uirtutum suauitate demulcens
audientium animas.

8.   In se enim didicerat propheta quid esset consummandae
rei αἴτιον. Nam, cum mitteretur, ad populum dei liberandum, ad
regem Aegypti, ait: *Quis sum ego ut uadam et educam populum a
regis potestate?* [a]. Respondit dominus: *Ego ero tecum*. Interrogabat
iterum Moyses: *Quid dicam illis, si requirant: «Quis est dominus
qui misit te et quod nomen est illi?».* *Dixit dominus: «Ego sum qui
sum. Dices: Qui est misit me»* [b]. Hoc est uerum nomen dei, esse
semper. Vnde et apostolus de Christo: *Dei enim filius Iesus Christus, qui in uobis est, qui per nos praedicatus est, per me et Siluanum
et Timotheum, non fuit,* inquit, *Est et Non, sed Est in illo fuit* [c].
Respondit Moyses: *Si non crediderint mihi neque obaudierint uocem meam dicentes quia non apparuit tibi deus, quid dicam illis?* [d].
Dedit illi signa facere, ut crederetur quia a dominus missus est.
Tertio ait Moyses: *Non sum dignus et gracili uoce sum, tardiore
lingua: quomodo audiet me pharao?* [e]. Responsum est ei: *Vade et
ego aperiam os tuum et instruam te quid debeas loqui* [f].

9.   Interrogationes ergo illae in medio et responsiones habent sapientiae semina et θεωρίαν. Gratum tamen ἀποτέλεσμα est,
quia ait: *Ego ero tecum* [a]. Et quamuis dederit ei signa facere,
tamen dubitanti iterum, ut scias quia signa non credentibus,
promissum autem credentibus, respondit ad infirmitatem uel
meriti uel uoti: *Ego aperiam os tuum et instruam te quid debeas
loqui.* Perfectum ergo ἀποτέλεσμα seruatum est.

10.   Habes hoc et in euangelio: *Petite et dabitur uobis, quaerite
et inuenietis, pulsate et aperietur uobis* [a]. Pete ἀπὸ τοῦ αἰτίου, id
est, ab auctore quaere. Habes ὕλην intellegibilia, quibus quaeras:
pulsa et aperit tibi deus uerbum. Quae petit mens est, quae
operatur sicut ignis; intellegibilia, in quibus mentis ardor operatur, sicut ignis in lignis; aperit tibi uerbum deus, quod est ἀποτέλεσμα. Habemus et alibi in euangelio, dicente domino: *Cum autem
tradent uos, nolite cogitare quomodo aut quid loquamini; dabitur*

b * Ex 16, 15.
8. a * Ex 3, 11.
  b * Ex 3, 13-14.
  c 2 Cor 1, 19.
  d * Ex 4, 11.
  e * Ex 4, 10.
  f * Ex 4, 12.
9. a Ex 3, 12.
10. a Mt 7, 7.

luce, piú dolce del miele. Si risponde loro col passo della Scrittura: *Questo è il pane che il Signore vi ha dato da mangiare*; e questo è la Parola di Dio, che Dio ha disposto e ordinato, di cui si nutre l'anima del sapiente provandone diletto, che è fulgida e soave, illuminando con lo splendore della verità e dilettando le anime degli uditori con la dolcezza delle virtú [10].

8.   In se stesso, aveva appreso il profeta quale fosse la causa dell'impresa da compiere. Infatti, essendo inviato — per liberare il popolo di Dio — al re d'Egitto, dice: *Chi sono io per andare e sottrarre il popolo al potere del re?* Il Signore risponde: *Io sarò con te*. Mosè gli chiedeva ancora: *Che dirò loro, se mi domandano: «Chi è il Signore che ti ha mandato e che nome ha?».* Rispose il Signore: *«Io sono Colui che sono. Dirai: Mi ha mandato Colui che è».* Questo è il vero nome di Dio: essere sempre. Perciò anche l'Apostolo dice di Cristo: *Infatti il Figlio di Dio Gesú Cristo, che è in voi, che è stato annunziato per mezzo nostro, per mezzo mio, di Silvano e di Timoteo, non fu «sí» e «no», ma in lui fu sempre il «sí».* Rispose Mosè: *Se non crederanno a me né ascolteranno la mia voce, dicendo: «Non ti è apparso Dio», che dirò loro?* Gli concesse di compiere dei segni, perché si credesse che era stato mandato da Dio. Una terza volta disse Mosè: *Non sono degno e ho debole la voce, impacciata la lingua: in che modo mi ascolterà il Faraone?* Gli fu risposto: *Va' e io aprirò la tua bocca e t'insegnerò che cosa tu debba dire.*

9.   Quelle domande, dunque, e quelle risposte, comprensibili a tutti, hanno semi di sapienza e motivi di riflessione. Gradito tuttavia è il risultato, perché dice: *Io sarò con te.* E quantunque gli abbia concesso di compiere dei segni, tuttavia — siccome era ancora dubbioso, affinché tu sappia che i segni sono per i non credenti, la promessa invece per i credenti — rispose alla debolezza o del merito o della preghiera: *Io aprirò la tua bocca e t'insegnerò che cosa tu debba dire.* Si è dunque ottenuto [11] un risultato perfetto.

10.   Questo tu trovi anche nel Vangelo: *Chiedete e vi sarà dato, cercate e troverete, picchiate e vi sarà aperto.* Cerca cominciando dalla causa, cioè dall'autore. Hai, quale materia, concetti comprensibili mediante l'intelligenza, per mezzo dei quali indagare: picchia, e Dio Verbo ti apre. Quella che chiede è l'intelligenza, che agisce come il fuoco; vi sono concetti intelligibili, nei quali l'ardore della mente opera come il fuoco nella legna; ti apre il Verbo di Dio che è la soluzione. Troviamo anche altrove, nel Vangelo, quando il Signore dice: *Quando vi consegneranno nelle loro mani, non state a pensare come o che cosa direte, perché vi*

---

[10] Cf. lettera 54 (M. 64), 2.
[11] *Seruare*, nel senso di «ottenere», è linguaggio giuridico.

enim uobis in illa hora quid loquamini. Non enim uos eritis qui loquimini, sed spiritus patris uestri qui loquitur in uobis [b].

11. Habes hoc et in Genesi, dicente Isaac: *Quid est, quod tam cito inuenisti, fili?* [a]. Qui dixit: *Quod tradidit dominus deus tuus in manus meas* [b]. Ἀποτέλεσμα dominus est. Qui per dominum quaerit, inuenit. Laban denique, qui per dominum non quaesiuit, quia quaerebat idola, non inuenit [c].

12. Pulchre autem quos dicunt ὅρους seruauit. Primus est ὅρος: *Vade, affer mihi de uenatione tua ut manducem* [a]. Excitat atque adolet uelut igni quodam adhortationis suae mentem eius, ut operetur et quaerat. Secundus ὅρος: *Quid est quod tam cito inuenisti?* Hic in interrogatione est. Tertius ὅρος in responsione: *Quod tradidit dominus deus tuus in manus meas.* Ἀποτέλεσμα deus est, qui concludit et consummat omnia; de quo dubitandum non est.

13. Est et ille ὅρος de spontaneis: *Si non seminaueritis, non metetis* [a]; nam, etsi cultura prouocet semina, tamen natura spontaneo quodam, ut surgant, in iis operatur ingenio.

14. Vnde apostolus: *Ego plantaui*, inquit, *Apollo rigauit, sed deus incrementum dedit. Itaque neque qui plantat est quidquam neque qui rigat, sed qui dat incrementum, deus* [a]. Dat tibi deus in spiritu et in corde tuo seminat dominus. Age ergo, ut inspiret et seminet, ut metas: si non seminaueris, non metes. Quasi admoneris ut semines; non seminasti, non metes, sententia est. Principio finis conuenit: principium semen est, finis messis.

15. Disce, inquit, ex me: natura adiuuat discentem; deus autem auctor naturae est. Dei quoque, ut bene discamus, quia hoc naturae est, perdiscere; duri enim corde non discunt. Incrementa per naturam, quae diuini habet gratiam muneris; consummationem et perfectionem deus dat, id est, illa praestantissima et diuina trinitatis natura et substantia.

Vale et nos dilige, ut facis, quia nos te diligimus.

---

[b] Mt 10, 19.
11. [a] * Gen 27, 20.
   [b] * Ibid.
   [c] Cf. Gen 31, 33 ss.
12. [a] * Gen 27, 25.
13. [a] * Leu 25, 11.
14. [a] * 1 Cor 3, 6-7.

11, 1   Quod est quid *Maurini mendo typ. manifeste erratum. Cf. De fuga saec.*, 8, 49.
    2   Quid tradidit *Maurini: vide supra.*

sarà suggerito che cosa dobbiate dire. Non sarete, infatti, voi a parlare, ma lo Spirito del Padre vostro, che parla in voi.

11. Trovi questo anche nella Genesi, là dove Isacco dice: *Che è ciò che hai trovato cosí presto, figlio?* E questi risponde: *Ciò che* [12] *il Signore Dio tuo ha posto nelle mie mani.* La soluzione è il Signore. Chi cerca per mezzo del Signore, trova. Perciò Labano, che non aveva cercato per mezzo del Signore — perché cercava gli idoli —, non trovò [13].

12. Ed opportunamente osservò quelle che chiamano «determinazioni». La prima determinazione è: *Va', portami del cibo proveniente dalla tua caccia, perché io lo mangi* [14]. Eccita ed arde col fuoco della sua esortazione la mente di lui, affinché agisca e cerchi. La seconda determinazione è: *Che è ciò che hai trovato cosí presto?* Questa consiste nella domanda. La terza determinazione si trova nella risposta: *Ciò che il Signore Dio tuo ha posto nelle mie mani* [15]. La soluzione è Dio che conclude e porta a compimento le cose, e di questo non si deve dubitare.

13. C'è anche la determinazione relativa alle cose spontanee: *Se non seminerete, non mieterete* [16]; infatti, anche se la coltivazione produce i semi, tuttavia la natura agisce in essi, per cosí dire, con una capacità spontanea, perché crescano.

14. Perciò l'Apostolo dice: *Io ho parlato, Apollo ha irrigato, ma Dio ha fatto crescere. Perciò né chi pianta né chi irriga è qualche cosa, ma chi fa crescere, Dio.* Dio ti dà nello spirito, e il Signore semina nel tuo cuore. Adoperati, dunque, perché t'ispiri e semini, affinché tu possa mietere: se non seminerai, non mieterai. Questa è la sentenza. La fine è in armonia con l'inizio: il principio è il seme, la fine è la messe [17].

15. «Impara da me», dice la natura; la natura aiuta chi vuole imparare, ma Dio è il creatore della natura. È anche volontà di Dio che impariamo bene, perché è proprio della natura imparare in profondità. Infatti, i duri di cuore non imparano. La crescita avviene per mezzo della natura, che ha la grazia del dono divino; il compimento e la perfezione li dà Dio, cioè quell'eccelsa e divina natura e sostanza della Trinità.

Sta' sano ed amaci, come fai, perché noi ti amiamo.

---

[12] Cf. i *Settanta*: τί τοῦτο, ὅ... ὅ....; diversa la *Vulgata*.

[13] Cf. PHILO, *De fuga et inu...*, 26, 143 (III, pp. 140, 21 - 141, 1).

[14] Veramente il passo citato sembra essere Gen 27, 25, e quindi riferirsi al momento in cui Giacobbe porge il cibo al padre.

[15] Cf. PHILO, *ibid.*, 30, 168-169 (III, p. 147, 3-9).

[16] La *Vulgata* ha invece: *Non seretis neque metetis sponte in agro nascentia*, testo che corrisponde a quello dei *Settanta*. La citazione di sant'Ambrogio sembra in contraddizione con l'applicazione che ne viene fatta.

[17] Cf. PHILO, *ibid.*, 31, 170-171 (III, pp. 147, 11 - 148, 2).

LVI (Maur. 5)
Ambrosius Syagrio

1. Prospiciendum esse ne de nostro obloquantur iudicio carissimi nostri Veronenses propriis texuisti litteris. Non arbitror fore, certe non solent. Aut, si obloquantur, de quo obloqui soleant haud dubie liquet: cum exasperati huc ueniant, pacifici ad te reuertantur, praesertim cum hoc iudicium nostrum cum fratribus et consacerdotibus nostris participatum processerit, tu autem sine alicuius fratris consilio hoc iudicium tibi solus uindicandum putaris; in quo tamen ante iudicium praeiudicium feceris, ut puellam Zenonis sanctae memoriae iudicio probatam eiusque sanctificatam benedictione post tot annos, sine auctore criminationis, sine accusatore, sine professore delationis, in periculum reatus deducendam arbitrare; cui inuidia esset a uanis, ab haereticis, ut ipsi uolunt, a turpibus personis conflata per scelus, per auaritiam, per intemperantiam quaerentibus proprii libertatem flagitii; ab his postremo, qui domo eius eiecti atque eliminati forent, quod discolora opera subtexerent, quam prima fronte suae professionis praetenderant.

2. Huiusmodi accusatores, huiusmodi testes in tuo constituebas iudicio, qui neque accusare audebant neque delationis se nexu obligare; atque ita inspectioni adiudicandam constituebas uirginem, quam nullus argueret, nullus deferret. Vbi haec cognitionis sollemnitas? Vbi talis iudicandi formula? Si leges publicas interrogamus, accusatorem exigunt; si ecclesiae: *Duobus*, inquit, *et tribus testibus stat omne uerbum* [a], sed illis testibus qui ante hesternum et nudius tertius non fuerint inimici, ne irati nocere cupiant, ne laesi ulcisci se uelint.

2. [a] * Mt 18, 16.

56 (Maur. 5)
Ambrogio a Siagrio [1]

1. Nella tua lettera hai affermato che dobbiamo preoccuparci che i nostri carissimi Veronesi non critichino il nostro giudizio. Non penso che ciò avvenga, perché non è certo nelle loro abitudini. In caso contrario, se dovessero criticarlo, è ben chiaro che cosa sono soliti criticare. Pur venendo qui esasperati, possono ritornare da te rasserenati, soprattutto perché questo nostro giudizio è stato pronunciato con la partecipazione dei nostri fratelli e colleghi nell'episcopato [2]. Tu, invece, hai ritenuto [3] di dover riservare questo giudizio a te solo senza il consiglio di qualche confratello; ma in ciò, prima del giudizio, hai stabilito una pregiudiziale, cosí da ritenere di dover mettere sotto accusa, dopo tanti anni — senza un promotore dell'incriminazione, senza un accusatore, senza un responsabile della denuncia —, una giovane approvata dal giudizio di Zeno, di santa memoria, e consacrata dalla sua benedizione, contro la quale era stata attizzata la malevolenza per ribalderia, avidità e intemperanza, ad opera di individui privi di credibilità, di eretici — come riconoscono essi stessi —, di persone disoneste, che cercavano via libera per la propria attività obbrobriosa; ad opera di quelli, infine, che erano stati cacciati ed esclusi dalla sua casa, perché coprivano quel che facevano con un'attività diversa che avevano messo innanzi a paravento della loro professione.

2. Tu ammettevi, nella tua azione giudiziaria, simili accusatori, simili testimoni che non osavano né accusare né impegnarsi con il vincolo della denuncia, e cosí stabilivi di sottoporre ad una visita medica una vergine che nessuno dimostrava colpevole, nessuno deferiva in giudizio. Dove si trova questa forma d'inchiesta? Dove, una simile procedura di giudizio? Se consultiamo le leggi dello Stato, esse esigono un accusatore; se, quelle della Chiesa: *Ogni affermazione si fonda su due o tre testimoni*; ma testimoni che il giorno prima o l'altro ieri non siano stati avversi, perché non desiderino recar danno né, offesi, vogliano vendicarsi.

---

[1] Siagrio è l'undicesimo vescovo di Verona, il terzo successore del patrono san Zeno, che fu l'ottavo. I Maurini ritengono questa lettera — e cosí la seguente — del 380; il Giuliari (S. ZENONIS... *Sermones*, Verona 1883, p. XXV), del 386. Il Palanque (*op. cit.*, p. 554) le ritarda entrambe sino al 395-396 o, eventualmente, al 393, supposto che le decisioni sul caso di Indicia siano state adottate nel corso del Sinodo milanese dello stesso anno. Avverte tuttavia che in argomento mancano solidi indizi. Piú recentemente G.G. MENIS (*Le giurisdizioni metropolitiche di Aquileia e di Milano nell'antichità*, in *Aquileia e Milano*, Antichità altoadriatiche IV, Udine 1973, p. 284) afferma che dal 381 il Vescovo di Milano esercitava poteri sicuramente metropolitici e successivamente (p. 287) colloca le due lettere a Siagrio nel 389.

[2] A questo passo (cf. par. 20) pensa il Palanque, quando propone la data del 393. Vedi nota precedente.

[3] Grammaticalmente, il *putaris* (*putaueris*) dipende dal *cum* che regge il precedente *processerit*.

3. Inoffensus igitur affectus testium quaeritur, ita tamen ut accusator prius in medio procedat. Ipsi illi presbyteri Iudaeorum manus suas prius supra caput imposuerunt Susannae et accusationem professi sunt et pariter addiderunt testimonii auctoritatem [a], quam imprudenter populus sub errore positus acceperat; sed diuino iudicio per prophetam retexit et redarguit omnipotens deus, ut liqueret omnibus eos uelle inuidiam praeseminare aduersum innocentis periculum, qui deficerent accusationis argumento et firmamento probationis, conicientes uidelicet quod, si preoccupatis uulgi auribus inuidia mentem incesseret, praeiudicium examinandae ueritatis inferret. Etenim, cum audita praeueniunt, aurem obstruunt, animum occupant, ne probatio desideretur, ut rumor pro conuicto teneatur crimine.

4. Nos igitur accusatorem exegimus et auctorem totius scenae Maximum perurgendum arbitrati sumus. Verum ille accusationem, quam studio informauerat, uerbo detulerat, deseruit professione; et tamen affectu urgebat, arte exsequebatur sed fugiebat nomine, quod diffideret probationi. Denique, sparsis rumoribus, sed etiam epistulis compositis et destinatis, quaesiuit acerbare inuidiam delationis; sed nequaquam opprimi potuit integritas et circumueniri. Nam, si habuisset probationes, numquam inspectionem tua sententia flagitauisset.

5. Quid igitur sibi uelit et quo spectet quod obstetricem adhibendam credideris, non possum aduertere. Itane ergo liberum erit accusare omnibus, et, cum probatione destiterint, patebit ut genitalium secretorum petant inspectionem, et addicentur semper sacrae uirgines ad huiusmodi ludibria quae et uisu et auditu horrori et pudori sunt? Denique non minima etiam in tuis litteris tentatae expressioni uerecundia est. Quae ergo sine damno pudoris in alienis auribus resonare non queunt, ea possunt in uirgine sine eius tentari uerecundia?

6. Inuenisti tibi uilem mancipium, procacem uernulam, cur non abutaris pudibundo ministerio et exponas eius modestiam, cum praesertim nihil sanctius in uirgine sit quam uerecundia? Non enim sacra uirgo ut corpore tantummodo integra sit quaeritur et non ut in omnibus eius inoffensus maneat pudor. Virgo domini suis est nixa fulcris ad sui probationem nec alienis dotibus eget, ut se uirginem probet; et nec abditorum occultorumque inspectio, sed obuia omnibus modestia astipulatur integritati. Non placet deo, quam non suorum grauitas morum probat; non proba-

3. [a] Cf. Dan 13, 34 ss.

3. Si esige, dunque, nei testimoni una disposizione imparziale, a condizione tuttavia che prima si faccia avanti l'accusatore. Quegli stessi sacerdoti ebrei, prima posero le loro mani sul capo di Susanna e poi avanzarono l'accusa e insieme aggiunsero l'autorevolezza della testimonianza che il popolo ingannato aveva accolto. Ma col suo divino giudizio, per mezzo del profeta, Dio scoprí e smascherò la loro trama, cosí che apparve chiaro a tutti che essi volevano suscitare malevolenza in vista dell'accusa contro un'innocente, poiché non disponevano di argomenti per dimostrarla e di elementi di prova, supponendo che, se la malevolenza, dopo essersi impadronita degli animi del volgo ne avesse aggredito l'animo, avrebbe recato un pregiudizio alla ricerca della verità. Infatti, quando la voce pubblica accusa in precedenza, essa chiude gli orecchi, invade l'animo, in modo che non si sente il bisogno di una prova, e cosí una diceria viene considerata un'accusa dimostrata pienamente.

4. Noi, dunque, abbiamo esaminato l'accusatore e abbiamo ritenuto di dover mettere alle strette Massimo, l'organizzatore di tutta la messa in scena. Ma quello, nella sua deposizione, lasciò cadere l'accusa che aveva ideata con zelo e presentata a parole; e tuttavia insisteva con trasporto ed esponeva con abilità, ma evitava la denuncia, perché non aveva fiducia di poterla dimostrare. Perciò, con la diffusione di dicerie e la falsificazione di lettere redatte a bella posta, aveva cercato di rendere piú grave l'odiosità della colpa denunciata, ma in nessun modo l'integrità poté essere sopraffatta e raggirata. Infatti, se avesse avuto le prove, non avrebbe mai preteso una visita medica in seguito ad una tua decisione.

5. Non posso comprendere che cosa significhi, a che cosa miri il fatto che tu, allora, abbia creduto di dover ricorrere a un'ostetrica. Cosí, dunque, tutti potranno accusare evitando di produrre le prove, avranno la facoltà di chiedere il controllo delle intime parti genitali, e le sante vergini si troveranno sempre esposte a tali oltraggi che suscitano orrore e vergogna sia a vedersi sia ad udirsi? Tant'è vero che anche nella tua lettera c'è un estremo ritegno nella ricerca delle espressioni adatte. Quelle azioni, dunque, che non possono risonare negli altrui orecchi senza offesa per il pudore, potranno essere tentate su una vergine, senza vergogna?

6. Hai trovato — nel tuo caso — un vile schiavo, un servo sfrontato cosí da usarlo per un servizio impudico e mettere a repentaglio la sua modestia, soprattutto dal momento che in una vergine non c'è niente di piú sacro della verecondia? Non si cerca infatti che una santa vergine sia integra soltanto nel corpo senza cercare invece che il suo pudore rimanga illibato in tutto. Una vergine del Signore, per dimostrarsi tale, si fonda su argomenti probativi che le sono propri e non ricorre in aggiunta a testimonianze altrui per dimostrare la sua verginità; e non già la visita medica di ciò che è nascosto e segreto, ma la modestia che è manifesta a tutti ne garantisce l'integrità. Non è gradita a Dio

tur domino, quae unius obstetricis indiget testimonio, quod plerumque quaeritur pretio. Ea ergo tibi locuples uidetur ad fidem,
quae et redimi et falli potest, ut excuset ream et crimen tegat
aut nesciat et non possit flagitium deprehendere?

7.   Neque uero illud iustum arbitror, quod tuis comprehendi-
sti litteris, quia nisi inspecta fuerit, integritas periclitetur et incerto sui fluctuet. Ergo omnes, quae inspectae non sunt, periculum
subierunt pudoris? Ergo et quae nupturae sunt, prius inspiciantur,
ut nubant probatiores? Ergo et quae uelandae sunt, prius subi-
ciendae sunt huiusmodi attrectationi; non enim uisitantur, sed
attrectantur, et rectius secundum tuam sententiam inspicitur non
probata quam consecrata.

8.   Quid, quod ipsi archiatri dicunt non satis liquido comprehendi inspectionis fidem et ipsis medicinae uetustis doctoribus
id sententiae fuisse? Nos quoque usu hoc cognouimus, saepe inter
obstetrices obortam uarietatem et quaestionem excitatam, ut plus
dubitatum sit de ea quae inspiciendam se praebuerit, quam de
ea quae non fuerit inspecta. Siquidem et proximo id comperimus
exemplo; nam quaedam conditionis seruilis Altini inspecta et
refutata, postea Mediolani, non meo quidem iussu, sed Nicenti
ex tribuno et notario, domini uel patroni sui uoluntate uisitata
est a peritissima et locupleti femina huiusmodi artis; et cum simul
ista suppeterent, ut neque paupertas obstetricis suspectam faceret
fidem neque indocilitas imperitiam, tamen adhuc manet quaestio.

9.   Quid profuit igitur eam inspici, cum damnatio maneat?
Nam, ut quisque uoluerit, aut imperitam medicam aut redemptam
asseret: ita sine effectu ullo iniuria inspectionis est. Quid deinde
fiet? Quotiescumque emerserit qui non credat, toties uirgo attrec-
tabitur? Nam, si umquam se uisitandam abnuerit, secundum as-
sertionem tuam de crimine confitebitur. Et facilius est ut refutet,
quod numquam fecerit, quam quod fecerit. Variabuntur igitur

quella che non è dimostrata degna dall'austerità della propria condotta, non è nelle grazie del Signore quella che ricorre alla testimonianza della sola ostetrica, che spesso si ottiene dietro compenso. Dunque, ti pare autorevole — quanto a credibilità — una che può essere comperata e sbagliare, cosí da scusare l'accusata e nascondere la colpa o non rendersene conto e non essere in grado di scoprire l'infamia?

7.   E non stimo giusto ciò che tu hai esposto nella tua lettera: che cioè, se non è controllata da una visita, l'integrità è in pericolo e vacilla incerta sul proprio conto. Dunque, tutte quelle che non hanno subito una visita medica hanno corso pericolo per il loro pudore? Dunque, anche quelle che stanno per sposarsi dovrebbero essere visitate per contrarre le nozze con maggiori garanzie? Dunque, anche quelle che devono ricevere il velo dovranno essere sottoposte a un simile maneggiamento; non sono infatti visitate, ma maneggiate, e, secondo il tuo modo di ragionare, una giovane, di cui non è dimostrata l'integrità, viene sottoposta a visita piú giustamente di una consacrata.

8.   Che dire del fatto che anche gli stessi medici affermano che la prova offerta dal controllo non viene assodata con assoluta certezza e che di questo parere sono stati gli stessi antichi maestri della medicina [4]? Anche noi sappiamo questo per esperienza: che cioè, spesso, tra le ostetriche sono sorte diversità d'opinioni e si è acceso un contrasto, cosí che s'ingenerarono dubbi su colei che si era sottoposta alla visita piuttosto che su quella che non era stata visitata. Infatti conosciamo con certezza questa eventualità anche dall'esempio che adduciamo immediatamente. Una donna di condizione servile visitata ad Altino e respinta, successivamente, non per ordine mio, ma di Nicenzio, già secondo segretario della cancelleria imperiale [5], secondo il volere del suo padrone o patrono fu visitata a Milano da un'espertissima ed autorevole donna di quest'arte; e sebbene concorressero contemporaneamente queste due circostanze, che cioè né la condizione disagiata faceva sospettare dell'onestà dell'ostetrica né l'incapacità della sua competenza, tuttavia la questione rimane ancora indecisa.

9.   Che giovò, dunque, sottoporla alla visita, dal momento che la condanna rimane? Infatti ognuno, a suo piacimento, dichiarerà l'ostetrica incompetente o venduta; cosí sarà senza risultato l'affronto della visita di controllo. Che cosa capiterà, poi? Ogniqualvolta si farà avanti uno che non crede alla sua integrità, altrettante volte la vergine sarà oggetto di maneggiamento? Se rifiuterà di lasciarsi visitare, secondo la tua affermazione confesserà la propria colpa. Ed è piú facile che rifiuti perché non ha mai

---

[4] Cf. CYPR., *Ep.*, 4, 3, 1: *Nec aliqua putet se posse hac excusatione defendi quod inspici et probari possit an uirgo sit, cum et manus obstetricum et oculus saepe fallatur,* AVG., *De ciu. Dei,* I, 18: *Obstretrix uirginis cuiusdam integritatem manu uelut explorans, sine maliuolentia sine inscitia sine casu, dum inspicit, perdidit.*

[5] Cf. PAVLIN., *Vita Ambr.,* 44, 1. Vedi anche JONES, *op. cit.,* I, pp. 142; 170. Capo dei *notarii* era il *primicerius*.

obstetrices, ne suspectae aliqua repetatur gratiae. Erit itaque inter plures, quamquam paucarum etiam in magnis urbibus hic usus medendi sit, erit, inquam, uel maleuola uel imperita quam pudoris claustra praetereant et per imperitiam integro notam affigat pudori. Vides in quod periculum inducas uirginalem professionem, dum obstetricem adhibendam putas, ut iam non solum uerecundiae suae dispendio, sed etiam obstetricis incerto periclitetur.

10.   Nunc consideremus quod obstetricis officium sit. Legimus etiam in ueteri testamento obstetrices, sed non inspectrices; denique ad parturientes ingrediebantur, non ad uirgines; ut partus susciperent, non ut pudorem examinarent. Vnde et obstetrices dictae, eo quod obsistant dolori, uel certe pignori, ne laxatis uteri genitalibus claustris in terram defluat. Secundo et tertio loco in scripturis inuenimus obstetrices adhibitas, sed ubique partui, numquam inspectioni. Primo ubi Rachel parturit [a], deinde ubi Thamar parit [b], tertio ubi necandos mares pharao mandat Hebraeorum obstetricibus [c], quando responderunt illae non eo more Hebraeas feminas parere, quo pariunt Aegyptiae, sed Hebraeas prius parere quam introeant obstetrices ad eas. Qui locus, ut superiori utilis ad Hebraeorum salutem, ita reliquo confragosus ad obstetricum fidem, quae didicerunt mentiri pro salute et fallere pro excusatione.

11.   Quid igitur suspecta et dubia captamus, cum maiora sint alia examinandae ueritatis documenta et testimonia in quibus expressiora insignia uel temerati pudoris sint? Quid enim est quod magis publicum sit quam offensa pudoris et defloratio uirginitatis? Nihil profecto quod magis se prodat quam castitatis dispendium. Tumescit aluus et incedentem fetus sui onera grauant, ut praetermittamus alia, quibus se uel tacita prodit conscientia.

12.   At forte sterilitatis obtentu abscondi in aliquibus possit flagitium. Hic uero, cum editus partus et expositus uel necatus — dum inuidiae magis quam probationi consulitur — dissipatus sit per aures uniuersorum, strangulata est libertas calumniarum, si peperit. Nempe Veronae fuit, uisebatur frequenter a uirginibus et mulieribus; in honore semper erat. Visebatur et a sacerdotibus propter pudicitiae reuerentiam et grauitatis speculum. Quomodo

10. [a] Cf. Gen 35, 17.
   [b] Cf. Gen 38, 27.
   [c] Cf. Ex 1, 15 ss.

fatto nulla che perché ha fatto qualcosa di riprovevole. Le ostetriche, dunque, saranno cambiate, perché qualcuna non sia accusata di sospetta compiacenza. Ci sarà pertanto tra molte, quantunque anche nelle grandi città l'esercizio di questo ramo della medicina sia di poche, ci sarà, ripeto, o una malevola o un'incompetente che trascuri la riservatezza del pudore e per incompetenza imprima la nota di biasimo a un pudore senza macchia. Tu vedi a quale pericolo esponi la professione verginale pensando di dover ricorrere ad un'ostetrica, cosí che essa sia soggetta a un rischio non solo per il danno della propria verecondia, ma anche per l'incertezza dell'ostetrica.

10.   Consideriamo, ora, quale sia il compito dell'ostetrica. Leggiamo anche nell'Antico Testamento di ostetriche, ma non di esaminatrici. Si recavano perciò dalle partorienti, non dalle vergini, per raccogliere i bimbi, non per controllare il pudore. Perciò furono anche dette ostetriche, perché si oppongono al dolore o almeno si pongono davanti alla creatura che nasce, affinché, una volta allentata la bocca dell'utero, non scivoli a terra [6]. In un secondo e in un terzo passo della Scrittura troviamo che furono impiegate le ostetriche, ma — in ogni luogo — per il parto, non per il controllo. Dapprima, quando Rachele partorisce, poi quando partorisce Tamar, in terzo luogo quando il Faraone ordina alle levatrici ebree di uccidere i figli maschi; e allora quelle risposero che le donne ebree non partoriscono come le egiziane, ma le ebree partoriscono prima che le levatrici vadano da loro. Questo passo, come fu utile — a ciò che si è detto — per la salvezza degli ebrei, cosí è imbarazzante — quanto al resto — per la credibilità delle ostetriche, che impararono a mentire per la salvezza e a ingannare per giustificarsi.

11.   Perché, dunque, andare a caccia di elementi sospetti e dubbi, mentre si devono esaminare prove e testimonianze della verità, nelle quali appaiono indizi piú manifesti, specialmente del pudore offeso? Che c'è, infatti, che sia piú di dominio pubblico che l'offesa del pudore e la violazione della verginità? Certo, non c'è nulla che si riveli di piú della perdita della castità. Il ventre si gonfia e il peso del proprio feto aggrava chi incede, per trascurare gli altri indizi con i quali, pur senza parlare, la cattiva coscienza si manifesta.

12.   Ma può avvenire che in alcune l'infamia possa essere nascosta con la scusa della sterilità. Nel nostro caso, però, poiché la notizia del figlio partorito ed esposto ed ucciso — mentre si pensa piú alla malevolenza che alla prova — si è diffusa negli orecchi di tutti senza eccezione, è stata soffocata la libertà di accusa, se ha realmente partorito. Senza dubbio si trovava a Verona, era visitata frequentemente da vergini e da donne sposate; infatti era sempre oggetto di stima. Era visitata anche da sacerdoti in segno di rispetto della sua pudicizia e perché specchio di

---

[6] Da *obsto* = «sto davanti»; vedi BATTISTI-ALESSIO, *Diz. etim., sub uoce.*

ergo potuit occulere crimen, quod se uel specie sui proderet?
Quomodo texit uterum? Quomodo non refugit aspectum mulierum, oculos salutantium? Quomodo parturiens uocem repressit?
Sed hoc non patitur dolor; denique scriptura hos maximos dicit
dolores, qui sunt parturientis [a]. Sic enim, inquit, dies domini
subito uenit et improuisus adest, ut dolor partus, qui intercludit
omnia effugia delitescendi [b].

13. Haec est uerior documentorum fides, quam erubescunt
et mulieres. Denique Elisabeth occultabat se mensibus quinque,
eo quod sterilis conceperat in senectute [a]. His signis et ipsa Mariae
uirginitas, apud ignaros mysterii, probri suspectabatur. Vnde et
Ioseph, cui desponsata erat uirgo, suspectum habebat uitium,
dum adhuc nesciret dominicae incarnationis sacramentum [b].

14. Quid ergo negamus inspiciendas uirgines? Interim quod
nusquam legerim non astruo nec uerum arbitror. Sed quia pleraque ad speciem facimus, non ad ueritatem, et erroris gratia com-
plura frequenter praetendimus — sunt enim qui nesciant recte
facere, nisi metu poenae — relinquamus hoc illis, quas non uerecundia reuocat a lapsu, sed solus iniuriae deterret metus, apud
quas nulla cura pudoris et castitatis gratia, sed poenae timor est.
Relinquamus uernaculis, quibus formido est deprehendi magis
quam peccasse. Absit a uirgine sacra ut obstetricem nouerit:
partus putatur et remedium doloris ducitur, non examen pudoris.
Relinquamus etiam illis, si quae grauibus appetitae calumniis,
oppressae testimoniis, strangulatae argumentis, ad id confugiant,
ut se offerant inspectioni, quo uel corporis probetur custodia; si
tamen deprehendi potest, in quibus nutat pudoris gratia et disciplina integritatis. Male tamen se habet causa ubi potior est carnis
quam mentis praerogatiua. Malo morum signaculo quam corporis
claustro uirginitatem exprimi.

15. Iam illud praeclarum, quod scripsisti insinuatum tibi a
quibusdam quod nequaquam tibi communicarent, si eam sine
uisitatione suscipiendam crederes. Ergo iudicandi accepisti formulam. Quales illi, qui uolunt praescribere sacerdotibus quid
sequi debeamus? Liberauimus itaque te a cognitionis grauissimae

12. [a] Cf. Gen 3, 16.
    [b] Cf. Is 13, 8-9.
13. [a] Cf. Lc 1, 24.
    [b] Cf. Mt 1, 18.

austerità. In che modo, dunque, poté nascondere la colpa che si rivelava anche solo col proprio aspetto? In che modo nascose il ventre? Per quale motivo non evitò lo sguardo delle donne, gli occhi di chi la salutava? In che modo soffocò le grida durante il parto? Ma questo il dolore non lo permette, tant'è vero che la Scrittura dice che piú acuti di tutti i dolori sono quelli che soffre una partoriente. Cosí infatti, dice, viene inatteso il giorno del Signore e giunge improvviso come il dolore del parto, che impedisce ogni scampo per sottrarsi ad esso.

13.   Questa è la piú vera e attendibile prova, di cui anche le donne provano rossore. Perciò Elisabetta si teneva nascosta per cinque mesi, perché, essendo sterile, aveva concepito nella sua vecchiaia. Per questi segni anche la stessa verginità di Maria, agli occhi degli ignari, dava adito al sospetto di una colpa disonorevole. Perciò anche Giuseppe, cui la Vergine era promessa, sospettava un fallo, mentre ancora ignorava il mistero dell'Incarnazione del Signore.

14.   Perché, dunque, diciamo che le vergini non devono essere sottoposte a visita medica? Intanto non affermo né ritengo vero ciò che non ho letto da nessuna parte. Ma siccome facciamo molte cose badando all'apparenza e non alla verità, e spesso adduciamo molte scuse per i nostri errori — vi sono infatti molti che non sanno agir bene se non per timore della pena —, lasciamo agire cosí quelle che sono distolte dal peccare non dalla modestia, ma dalla paura del castigo e che non si curano affatto del pudore e non provano attrattiva alcuna per la castità, ma temono la pena. Lasciamo agire cosí gli schiavi, che temono piú d'essere scoperti che d'aver commesso una colpa. Non avvenga che una vergine consacrata conosca l'ostetrica: si presume un parto e si applica [7] un rimedio per il dolore, non un controllo del pudore. Lasciamo questo modo di agire anche a quelle, se ce ne sono, che, assalite da gravi accuse, schiacciate dalle testimonianze, strozzate dalle prove, ricorrono al partito di sottoporsi alla visita medica quale mezzo per dimostrare almeno la custodia del corpo, se tuttavia può essere colta in quelle creature in cui è vacillante la grazia del pudore e la regola dell'integrità. Tuttavia si trova in una situazione difficile la causa nella quale conta di piú la condizione di privilegio della carne che quella dell'animo. Preferisco che la verginità si manifesti mediante i segni che si ricavano dal comportamento piuttosto che mediante le barriere del corpo.

15.   Inoltre è straordinario quello che mi hai scritto esserti stato comunicato da taluni: che cioè non avrebbero avuto in nessun modo rapporti con te, se avessi ritenuto di accettarla senza visita medica. Ti hanno dunque insegnato la procedura da seguire nel giudizio. Chi sono quelli che vogliono prescrivere a noi vescovi le norme da seguire? Ti abbiamo quindi liberato dalla

[7] In questo senso, *duco* è termine medico.

necessitate, ne necesse haberes formulam mandatam exsequi. Quid nobis futurum est, qui eorum studiis non obtemperauimus?

16.   Sed tamen scio illic plerosque esse, qui timeant dominum. Nam et hic uidimus dudum et illic esse comperimus, qui compositam hanc querantur calumniam; quos aiunt eo offensos fauisse Maximo, quod ista uirgo non circumeat domos nec eorum matronas salutet atque ambiat. Quid igitur fiet, quomodo tanto eam exuemus crimine? Quomodo persuadebimus ut cultus assumat nouos, suos exuat? Graue flagitium uirginem intra secreta domus degere, claudi penetralibus suis! Sic certe lectio docet Mariam domi repertam, cum ad eam Gabriel Archangelus uenisset [a]. Susanna fugiens turbarum inducitur [b]. Denique cum se lauaret, paradisum claudi iubebat. Quid autem praestantius, praesertim in uirgine, cuius praecipuum opus uerecundia, quam secretum? Quid tutius secreto et ad omnes actus expeditius? Munia enim pudoris induit, non concursationis. Sed de aliis uidero, tuae nunc mihi respondendum epistulae est.

17.   Te miror, frater, qui tantopere defendas Maximum non fuisse accusatorem, sed parentis dolore doluisse inuidiam sparsi rumoris, cum ille se inimicum et aduersarium litigatorem, proposito iam iurgio, negare non potuerit aduersus sacram uirginem iudicia attentauisse muroque interiecto discretas aedes uxoris suae ac uirginis, diuisam germanitatis inter sorores societatem aliaque, quibus doleret quod uirgo in agro affinitatis suae refugisset consortium. Quomodo ergo non accusator, qui affectum accusatoris iamdudum exercuit, qui sermone suo accusationem detulit, aures tuas impleuit clamore et testes auditionis deduxit, cognitionem poposcit?

18.   Quamlibet argumentatus, negare non potuisti quod ad Indiciam scripseris quoniam Maximus seu impulsu aliorum seu dolore proprio crimen graue detulerit. Sola haec epistula satis est ad accusationis testimonium; neque enim te ego tuis ad me datis litteris urgendum putaui, sed, iis lectis quas ad uirginem dederas, aduerti diuersum esse quod ad me scripseras, et tamen, cum epistulae tuae sibi non conuenirent, consulendum te, non

16. [a] Cf. Lc 1, 28.
   [b] Cf. Dan 13, 15 ss.

costrizione di una gravissima indagine, perché tu non fossi obbligato ad adottare la procedura imposta. Che cosa capiterà a noi che non ci siamo uniformati ai loro desideri?

16. Ma tuttavia so che costí vi sono molti che temono il Signore. Infatti abbiamo visto, qui or non è molto, e abbiamo appreso con certezza che costí vi sono persone che si lamentano che sia stata architettata questa falsa accusa. Essi dicono che con Massimo si sono schierati quelli che si sono sentiti offesi dal fatto che codesta vergine non va per le case né saluta le loro mogli o le lusinga. Che cosa capiterà dunque, in che modo la libereremo da questa colpa sí grave? Come la persuaderemo ad adottare un nuovo tenor di vita e ad abbandonare il suo? È una grave vergogna che una vergine viva nel segreto della propria casa, si chiuda nelle proprie stanze piú riservate. Cosí almeno insegna la Scrittura che fu trovata Maria, quando l'arcangelo Gabriele si presentò a Lei. Susanna è descritta nell'atto di evitare la folla. Perciò, quando faceva il bagno, ordinava di chiudere il giardino. Che c'è di piú ammirevole, specialmente in una vergine — di cui la verecondia è la dote essenziale —, che il vivere appartata? Che c'è di piú sicuro di una vita appartata e di piú indicato per ogni attività? Si assume i compiti propri del pudore, non quelli di chi scorrazza qua e là. Ma al resto provvederò; ora devo rispondere alla tua lettera.

17. Mi meraviglio di te, fratello, che con tanto impegno sostieni che Massimo non fu l'accusatore, ma con dolore di padre si dolse dell'odiosità della diceria che era stata diffusa. Siccome non aveva potuto negare, quando ormai il contrasto era divenuto di pubblico dominio, di essere l'avversario e il litigante dalla parte contraria, aveva affrontato il giudizio contro la vergine consacrata. Era stato frapposto un muro, erano state separate le case di sua moglie e della vergine, era stato interrotto il rapporto di fratellanza tra le sorelle [8]; ed erano avvenuti altri fatti per cui si doleva che la vergine avesse evitato — rifugiandosi in campagna — i contatti con lui, suo cognato. Come, dunque, non fu accusatore colui che da un pezzo aveva assunto i sentimenti di un accusatore, aveva presentato l'accusa con le proprie parole, aveva riempito i tuoi orecchi con le sue grida, aveva prodotto i testimoni delle voci circolanti, aveva insistentemente preteso un'inchiesta?

18. Con qualsiasi argomentazione non hai potuto negare di aver scritto ad Indicia che Massimo, sia per istigazione di altri sia per proprio risentimento, aveva presentato una grave accusa. Questa sola lettera è prova sufficiente dell'accusa stessa. Io, infatti, non ho creduto di metterti alle strette ricorrendo alla lettera da te inviatami, ma, dopo aver letto quella inviata alla vergine, notai che era diverso ciò che avevi scritto a me; e tuttavia, pur non essendo concordanti tra loro le tue lettere, ho ritenuto di doverti chiedere spiegazioni, non di doverti rimproverare. Che significa,

---

[8] Come si precisa subito dopo, Massimo era cognato di Indicia.

arguendum putaui. Quid igitur sibi uult illa argumentatio quia illud detulerit, quod ad me scripseras, delatam uidelicet eam in turpi crimine, ita ut editum et obrutum partum dici asserat? Quasi uero istud ad Indiciam, non ad me scripseris. Illa ubi audiuit litteris tuis Maximum subduci accusationi, litteras tuas protulit, quibus eum criminis delatorem probauit; ad me datas non legerat nec, quid haberent, sciebat.

19. Ego autem exhorrui a primo calumniam, quia aduertebam non crimen intendi, sed iniuriam uirginis desiderari, cuius inspectio et uisitatio postulabatur, non aliquod flagitium deferebatur. Quis enim istud a principio fraude compositum nequaquam sibi congruere et conuenire non arbitraretur? Cucurrisse mulieres uiles ad monasterium, iactasse partum uirginis et necem pignoris, de monasterio rumorem per populos sparsum eumque affluxisse in aures noui affinis Maximi, ab ipso interpellatum episcopum, dimissas eas quae dixisse ferebantur atque in fugam coactas, ut apud nos patuit; eos, qui audisse se dicerent, ad ecclesiam uocatos prodisse Renatum et Leontium, duos illos iniquitatis uiros, quos apposuit Iezabel [a], redarguit Daniel [b], subornauit Iudaeorum populus [c], ut auctorem uitae suae falso appeterent testimonio. Qui tamen, cum simul composuissent flagitium, simul ingressi essent uiam et, ne quid praeteream, adiuncti Maximo, comitantibus, ut dixit Leontius, iis qui illum rumorem sparserant, tamen, ubi in meo astiterunt iudicio, cum primo de origine causae quaererem, diuersa et distantia prompsere, non locorum separati, sed mendaciorum diuortio.

20. Cum igitur sibi ipsi non conuenirent, Mercurium et Leam, uilissimae condicionis et detestabilioris nequitiae personas, amandauissent, aufugisset Theudule, non ignara obiciendi sibi facinoris, quod ante lectum Renati sola cubitauisset, ancilla praesto esset alia, quae stupro eiusdem Renati se diceret coinquinatam, die ipso, qui dictus est cognitioni, subtraxerunt se episcoporum conuentui, licet etiam pridie subito se profecturos idem Renatus clamauerit.

21. Vnde ego iudicio praescripsi diem, et tamen, nullo accusante, nullis testimoniis perurgentibus, insinuaui sanctae sorori quod peteres coram ipsa inspici et uisitari memoratam uirginem.

---

19. [a] Cf. 3 Reg 21, 10.
 [b] Cf. Dan 13, 15 ss.
 [c] Cf. Mt 26, 59-60.

dunque, l'argomentazione che egli aveva denunciato ciò che mi
avevi scritto, cioè che ella era stata accusata di una turpe colpa,
cosí da affermare che correva la voce che un figlio era stato
partorito e sepolto? Ma questo l'avevi scritto ad Indicia, non a
me. Ella, quando apprese dalla tua lettera [9] che Massimo si sot-
traeva all'accusa, produsse la lettera ricevuta da te, con la quale
dimostrò che l'accusatore era lui. Non aveva letto quella inviata
a me e non ne conosceva il contenuto.

19.   Io però rabbrividii dal primo momento alla calunnia,
perché comprendevo che non si muoveva un'accusa, ma si desiderava di offendere la vergine di cui si chiedeva il controllo e la
visita medica; non si denunciava alcuna azione disonesta. Chi,
infatti, non avrebbe ritenuto che quest'accusa, fin da principio
architettata con l'inganno, non era in alcun modo coerente con
se stessa? Donne spregevoli erano corse al monastero, non avevano fatto che parlare del parto della vergine e dell'uccisione della
sua creatura, dal monastero la diceria si era diffusa tra la gente
ed era giunta agli orecchi del recente cognato Massimo, da lui
era stato interpellato il vescovo, erano state mandate via le donne
— che si diceva avessero parlato — e costrette a fuggire, come
risultò chiaro. Quelli che dicevano di aver udito tutto questo,
convocati alla chiesa, avevano denunciato Renato e Leonzio, quei
due uomini iniqui che Gezabele citò quali testimoni; Daniele
rimproverò, il popolo dei Giudei subornò perché con la loro falsa
testimonianza aggredissero l'Autore della loro vita. Questi, tuttavia, pur avendo ordito insieme il misfatto ed essendosi insieme
messi in cammino e, per non tacere nulla, uniti a Massimo in
compagnia — come disse Leonzio — di quelli che avevano diffuso
quella diceria, tuttavia, quando si presentarono al mio giudizio,
siccome chiedevo loro anzitutto l'origine della causa, fecero depo-
sizioni assai differenti, trovandosi divisi non per la diversità dei
luoghi, ma della menzogna.

20.   Non essendo, dunque, essi d'accordo; avendo allontanato
Mercurio e Lea, individui di vilissima condizione e di piú detesta-
bile malvagità; essendo fuggita Teudule, ben consapevole della
colpa che doveva esserle rinfacciata — perché spesso sola aveva
dormito davanti al letto di Renato, essendo disponibile un'altra
ancella che si diceva contaminata dalla violenza del medesimo
Renato —, il giorno stesso fissato per il processo si sottrassero
al convegno dei Vescovi, nonostante che anche il giorno prima
il medesimo Renato avesse proclamato che sarebbero giunti subito.

21.   Perciò io fissai il giorno per il giudizio, e tuttavia, mancando l'accusatore, non essendoci testimoni a far pressione, comu-
nicai alla mia santa sorella [10] che tu chiedevi che la vergine sopra
ricordata fosse sottoposta alla visita di controllo alla presenza di
lei. Ella però, in coscienza, rifiutò il controllo, ma non la

[9] A sant'Ambrogio.
[10] Marcellina.

At illa sancte inspectionem quidem recusauit, sed testimonium
non declinauit, dicens nihil se in Indicia comprehendisse, nisi
quod esset uirginalis pudoris et sanctitatis: habitasse eam Romae
in domo nostra, nobis absentibus, nulli eam se uitiorum familiari-
tati dedisse, optare cum ea sibi a domino Iesu partem reseruari
in regno dei.

22.   Paternam quoque filiam nostram interrogaui, quod ab
ea numquam soleat discedere, cuius caritas uitae huius testimonium est. Itaque, etsi quod iniurata diceret, fidei sacramento
conferendum foret, sub obtestatione tamen professa est alienam
criminis quo appetebatur nec quidquam in ea scire se bonae
uacuum conuersationis.

23.   Nutricem quoque liberae condicionis interrogauimus,
cui et status haudquaquam degeneri seruitio obnoxius libertatem
uera fatendi daret et fides atque aetas ad ueritatem astipularetur
et officium nutricis ad cognitionem secreti. Ea quoque nihil se
indecorum uidisse, nihil sibi quasi parenti commissum a uirgine
aliqua dignum reprehensione.

24.   His moti, Indiciam inoffensi uirginem muneris pronuntia-
uimus; Maximum autem et Renatum et Leontium ita inuoluit
sententia, ut Maximo, si errorem emendaret, spes reditus reserua-
retur, Renatus autem et Leontius excommunicati manerent, nisi
forte probata sui paenitentia et huius facti diuturna deploratione
dignos se praeberent misericordia.

Vale, frater, et nos dilige, quia nos te diligimus.

LVII (Maur. 6)
Ambrosius Syagrio

1.   Quae sint in nostro iudicio decursa, comperta retines; et
ideo nunc quasi animae portionem conuenio meae, habens apud
te pro castitatis contumelia familiarem et dolentem querelam.
Itane oportuit inoratam atque inauditam uirginitatis causam adiu-
dicari, ut non possit absolui? Hoc est, nisi sua iniuria, nisi ab
honesto pudore traducatur ad indecoram sui corporis oblatio-
nem, grande uidelicet relatura sui testimonium, ut exponatur
ludibrio et procacitatis notetur? Hanc igitur praerogatiuam detuli-
sti integritati, huiusmodi honorificientiam, qua se lacessiri aut
inuitari gaudeant quae hoc munus recipiendum putant, ut amit-
tant libertatem communis assertionis nec se iure tueantur uel

testimonianza, dicendo che non aveva colto in Indicia nulla che non fosse degno del pudore verginale e d'un comportamento irreprensibile: questa aveva abitato a Roma nella nostra casa; in nostra assenza, non si era abbandonata ad alcuna consuetudine viziosa; desiderava che insieme a lei le fosse riservato dal Signore Gesú un posto nel regno di Dio.

22.   Ho interrogato anche la nostra figlia Paterna, la cui virtú rende testimonianza per questa vita, perché non suole mai staccarsi da lei. Pertanto, anche se ciò che diceva senza aver giurato avrebbe dovuto essere attestato mediante giuramento di veracità, tuttavia, in seguito a pressante richiesta, dichiarò che Indicia era estranea alla colpa che le veniva imputata e che non conosceva in lei alcun atto non conforme a oneste consuetudini.

23.   Abbiamo interrogato anche la nutrice, di condizione libera, cui e la posizione non soggetta ad ignobile servitú dava la libertà di confessare il vero e la lealtà e l'età conferivano garanzia di veracità e l'ufficio di nutrice quella di conoscenza degli avvenimenti segreti. Anch'essa dichiarò che non aveva visto nulla di sconveniente; che a lei, che era come una madre, non era stato affidato dalla vergine alcun incarico degno di riprovazione.

24.   Indotti da questi motivi abbiamo dichiarato Indicia vergine ineccepibile nei suoi doveri; Massimo, Renato e Leonzio furono coinvolti nella sentenza in questi termini: a Massimo, se avesse emendato il proprio errore, veniva riservata la speranza di ritornare in comunione, mentre Renato e Leonzio sarebbero rimasti scomunicati, a meno che, con un pentimento sincero e con un pianto diuturno su questa vicenda, si fossero dimostrati degni di misericordia.

Sta' sano, fratello, ed amaci, perché noi ti amiamo.

57 (Maur. 6)

Ambrogio a Siagrio

1.   Tu sai ciò che è avvenuto e si è assodato nel nostro giudizio; e per questo vengo ora a colloquio con te come con una parte dell'anima mia, dovendo esprimerti le mie lagnanze dolorose e amichevoli per le offese recate alla castità. Era opportuno che la causa della verginità, formalmente non proposta e senza audizione della difesa, fosse giudicata in modo da non poter essere risolta a suo favore? Cioè: se non con sua offesa, se non facendola passare da una condizione di onorevole riservatezza all'indecorosa esibizione del proprio corpo, per offrire evidentemente una significativa testimonianza di sé, cosí da essere esposta al ludibrio ed essere bollata di sfrontatezza? Hai, dunque, concesso questo privilegio all'integrità, un onore tale che invoglierà e inviterà con loro gioia le giovani che pensano di dover assumere questo compito, per cui esse perderanno la libertà di affermare

sanctae legis uel publico, ut non accusatorem exigat, non arcersi-
torem urgeat, sed impudentiam solam induat ac sese proiciat ad
iniuriam?

2.   Non ita maiores nostri despicabilem habebant castimo-
niam, cui tantum deferebant reuerentiae, ut bellum aduersum
temeratores pudicitiae suscipiendum putarent. Denique tantum
fuit ultionis studium, ut omnes tribules de Beniamin tribu extin-
guerentur, nisi sexcentos, qui bello reliqui forent, natura editioris
loci defendisset; sic enim lectionis diuinae serie expressum tene-
tur [a], cuius tenorem recensere congruit.

3.   Leuites uir, animo maior quam opibus, habitabat in partibus montis Ephraem; ei quippe tribui sortito obtigerat locus in
possessionem terrae datus pro funiculo hereditatis. Is sibi accepit
iugalem de Iuda Bethleem. Et ut se habent prima copularum
exordia, ardebat iuuenculam immodica animi cupiditate; simul
quia similibus eius non fungebatur, exardescebat magis magisque
possessione atque immane quantum exaestuabat. Vnde, quia nihil
referebatur ex parte adulescentulae uel leuitate amoris uel ui
doloris, quod haudquaquam mercede pari secum decerneret, cum
eadem expostulabat. Hinc frequens iurgium; quo mulier offensa,
claues remisit, domum reuertit.

4.   At ille, amore uictus, qui quod speraret non habebat aliud,
cum quartum iam mensem fluere cerneret, eo contendit, fretus
quod consilio parentum emolliretur animus adulescentulae. Occurrit pro foribus socer, generum introduxit, filiam reconciliauit
et, ut laetiores dimitteret, triduo tenuit, quasi repararet nuptias;
ac uolenti abire quartum quoque diem comperendinauit, praeten-
ta humanitatis specie, moras innectendo. Pari modo, cum etiam
quintum diem uellet adiungere superioribus et iam nouae dees-
sent causae morandi, paterno tamen affectu retinendae filiae
desiderium non deforet, promissam profectionis copiam distulit
in meridiem, ut uiam cibo curati adorirentur. Post epulas quoque
uolens dilationem attexere, eo quod iam uesper appropinquaret,
generi precibus, aegre licet, tamen acquieuit.

5.   Ille iter suum perrexit laetus animi, quod dilectam sibi
recuperauisset. Qui uno comitati seruulo, cum iam declinaret
dies, festino uiam celerabant gradu. Mulier uehebatur iumento,

2. [a] Cf. Iud, cc. 19-21.

ciò che vogliono, come tutti gli altri, e non saranno tutelate dal diritto o della legge ecclesiastica o da quello dello Stato, privilegio che non richiederà un accusatore, non solleciterà uno che chiami in giudizio, ma si rivestirà solamente di sfrontatezza e si abbandonerà all'offesa?

2. I nostri maggiori non avevano in tale disprezzo la castità, cui tributavano un cosí grande ossequio da ritenere di dover intraprendere una guerra contro i profanatori della pudicizia. Perciò ebbero un tale desiderio di vendetta, che tutti i membri della tribú di Beniamino si sarebbero estinti, se la natura di un luogo elevato non avesse protetto seicento uomini, facendoli sopravvivere alla guerra. Cosí infatti narra il racconto della Sacra Scrittura, di cui è conveniente considerare il contenuto.

3. Un levita [1], piú grande d'animo che di ricchezze, abitava nella regione del monte Efraim, poiché a quella tribú era toccato in sorte il luogo, assegnato in proprietà terriera, quale porzione ereditaria. Egli prese una moglie da Betlemme di Giuda. E, come avviene nei primi rapporti coniugali, ardeva per la fanciulla con sfrenata bramosia dell'animo; nello stesso tempo, siccome essa non aveva un atteggiamento simile al suo, ardeva sempre piú per il desiderio di possederla e bruciava d'un fuoco irrefrenabile. Perciò, siccome da parte della fanciulla non c'era alcuna corrispondenza sia per leggerezza amorosa sia per vivo dispiacere [2], si lamentava con essa perché non partecipava con lui alla tenzone d'amore con pari ricambio. Di qui frequenti rimbrotti; offesa da questi rimproveri, la donna riconsegnò le chiavi e ritornò a casa sua.

4. Ma egli, vinto dall'amore, perché non aveva altro da sperare, vedendo che ormai stava passando il quarto mese, si recò là, convinto che il consiglio dei genitori avrebbe addolcito l'animo della giovinetta. Il suocero gli andò incontro sulla porta di casa, introdusse il genero, rimise la figlia in buona armonia con lui e, per congedarli piú lieti, li trattenne per tre giorni, come se festeggiasse di nuovo le nozze. E quando il genero voleva partire, gli chiese la proroga di un quarto giorno, esibendo manifestazioni d'affetto e adducendo pretesti per indugiare [3]. E siccome voleva aggiungere un quinto giorno ai precedenti e ormai mancavano nuovi motivi per un ritardo, mentre non veniva meno per l'affetto paterno il desiderio di trattenere la figlia, differí fino al meriggio la promessa facoltà di partire, affinché si mettessero per via dopo essersi rifocillati. E pur volendo, anche dopo il pasto, aggiungere una dilazione col dire che ormai era vicina la sera, sia pure a fatica acconsentí alla preghiera del genero.

5. Questi si mise in cammino, lieto in cuor suo perché aveva recuperato l'amata. Essi — accompagnati da un solo servo —, siccome ormai il giorno declinava, affrettavano il viaggio con

[1] Cf. Ios., *Ant. Iud.*, V, 2, 8-12 (136-174). Quest'episodio è citato ampiamente anche in Ambr., *De off.*, III, 19, 112-117.
[2] D'aver lasciato la propria casa.
[3] Cf. Verg., *Aen.*, IV, 51: *causasque innecte morandi.*

uiro nullus sensus laboris, qui fructi desiderii, simul et uario mulieris ac uernaculi sermone uiam leuaret. Denique, ubi Hierosolymam appropinquarunt, quae triginta stadiis aberat, quam tunc temporis Iebusaei tenebant, suggessit puer deflectendum in ciuitatem, quia sub noctem suspecta essent etiam illa, quae tutiora sunt, cauendaque tenebrarum ambigua, maxime quia locorum incolae non essent de filiis Israel. Et ideo praeuertendum, ne quid aduersa studia gerentes insidiarum inferrent, obscuro noctis dolum quaerentibus ad perpetrandum facinus satis opportuno. Sed domino eius haudquaquam placuit sententia, ut inter alienigenas hospitio succederent, cum Gabaa et Rama non longe abessent, ciuitates Beniamin. Itaque praeualens sententia posthabuit seruuli suggestionem, quasi ex condicione consilium aestimaretur et non consilio quamuis infima condicio alleuaretur. Et iam sol in occasu erat; denique uix occurrit, cum iam urgeretur uespere, in ciuitatem succedere.

6.   Gabaonitae incolebant locum, inhospitales, immites, intolerabiles; omnia tamen tolerabiliores quam si aliquem hospitio recepissent. Denique commodius huic uiro leuitae cesserat, si in Gabaa hospitium non reperissent. Verum, ne quid deesset offensionis, primo ingressu diuersorium non reperit; et cum in publico situs alienam misericordiam imploraret, offendit aduenientem ex agro senem, quem uesper ex opere agresti compulit nocte decedere. Et cum esset ei conspicuus, rogatus quo iret et unde aduentaret, respondit: «De Bethleem Iuda reuertor, contendo ad montem Ephraem et mulier est mecum; sed ecce huc diuerti, et nemo est qui hospitio recipiat et requiescendi usum ministret». Non quo cibi aut potus sibi aut pecori pabulorum esset indigentia, sed tecti hospitio prohiberentur: praesto esse illa, nudum tecti hospitium desiderari. Ad ea senior benigne satis et placide: «Pax, inquit, tibi, et succede hospes pariter et ciuis; nam et mihi origo de montis Ephraem partibus et hic hospitalis habitatio; sed tempore diuturno incolatus sedes fundauit». Itaque receptos domicilio ministerio sui et subsidiis hospitalibus iuxta fouit.

passo veloce[4]. La donna era portata da un giumento, l'uomo non aveva alcuna percezione di fatica, perché alleviava il peso del percorso col frutto del suo desiderio e, nello stesso tempo, variamente conversando con la donna e il servo[5]. Perciò, quando furono vicini a Gerusalemme — che distava trenta stadi[6] —, allora in mano ai Gebusei, il servo suggerí di fare una deviazione verso quella città, perché al calar della notte diventavano sospetti anche i luoghi ben sicuri e bisognava guardarsi dall'ambiguità delle tenebre, soprattutto perché gli abitanti di quella regione non appartenevano ai figli d'Israele. E per questo bisognava correre ai ripari, perché individui con propositi ostili non tramassero insidie, essendo l'oscurità della notte particolarmente opportuna[7] a perpetrare misfatti per chi ordiva tranelli. Ma al suo padrone non piacque la proposta di cercare ospitalità fra stranieri, essendo non lontane Gabaa e Rama, città della tribú di Beniamino. Pertanto il parere piú autorevole fece passare in seconda linea il suggerimento del servo, come se un consiglio si dovesse valutare sul fondamento della condizione e non piuttosto una condizione, per quanto infima, non fosse elevata dal consiglio. E ormai il sole era al tramonto; perciò a fatica decise, essendo ormai costretto dalla sera, di entrare in città.

6.   Abitavano quel luogo i Gabaoniti, gente inospitale, dura, insopportabile; tuttavia sarebbero stati in tutto piú sopportabili che se avessero dato ospitalità a qualcuno[8]. Perciò a questo levita sarebbe andata meglio, se in Gabaa non avesse trovato ospitalità. Ma, perché non mancasse alcun torto, appena entrato non trovò un albergo; e, mentre sulla pubblica via implorava la compassione altrui, incontrò un vecchio che veniva dalla campagna, costretto dal calar della sera ad abbandonare, durante la notte, il lavoro dei campi. Ed avendo attirato la sua attenzione, richiesto dove andasse e donde venisse, il levita rispose: «Ritorno da Betlemme di Giuda, mi reco al monte Efraim, e la donna è con me; ma, ecco, mi sono fermato qui e non c'è nessuno che mi accolga e mi offra la possibilità di dormire». Non che gli mancassero cibo o bevanda o pascoli per il gregge, ma erano esclusi dall'ospitalità in una casa[9]; egli disponeva di quei beni, mancava la sola ospitalità sotto un tetto. A tali parole il vecchio, con grande benevolenza e serenità: «Pace a te», disse, «entra quale ospite e concittadino; infatti anch'io sono originario della regione del monte Efraim, e qui abito come forestiero; ma, per il lungo periodo, la residenza ha dato origine al domicilio». Pertanto, dopo averli accolti nella sua casa, li rifocillò parimenti con i suoi servizi e con l'assistenza ospitale.

<hr/>

[4] Cf. *ibid.*, V, 609: *uiam celerans... decurrit.*
[5] Cf. *ibid.*, VIII, 309: *uarioque uiam sermone leuabat.*
[6] Lo stadio misurava circa 190 metri.
[7] Cf. VERG., *Georg.*, I, 478: *uisa sub obscurum noctis.*
[8] Cioè, la loro «ospitalità» era la cosa piú insopportabile di tutte.
[9] Cf. VERG., *Aen.*, I, 540: *hospitio prohibemur harenae.*

7.   Hortabatur ad laetitiam senior et frequentioribus prouo-
cabat poculis, ut uino aboleret curarum obliuia, cum subito cir-
cumsistunt eos Gabaonitae, iuuenes ad omnem proiecti libidinem,
nihil pensum ac moderatum habentes, quos forma mulieris illexe-
rat et in omnem amentiam praecipitabat. Capti enim eíus decore
et per senectutem hospitis atque infirmitatis subsidii accepta spe
potiundi, poscunt mulierem et pulsant ianuam.

8.   Itaque egressus senior rogabat eos ne hospitales mensas
turpi flagitio foedarent et reuerendum ius etiam indomitis barba-
rarum gentium nationibus uiolandum arbitrarentur: contribulem
illum sibi, Israelitem uirum legitimi tori subnixum copula non
sine indignatione caelestis arbitri tanta affici contumelia. Quod
ubi parum procedere aduertit, esse sibi filiam uirginem adiecit,
illam se offerre maiore parentis dolore, sed minore gratiae hospitalis dispendio; publicum flagitium priuato dedecore intolerabilius habere. At illi exagitati aestu furoris et inflammati incentiuo
lidibinis eo amplius ardebant formam iuuenculae, quo magis
negabatur. Et iustitiae exsortes ridebant uerba aequitatis, filiam
senis, quia minore inuidia sceleris offerebatur, despectui habentes.

9.   Itaque, cum piae nihil proficerent preces et seniles frustra
hospes manus tenderet, desperato praesidio, rapitur mulier et
per totam noctem iniuriae impletur. At ubi lux finem intemperantiae dedit, ianuam hospitalem repetit, non quo uiri conspectum
exposceret, quem magis declinandum putaret contumeliae pudore miserabilis, sed ut affectum uiro referret, quae castitatem
amiserat, et contumeliae suae funus lamentabili specie ante ianuam hospitalem exponeret. Egressus itaque leuita, cum iacentem
inuenisset, arbitratus quod uerecundia uultum nequaquam attol-
lere auderet, consolari coepit, quia non uoluntate, sed inuita
tantae iniuriae succubuisset: hortari assurgere et secum repetere
domum. Sed ubi nullum responsum referebatur, quasi quiescen-
tem maiore uoce e somno excitare.

10.   Verum ubi mortis supremae patuit fides, impositas iumento reliquias domum pertulit et diuisos artus mulieris in partes
duodecim misit per singulas tribus Israel. Quo commotus uniuer-
sus populus conuenit in Massephat atque ibi, querela per leuitam

---

8, 7-8 tolerabilius *Maurini, qui tamen in notis* intolerabilius *proponunt.*

7.   Il vecchio esortava alla gioia e con numerose e copiose bevute cercava di eliminare col vino le preoccupazioni facendole dimenticare: quando, ad un tratto, li circondano i Gabaoniti, uomini nel vigore degli anni dediti ad ogni dissolutezza, senza riguardo o moderazione di sorta. Li aveva sedotti la bellezza della donna e li travolgeva in ogni follia. Infatti, conquistati dalla sua avvenenza e fiduciosi di raggiungere il loro scopo per la vecchiezza dell'ospite e l'insufficienza del suo aiuto, chiedono la donna e battono alla porta.

8.   Pertanto il vecchio, uscito, li pregava di non contaminare la mensa ospitale con un turpe misfatto e di non credere di poter violare un diritto degno di rispetto anche per le selvagge nazioni dei popoli barbari. Quel suo compatriota, un israelita legato dal vincolo di un legittimo matrimonio, non poteva essere colpito da un'offesa cosí atroce senza che il Signore del cielo se ne sdegnasse. Ma quando si accorse di avere poco successo, aggiunse che aveva una figlia vergine; l'offriva loro con maggior dolore perché padre, ma con minore danno delle relazioni ospitali; considerava piú intollerabile [10] la pubblica infamia del disonore privato. Ma quelli, scatenati dalla furia della follia e accesi dallo stimolo della libidine, tanto piú ardentemente bramavano le belle forme della giovane donna quanto piú erano loro negate. E, privi di ogni senso del giusto, si facevano beffa delle parole dettate dall'equità, disprezzando la figlia del vecchio perché veniva loro offerta a prezzo di un delitto meno odioso.

9.   Di conseguenza, poiché le preghiere suggerite dal sentimento di giustizia non ottenevano alcun risultato e l'ospite tendeva invano le sue vecchie mani, non potendo contare su nessun aiuto, la donna viene rapita e per tutta la notte è sottoposta all'oltraggio. Ma quando la luce del giorno pose fine alla sfrenatezza, ella ritornò alla porta dell'ospite, non per chiedere di vedere il marito, che piuttosto riteneva di dover evitare per la vergogna del miserevole oltraggio subíto, ma per attestare all'uomo i suoi sentimenti d'affetto, pur dopo aver perduto la sua castità, ed esibire — davanti alla porta ospitale — col loro pietoso aspetto le proprie spoglie oltraggiate. Il levita, uscito, avendola trovata distesa a terra, pensando che non osasse sollevare il volto per la vergogna cominciò a consolarla dicendo che aveva soggiaciuto a cosí grave offesa non di propria volontà, ma contro il proprio volere; la invitava ad alzarsi e ad entrare in casa insieme con lui. Ma siccome non riceveva risposta, cercava di risvegliarla dal sonno alzando la voce, convinto che dormisse.

10.   Ma quando fu chiara la certezza che era veramente morta, riportò a casa il cadavere sul dorso del giumento e, dopo aver diviso le membra della donna in dodici parti, le inviò alle singole tribú d'Israele. Commosso da questo gesto, tutto il popolo si radunò a Massefat e, conosciuta colà per bocca del levita la

---

[10] Il senso esclude che si possa accettare il *tolerabilius* conservato dai Maurini, che, del resto, nelle note suggeriscono *intolerabilius*.

cognita, omnes in bellum exarsere, statuentes neminem uirorum
fas esse in tabernaculum succedere, priusquam de tanti sceleris
auctoribus ultio capesseretur. Animis itaque ruebant in proelium;
sed consilium prudentiorum praeuertit sententiam, non temere
confligendum bello cum ciuibus, sed prius uerbis experiendum
de flagitio et decernendum condicionibus pro delictis; neque
iustum uideri ut paucorum sceleris pretium ad omnes perueniret
et priuata adulescentium peccata statum salutis publicae labefac-
tarent. Itaque miserunt uiros qui denuntiarent Gabaonitis ut tanti
reos flagitii offerrent; sin autem, cognoscerent non minoris esse
criminis tantum facinus defendisse quam exercuisse.

11.   Verum illis superba referentibus, consilia pacis bello
mutata. Neque primo aut secundo conflictu cum plurimi a paucis
afflictarentur, cedendum Israelitae aduersis proeliis aestimarunt;
quadringenta enim milia uirorum bellantium aduersum uiginti
quinque milia Beniamin tribus et septingentos Gabaonitas exper-
tos belli iuuenes decertabant. Et cum sinistra sorte duo sibi iam
cecidissent proelia, animi tamen promptus haudquaquam deposuit Israel uincendi fiduciam et ulciscendi praesumptam spem.

12.   Sed quia, causa numeroque praestantiores, inferiores
pugnae euentu pedem rettulerant, diuinam offensam rati, ieiunio
et fletu maximo reconciliationem gratiae caelestis affectauere.
Itaque, orata domini pace, acriores in bellum reuertuntur, ut pote
quibus oraculum animos dederat, spem accumulauerat. Et simulato a fronte quod cederetur ac dispositis per noctem insidiis a
tergo urbis, in qua locata erat manus hostium, dum hi cedunt et
illi sectantur, inuadendi urbem uacuam facta copia et, mox admo-
to statimque adulto incendio, flammarum fragor atque aestus
furens captae urbis speciem manifestarunt. Quo et suis fracti
animi et erecti hostium. Nam et Beniamin uiri clausos se et
circumuentos rati, priusquam a tergo inuaderentur, dispergere
sese atque in desertum fugere coeperunt; et contra Israel gemino
agmine urgere eos ac palantes persequi.

13.   Caesa itaque uiginti quinque milia, id est, omnes fere
de uiris Beniamin praeter sexcentos qui, arrepto scrupeae rupis
munimento, partim loci ingenio et subsidio naturae, partim despe-

ragione delle sue lagnanze, tutti furono eccitati alla guerra, stabilendo che non fosse lecito a nessun uomo entrare nella propria tenda prima di punire gli autori di cosí orribile delitto. Nel loro animo, dunque, correvano al combattimento; tuttavia il consiglio dei piú saggi fece prevalere l'opinione che non si doveva giungere ad un conflitto armato con dei concittadini, ma prima si dovevano tentare trattative nei riguardi di quell'azione scellerata e decidere mediante patti la soddisfazione dovuta per la colpa. Non sembrava giusto che la pena del delitto di pochi ricadesse su tutti e la colpa personale dei giovani mettesse in pericolo le condizioni della pubblica salvezza. Perciò mandarono degli uomini che intimassero ai Gabaoniti di consegnare i responsabili di un delitto cosí atroce; in caso contrario, sapessero che non era minor colpa l'aver difeso un cosí grave misfatto che l'averlo commesso.

11.   Ma siccome quelli rispondevano con arroganza, i disegni di pace si mutarono in guerra. Né gli Israeliti ritennero di dover cedere di fronte agli insuccessi militari, pur venendo moltissimi battuti da pochi al primo e al secondo scontro. Infatti quattrocentomila combattenti lottavano contro venticinquemila della tribú di Beniamino e settecento giovani Gabaoniti esperti della guerra. E sebbene due combattimenti fossero loro riusciti infausti, tuttavia Israele, risoluto in cuor suo, non perdette in alcun modo la fiducia nella vittoria e la concepita speranza di ottenere soddisfazione.

12.   Ma siccome, pur essendo superiori per la loro causa e il loro numero, avevano dovuto indietreggiare essendo risultati inferiori per l'esito della battaglia, nella convinzione che Dio fosse sdegnato con loro cercarono di riguadagnare il favore celeste con digiuni e pianti particolarmente intensi. Così, dopo aver implorato la pace del Signore, ritornarono piú accaniti in guerra, come era possibile per quelli cui il responso divino aveva infuso coraggio e accresciuta la speranza. E dopo che ebbero finito di cedere, sul fronte del combattimento, ed ebbero predisposto nel corso della notte imboscate alle spalle della città dove si trovava l'esercito nemico, mentre essi si ritirano e quelli li inseguono, offertasi loro la possibilità di irrompere nella città, e subito essendo stato appiccato il fuoco ed essendosi l'incendio diffuso, il fragore delle fiamme e la vampa imperversante diedero l'impressione che la città fosse stata conquistata. Perciò i loro [11] si persero d'animo e i nemici si rinfrancarono. Infatti i combattenti della tribú di Beniamino, supponendo di essere stati completamente circondati, prima di essere assaliti alle spalle si dispersero e cominciarono a fuggire nel deserto, e Israele — al contrario — a incalzarli da due parti e a inseguirli mentre si sbandavano.

13.   Cosí furono uccisi in venticinquemila, cioè quasi tutti gli uomini della tribú di Beniamino, meno seicento che, occupata la posizione ben protetta di una rupe scoscesa, si resero temibili per i vincitori sia per la natura del luogo, che era loro di aiuto,

[11] Cioè, quelli della tribú di Beniamino. Vedi subito dopo.

ratione uictoribus terrori fuere. Nam secundae res cautionis ad-
monent; in aduersis ultio pro uictoria habetur. Nec feminarum
numerus tanti discriminis exsors fuit, sed omnis tribus Beniamin
muliebris sexus cum pueris et puellis omnique aetate gladio aut
igne exstinctus; sacramentumque additum ne quis tribus illius
uiro filiam suam in uxorem daret, quo reparandi nominis omnis
aboleretur successio.

14.   Belli fini simul atque irae factus et furor in paenitentiam
uertit; armisque positis, in unum conuenientes uiri Israel fleue-
runt fletum magnum et celebrarunt ieiunium, dolentes unam
tribum perisse ex fratribus atque exstinctam populi sui ualidam
manum: iure quidem pro delicti pretio bellatum aduersum propu-
gnatores flagitiorum, sed misera in sua populum conuersum ui-
scera et bello ciuili utrumque afflictum. Lacrimarum effusio mouit
passionem animi et affectum perpulit, saeuitiae ratio successit
missique legati ad sexcentos illos Beniamin uiros qui per quattuor
menses edito se praeruptarum tuebantur rupium aut deserti indigentia, quae multitudini obsidentium periculo foret, deplorauae-
runt communem illam aerumnam, quod illi contribules, isti co-
gnatos et socios amisissent; sed tamen non penitus interceptam
reparandae tribus successionem: consulere se in medium quomodo et sacramenti fides sibi constet et tribus una nequaquam a
corpore auulsa intercidat.

15.   Altari itaque posito, reconciliationis et pacis oblatum
sacrificium. Et quia Iabis Galaad populus erat poenae et maledicto
obnoxius — obstrinxerat enim se omnis Israel magno sacramento
ut, si quis non ascendisset cum eo ad puniendum flagitium, morte
moreretur —, duodecim milia bellatorum directa, ut et uiri omnes
et mulieres ferro exstinguerentur, solas uirilis tori exsortes rese-
ruarent adulescentulas. Interfectis itaque omnibus Iabis Galaad,
solae uirgines quadringentae exitio ceterorum superfuerunt. Quas
accipiens Israel statuit uiros Beniamin belli metum deponere et
in coniugium sibi sumere integras aeui iuxta ac pudoris puellas,
quibus et causa esset apud uiros integra, quod nemo suorum
aduersum eos bellum susceperat, et caritatis gratia, quia propter
eos supremo supplicio ereptae forent. Hoc igitur modo quadrin-
gentis iuuenibus quaesita copularum consortia sunt.

16.   Sed quia ducenti numero supererant, quibus iugales
deerant, iis quoque sine fraude sacramentorum consultum accepi-
mus. Dies festus in Silo quotannis celebrabatur. Ibi exsultare

sia perché privi d'ogni speranza. Infatti il successo induce alla prudenza, nelle sconfitte la vendetta vale come vittoria. Né un buon numero di donne sfuggí a un cosí grave pericolo, ma tutto il sesso femminile della tribú di Beniamino con fanciulli e fanciulle e gente di ogni età perí di spada o nel fuoco. Si aggiunse il giuramento di non dare la propria figlia in moglie a un uomo di quella tribú, per eliminare cosí ogni successione che ne rinnovasse il nome.

14.   Con la fine della guerra ebbe fine il risentimento e il furore si mutò in pentimento. Deposte le armi, i figli d'Israele — radunandosi insieme — innalzarono un gran pianto e fecero un digiuno, afflitti che una delle tribú fosse perita per opera di fratelli e fosse stata distrutta una valida porzione del loro popolo. A buon diritto, è vero, si era combattuto per la punizione della colpa contro i difensori di misfatti ignominiosi, ma il popolo si era rivolto miserevolmente contro le proprie viscere, ed entrambe le parti erano state ridotte a mal partito dalla guerra intestina. L'effusione del pianto provocò la sofferenza dell'animo e promosse un sentimento d'affetto, la ragione prese il posto della ferocia. Dei messi inviati a quei seicento uomini della tribú di Beniamino, che da quattro mesi si difendevano sfruttando l'altezza di rupi scoscese o la mancanza di mezzi del deserto, che era tale da costituire un pericolo per gli assedianti, deplorarono quella comune sventura per cui gli uni avevano perduto i compatrioti, gli altri i parenti e i compagni. Tuttavia non era stata completamente interrotta la successione per ricostituire la tribú: essi discutevano tra loro come essere coerenti con l'impegno del giuramento e impedire che una delle tribú scomparisse staccata dal resto del corpo.

15.   Innalzato quindi un altare, fu offerto un sacrificio di riconciliazione e di pace. E poiché il popolo di Jabes di Galaad era soggetto alla pena e alla maledizione — infatti tutto Israele si era impegnato con solenne giuramento che, se uno non fosse salito con lui a punire quella colpa obbrobriosa, dovesse morire —, dodicimila soldati mossero contro di quello, perché tutti gli uomini e le donne fossero passati a fil di spada e venissero risparmiate le sole giovinette ancor prive del talamo nuziale. Uccisi, dunque, tutti gli abitanti di Jabes di Galaad, solo quattrocento vergini sopravvissero alla strage di tutti gli altri. Israele le prese e stabilí che gli uomini della tribú di Beniamino deponessero il timore della guerra e prendessero in moglie quelle giovani integre nell'età come nel pudore. Esse si trovavano in una condizione impregiudicata agli occhi dei mariti, perché nessuno di loro aveva impugnato le armi contro di essi, e dovevano amarli per la riconoscenza di essere sfuggite per causa loro all'estremo supplizio. In tal modo, dunque, a quattrocento giovani fu procurato il rapporto nuziale.

16.   Ma siccome sopravvanzavano duecento di numero ai quali mancavano le spose, sappiamo che anche per loro si provvide senza violare il giuramento. Ogni anno in Silo si celebrava

solitae uirgines et choreas ducere in honorem religionis, aliae praeire matribus et totum iter agmine uiantum repleri. Dixit unus ex senioribus, si ducenti illi tribus Beniamin uiri intra uineas siti excubias tenderent, donec se omnis feminea turba effunderet, et surgentes ex uineis unusquisque, quam occursus dederit, uxorem sibi uindicaret, fraudi id nequaquam futurum; populum etenim fauere reparandae tribus successioni, propter sacramentum impertire non posse filiarum suarum societatem; neque tamen contra sacramentum uideri, si prohibendum non putaret, quia sacramento neque cogendi neque prohibendi necessitas imposita uideretur: illos sibi sine metu consulere oportere. Sane si puellarum parentes uindictam efflagitarent, partim prece, partim etiam retorquendo in ipsos inuitae culpam custodiae, sese reuocaturos, quia, cum scirent Beniamin uiros exsortes esse iugalium, cum filiabus processerint: dignam sane tribum iam non poena, sed misericordia; satis dure saeuitum in eos et debellatam corporis sui partem; immoderatius exarsisse plebem, ut successionem domesticam exstingueret atque ex suis necaret; placere deo non perire populo tribum neque pro una muliere tam acerbe consuli.

17.   Probauerunt consilium Israelitae; exsecuti sunt uiri Beniamin et dispositi in uineis loco opportuno et tempore plenas feminei agminis uias occupauerunt. Praebuit illis festum nuptiarum religionis sollemnitas. Auulsae de complexu patrum filiae tamquam in manum ab ipsis parentibus tradebantur et uelut pactam e gremio matris non abduci, sed prodire arbitrareris. Ita tribus Beniamin paene intercepta atque exstincta breui floruit, documentum exhibens quod magno exitio sit insolentibus uindicta pudicitiae et laesae castitatis ultio.

18.   Nec hoc solo loco, sed plerisque scriptura hoc docet. Nam et in Genesi legimus exercitum quaestionibus regem Aegypti pharao, quod Saram attentauisset; et tamen alienam esse uxorem nesciebat [a].

19.   Est igitur domino castitatis tuendae uoluntas; quanto magis est defensandae integritatis? Vnde nulla debet uirginibus sacris irrogari iniuria; quae enim non nubunt et qui uxores non ducunt habentur sicut angeli dei in caelo [a]. Et ideo caelesti gratiae non inferamus corporalem contumeliam, quoniam potens est

18. [a] Cf. Gen 12, 17.
19. [a] Cf. Lc 20, 36.

una festa. Lí, le vergini erano solite danzare gioiose in onore della religione; altre precedevano le madri e tutta la strada era riempita dalla fila dei viandanti. Disse uno degli anziani che se quei duecento uomini della tribú di Beniamino avessero fatto la posta nascosti nelle vigne, in attesa che tutta la folla delle donne si sparpagliasse, e balzando fuori dalle vigne avesse rivendicato quale propria moglie quella offertagli dal caso, questa non sarebbe stata affatto un'azione illecita. Infatti il popolo era favorevole a ricostituire la successione nella tribú, ma, vincolato dal giuramento, non poteva concedere l'unione con le proprie figlie; tuttavia non sembrava contro il giuramento ritenere di non doversi opporre, poiché pareva che il giuramento non facesse obbligo sia di costringere sia d'impedire. Bisognava che essi provvedessero al caso loro senza timore. Se, com'era certo, i padri [12] avessero chiesto vendetta per le giovani, in parte pregando, in parte ritorcendo su di essi la colpa di una sorveglianza male esercitata, si sarebbero chiamati fuori d'ogni responsabilità, perché, pur sapendo che gli uomini della tribú di Beniamino erano privi di spose, erano venuti con le figlie. Certamente quella tribú meritava ormai non un castigo ma la compassione; si era infierito contro di loro con sufficiente durezza ed era stata debellata una parte del proprio corpo; il popolo si era sdegnato eccessivamente, cosí da eliminare la successione delle famiglie e fare strage dei suoi. Dio voleva che il popolo non perdesse una tribú né che per una sola donna si adottassero cosí acerbi provvedimenti.

17. Gli Israeliti approvarono il suggerimento; gli uomini della tribú di Beniamino lo posero in atto e, dispostisi nelle vigne a tempo e luogo opportuni, bloccarono le vie piene di folla femminile. La solennità religiosa fu per loro occasione per celebrare le nozze. Strappate dalle braccia dei padri, le figlie erano — per cosí dire — consegnate dagli stessi genitori, e avresti creduto che — come in seguito ad un accordo — la giovane non fosse sottratta dal grembo della madre, ma che andasse incontro allo sposo. Cosí la tribú di Beniamino, quasi scomparsa e distrutta, in breve rifiorí, offrendo la dimostrazione che la vendetta della pudicizia e la punizione per la castità offesa sono, per gli sfrontati, causa di tremenda rovina.

18. E non solo in questo passo, ma in molti altri, la Scrittura dà un tale insegnamento. Infatti anche nella Genesi leggiamo che il Faraone, re d'Egitto, fu tormentato da dolori per aver cercato di sedurre Sara; e tuttavia ignorava che era moglie di un altro.

19. Il Signore vuole dunque proteggere la castità: quanto piú vorrà difendere l'integrità? Perciò, alle sacre vergini non si deve infliggere alcuna offesa. Infatti, quelle che non prendono marito e quelli che non prendono moglie sono ritenuti uguali agli angeli in cielo. Per questo, non rechiamo un'offesa nel corpo della grazia celeste, poiché Dio ha un tale potere che non gli

[12] Cf. Ios., *Ant. Iud.*, V, 2, 12 (171): πρὸς δὲ τοὺς πατέρας αὐτῶν.

deus, quem nec praeuaricatio praetereat et moueat accepti sibi
muneris et consecratae uirginitatis acerba et grauis contumelia.
Vale, frater, et nos dilige, quia nos te diligimus.

LVIII (Maur. 60)
Ambrosius Paterno

1.   Paterni quidem unanimi mei salutationem legi, sed con-
sultationem haudquaquam paternam, ut uelis filio neptem copulare ex filia, sed nec auo te nec patre dignam. Itaque quid consulue-
ris, considera; omne enim quod agere uolumus, prius nomen facti
eius interrogemus, et tunc utrum laude an uituperatione dignum
sit, aestimabimus. Verbi gratia, misceri mulieri quibusdam uolup-
tas est, medicorum etiam pueri corporibus utile ferunt; sed consi-
derandum utrum coniugi an extraneae; deinde nuptae an innup-
tae. Si quis desponsata sibi et tradita utatur, coniugium uocat;
qui alienae expugnat pudorem, adulterium facit, cuius uel solo
nomine reprimitur plerumque tentandi audacia. Hostem ferire
uictoria est, reum aequitas, innocentem homicidium; quod si quis
perspiciat animo, reuocat manum. Ergo etiam tu quid consulas,
quaeso tecum retractes.

2.   Coniugium uis inter filios nostros componere. Quaero
utrum pares copulandi an impares sint. Sed, nisi fallor, compares
appellari solent. Boues qui iungit ad aratrum, equos ad currum,
pares eligit et ut aetas conueniat et forma nec natura discrepet
nec decoloret diuersitas. Tu copulare paras filium tuum et neptem
ex filia, hoc est, ut accipiat sororis suae filiam, diuersa licet matre
quam socrus editus. Interroga nominum religionem: nempe auunculus iste illius, illa huius neptis uocatur. Nec ipse te reuocat
sonus nominum, cum hic auum resonet, illa hoc nomen ad auunculum quod ad auum referat? Quanta deinde etiam reliquorum
confusio uocabulorum! Idem auus et socer uocabere, ea quoque
tibi neptis et nurus diuerso nomine nuncupabitur. Mutuabuntur

sfugge la prevaricazione, e l'acerba e grave offesa d'un ministero a lui gradito e della verginità consacrata suscita il suo sdegno.

Sta' sano, fratello, ed amaci, perché noi ti amiamo.

58 (Maur. 60)
Ambrogio a Paterno [1]

1. Ho letto, è vero, il saluto di Paterno, a me legato dagli stessi miei sentimenti, ma anche la richiesta di un parere per nulla conveniente ad un padre, quella cioè sulla tua intenzione di dare in moglie a tuo figlio la nipote nata da tua figlia, richiesta non degna di te né come nonno né come padre. Considera pertanto l'oggetto su cui hai richiesto il mio parere. Infatti, per tutto ciò che vogliamo fare, prima dobbiamo chiedere il nome di tale azione, e allora giudicheremo se essa meriti lode oppure biasimo. Per esempio, taluni provano piacere ad unirsi a una donna: anche i medici affermano che è utile al fisico; ma bisogna considerare se si tratta della moglie o di un'estranea, poi di una donna sposata oppure no. Se uno ha rapporti con una donna a lui promessa e data in moglie, chiama ciò matrimonio; chi invece vince il pudore di un'estranea, commette adulterio, il cui solo nome spesso reprime l'audacia di tentare. Colpire un nemico è vittoria; un colpevole, equità; un innocente, omicidio. Se uno ci riflette, trattiene la propria mano. Dunque, anche tu, di grazia, riconsidera nuovamente dentro di te l'oggetto su cui chiedi un consiglio.

2. Tu vuoi combinare un matrimonio tra figli nostri. Domando se si debbano unire persone uguali o disuguali. Ma, se non sbaglio, sogliono essere chiamate uguali tra loro [2]. Chi aggioga i buoi all'aratro, i cavalli al carro, li sceglie uguali, e tali che l'età e la corporatura s'accordino e la natura non sia contrastante e la diversità non stoni. Tu ti accingi ad unire in matrimonio tuo figlio e una nipote nata da tua figlia, in modo cioè ch'egli prenda in moglie la figlia di sua sorella, sebbene nato da una madre diversa della futura suocera. Interroga la sacra legge dei nomi: certamente questo è chiamato zio di quella; lei, nipote di costui. E non ti distoglie lo stesso suono dei nomi, dal momento che egli richiama quello di «nonno» [3] e lei attribuisce allo zio questo stesso nome come al nonno? Quant'è grande poi la confusione anche degli altri nomi! Sarai chiamato ad un tempo nonno e

---

[1] Secondo il Palanque (*op. cit.*, p. 478), si tratta probabilmente di *Aemilius Florus Paternus*, proconsole d'Africa nel 393, *comes sacrarum largitionum* nel 396, padre di Cinegio cui è indirizzata la lettera seguente (59). Questa lettera sarebbe del 393; secondo il Dudden (pp. 702-703 e 137, nota 1), del 393 o 396. A lui sono indirizzate nove lettere (58-66) del l. V dell'*Epistolario* di Simmaco.

[2] *Compares* acquista il significato di «coniugi».

[3] *Auunculus* (zio materno) propriamente è diminutivo di *auus* (nonno); significa, cioè, *paruus* (*minor*) *auus*.

etiam fratres diuersa uocabula, ut illa socrus fratris sit, iste gener
sororis. Nubat auunculo suo neptis et immaculatorum pignorum
caritas illecebroso amore mutetur.

3.   Super hoc igitur meam a sancto uiro episcopo uestro
expectari sententiam dicis. Non opinor neque arbitror. Nam, si
ita esset, et ipse scribendum putasset; non scribendo autem significauit quod nequaquam hinc dubitandum arbitraretur. Quid enim
est quod dubitari queat, cum lex diuina etiam patrueles fratres
prohibeat conuenire in coniugalem copulam, qui sibi quarto sociantur gradu? Hic autem gradus tertius est, qui etiam ciuili iure
a consortio coniugii exceptus uidetur.

4.   Sed prius sacrae legis scita interrogemus; praetendis enim
in tuis litteris quod permissum hoc diuino iure connubium huiusmodi pignoribus existimetur, eo quod non sit prohibitum. Ego
autem et prohibitum assero, quia, cum leuiora interdicta sint de
patruelibus fratribus, multo magis hoc, quod arctioris est plenum
necessitudinis, interdictum arbitror. Qui enim leuiora astringit,
grauiora non soluit, sed alligat.

5.   Quod si ideo permissum putas, quia specialiter non est
prohibitum, nec illud prohibitum sermone legis reperies, ne pater
filiam suam accipiat uxorem. Numquid ideo licet, quia non est
prohibitum? Minime: interdictum est enim naturae iure, interdictum est lege, quae est in cordibus singulorum, interdictum est
inuiolabili praescriptione pietatis, titulo necessitudinis. Quanta
huiusmodi inuenies non esse interdicta lege per Moysen edita,
et tamen interdicta sunt quadam uoce naturae!

6.   Multaque sunt quae licet facere, sed non expedit; omnia
enim licent, sed non expediunt [a]; omnia licent, sed non aedificant.
Si ergo etiam ab iis nos reuocat apostolus, quae non aedificant,
quomodo faciendum putamus quod et non licet legis oraculo et
non aedificat, discrepante pietatis ordine? Et tamen illa ipsa
uetera, quae fuerant duriora, temperata sunt per euangelium
domini Iesu: *Transierunt uetera, ecce facta sunt noua* [b].

7.   Quid tam solemne quam osculum inter auunculum et
neptem, quod iste quasi filiae debet, haec quasi parenti? Hoc
igitur inoffensae pietatis osculum suspectum facies de talibus
cogitando nuptiis et religiosissimum sacramentum caris pignoribus eripies.
8.   Sed si diuina te praetereunt, saltem imperatorum praecepta, a quibus amplissimum accepisti honorem, haudquaquam

6. [a] Cf. 1 Cor 6, 12.
  [b] 2 Cor 5, 17.

suocero, ed anch'essa sarà detta — con due nomi diversi — tua nipote e tua nuora. Anche i fratelli prenderanno in prestito nomi differenti, cosí che l'una sarà la suocera del fratello, l'altro il genero della sorella. La nipote sposi lo zio, e l'affetto tra creature senza macchia si muterà in amore illusorio.

3. A questo proposito dici che si attende un parere da me, vostro santo vescovo. La mia non è un'opinione o un'idea personale. Infatti, se cosí fosse, di sua iniziativa il vescovo avrebbe pensato di scrivere; invece, non scrivendo, ha indicato che a questo proposito riteneva che non esistesse dubbio di sorta. Che c'è, infatti, su cui dubitare, dal momento che la legge divina vieta che si uniscano in matrimonio anche i figli dei fratelli, che sono parenti in quarto grado? Questo vostro, invece, è un terzo grado, che appare escluso dal rapporto coniugale anche dal diritto civile.

4. Ma interroghiamo prima le disposizioni della legge di Dio; infatti, nella tua lettera, metti innanzi che si ritiene consentito dal diritto divino a tali persone questo matrimonio per il fatto che non è vietato. Io invece affermo che esso è anche vietato, perché, essendo esclusa la parentela meno stretta nei riguardi dei figli di fratelli, ritengo sia esclusa a molto maggior ragione questa, che ha in sé un vincolo piú stretto. Chi pone restrizioni ai casi piú lievi, non scioglie, ma vincola, quelli piú gravi.

5. Ma se lo credi consentito perché non è specificamente vietato, non troverai nemmeno vietato dal testo della legge che il padre prenda la propria figlia in moglie. Forse ciò è lecito perché non è vietato? Niente affatto; è proibito dal diritto di natura, è proibito dalla legge che è impressa nel cuore di ciascuno; è proibito dall'inviolabile norma dell'affetto tra padre e figli, dal legame di parentela. Quante azioni simili a questa troverai che non sono vietate dalla Legge promulgata per mezzo di Mosè, e tuttavia sono vietate, per cosí dire, dalla voce della natura.

6. E vi sono molte cose che è lecito fare, ma non sono convenienti: *tutto infatti è lecito, ma non tutto è conveniente*; tutto è lecito, ma non tutto edifica. Se dunque l'Apostolo ci distoglie anche dalle cose che non edificano, come mai crediamo di poter fare ciò che non è lecito secondo il dettato della legge e non edifica, poiché la norma del reciproco affetto è in contrasto con esso? Eppure quelle stesse leggi antiche, che erano piú rigide, furono mitigate dal Vangelo del Signore Gesú: *Le cose vecchie sono passate, ecco, ne sono nate di nuove*.

7. Che c'è di cosí consueto di un bacio tra zio e nipote, poiché l'uno lo deve come a una figlia, l'altra come a un padre? Dunque, tu renderai sospetto questo bacio d'innocente affetto, prospettando tali nozze, e priverai persone care di un vincolo di purissimo amore.

8. Ma se le leggi divine ti sono ignote, non avresti dovuto affatto ignorare almeno le disposizioni degli imperatori [4], dai quali

---

[4] Come avvertono i Maurini, la Costituzione di Teodosio, alla quale si accenna qui, è andata perduta, ma di essa si fa menzione in due leggi, rispettivamente di Onorio e di Arcadio.

praeterire te debuerunt. Nam Theodosius imperator etiam patrueles fratres et consobrinos uetuit inter se coniugii conuenire nomine et seuerissimam poenam statuit, si quis temerare ausus esset
fratrum pia pignora; et tamen illi inuicem sibi aequales sunt;
tantummodo quia propinquitatis necessitudine et fraternae socie-
tatis ligantur uinculo, pietati eos uoluit debere, quod nati sunt.

9.   Sed dicis alicui relaxatum. Verum hoc legi non praeiudi-
cat; quod enim in commune statuitur, ei tantum proficit, cui
relaxatum uidetur, longe diuersa inuidia. Illud tamen licet in
ueteri testamento legimus, ut aliquis uxorem suam sororem diceret; istud inauditum, ut quisquam neptem suam in uxorem accipiat et coniugem dicat.

10.   Iam illud pulcherrimum, quod negasti neptem tuam
auunculo suo, tuo filio, propinquo semini conuenire, quia non
agnationis copuletur necessitudine. Quasi uero et uterini fratres,
id est, diuerso patre, sed eadem matre geniti, possint diuerso
sexu inter se in coniugium conuenire, cum et ipsi agnationis ius
habere non queant, sed cognationis tantum sibi titulo connexi
sint.

11.   Vnde oportet ab ea discedas intentione, quae, etiamsi
liceret, tamen tuam familiam non propagaret; debet enim tibi
filius noster nepotes, debet etiam neptis carissima pronepotes.
Vale cum tuis omnibus.

LIX (Maur. 84)
Ambrosius Cynegio

1.   Quam ingenuo commendasti pudore, quia de eo consule-
res, quod non probares, sed morem gereres parenti, ut pietatem
non laederes, securus quod non aliud a me posset referri, nisi
quod sanctas deceret necessitudines.

2.   Ego uero libenter tua in me onera suscepi et auo neptem,
ut opinor, refudi. Quam nescio plane qua opinione nurum sibi

hai ricevuto un'altissima carica [5]. Infatti l'imperatore Teodosio vietò che anche i figli di fratelli e quelli di sorelle della madre potessero unirsi in matrimonio, e stabilí una pena severissima se uno avesse osato contaminare i teneri figli dei fratelli; e tuttavia questi sono coetanei tra loro. Egli volle che essi fossero tenuti a rispettare il doveroso rapporto d'affetto solamente perché sono legati dal vincolo di parentela e da quello che unisce i fratelli tra loro per il fatto di essere nati.

9.   Ma tu obietti che con qualcuno si è usata larghezza. Ma questo non crea una pregiudiziale per la legge. Infatti, ciò che si stabilisce per tutti, tanto giova a quello con il quale sembra si sia usata larghezza in quanto si evita l'ostilità in senso opposto [6]. Leggiamo, tuttavia, nell'Antico Testamento, che qualcuno chiamava propria moglie la sorella; ma è cosa inaudita che uno prenda in moglie la propria nipote e la chiami consorte [7].

10.   Inoltre è una cosa bellissima [8] che tu abbia affermato che tua nipote non ha rapporti con lo zio, tuo figlio, quale parente prossimo, perché non è congiunta da vincoli di parentela dal lato paterno [9]. Come se anche i fratelli uterini — cioè nati da padre diverso, ma dalla stessa madre — potessero, se di sesso diverso, unirsi in matrimonio tra loro, poiché anch'essi non possono avere un diritto di parentela da parte di padre, ma sono congiunti soltanto da parte di madre.

11.   Perciò bisogna che tu rinunci a tale proposito che, anche se fosse lecito, tuttavia non estenderebbe la tua famiglia. Infatti il nostro figlio deve procrearti dei nipoti ed anche la tua carissima nipote dei pronipoti [10].

Sta' sano con tutti i tuoi.

59 (Maur. 84)

Ambrogio a Cinegio [1]

1.   Con quale nobile senso del pudore hai posto in luce che chiedevi un parere su una decisione che non approvavi, ma obbedivi a tuo padre per non offendere l'amore filiale, certo che io non avrei potuto dare un'altra risposta se non quella conveniente alle legittime parentele.

2.   Io volentieri mi sono assunto la tua preoccupazione e, come credo, ho restituito al nonno la nipote, che egli — non so

---

[5] Vedi sopra, nota 1.
[6] L'espressione è oscura; cf. però HOR., *Sat.*, I, 6, 51-52: *praua / ambitione procul.*
[7] Data la differenza tra i due, specie di età.
[8] Naturalmente in senso ironico.
[9] Perché figlia di una sorella del presunto sposo. Dice Gaio (*Inst.*, I, 156): ... *inter auunculum et sororis filium non agnatio est, sed cognatio.*
[10] Naturalmente, sposandosi ciascuno separatamente.

---

[1] È figlio del precedente (PALANQUE, *op. cit.*, p. 478).

fieri desiderabat, ut auum socero mutaret. Plura non opus est, ne hoc quoque accedat ad uerecundiam.

Vale, fili, et nos dilige, quia nos quoque te diligimus.

LX (Maur. 90)
Ambrosius Antonio

1. Numquam es tacitus mihi nec umquam tuo me transmissum silentio querar, qui sciam quod tuo non desim pectori. Nam, cum id pendas, quod pluris est, qui potes etiam id negare, quod saepe etiam in multos defluit, non tam amoris usu quam officii uicissitudine?

2. Ego uero etiam ex meo animo tuam uicem aestimo, ut numquam me tibi et te mihi absentem putem, quoniam semper animis adhaeremus, numquam tuas litteras mihi deesse opiner aut meas tibi, cum te quotidie coram alloquar, in te oculos, studia atque omnia officia mea dirigam.

3. His tecum delectat congredi; nam litterae tuae, ut aperte cum indiuiduo pectoris mei loquar, uerecundari me faciunt. Vnde peto ut supersedeas gratiarum relatu; mihi enim mei in uos officii summa merces est, si me debito erga uos muneri non defuisse arbitrarer.

Vale et nos dilige, quia ego quoque te diligo.

LXI (Maur. 89)
Ambrosius Alypio

Antiochus uir consularis reddidit mihi eximietatis tuae litteras, nec supersedi respondendi munere; nam per meos homines dedi litteras et, ni fallor, alia oborta copia, geminaui epistulam. Sed quia non tam remetienda amicitiae munia quam cumulanda arbitror, oportuit, ipso praesertim regrediente, qui me tanto litterarum tuarum affecit nomine, referri aliquod officium sermonis mei, ut ego utrique uestrum et ille tibi absolueretur, qui debebat referre quod acceperat.

Vale et diligentes te dilige.

assolutamente con quale convinzione — desiderava fare sua nuora, cosí da cambiare il nonno in suocero. Non c'è bisogno di
aggiungere altro, perché anche questo non offenda la verecondia.
Sta' sano, figlio, ed amaci, perché anche noi ti amiamo.

60 (Maur. 90)
Ambrogio ad Antonio [1]

1.   Tu non taci mai con me ed io non mi lamenterò mai che
tu con me mantenga il silenzio, perché so che sono sempre
presente al tuo cuore. Infatti, poiché tu dai ciò che vale di piú,
come potresti negare ciò che tocca spesso a molti, non tanto per
rapporto d'amore quanto per scambio di cortesie?
2.   E io, dal profondo del cuore, apprezzo il modo con cui
mi ricambi, cosí che non mi credo mai lontano da te, come non
credo mai te lontano da me; poiché siamo sempre vicini col
nostro animo, non potrei mai pensare che a me manchi una tua
lettera o una mia a te. E siccome ogni giorno ti parlo direttamente,
rivolgerò a te gli occhi, la simpatia e tutte le mie attenzioni.
3.   Mi fa piacere incontrarmi con te con questi mezzi; infatti
la tua lettera mi rende ritroso a parlare apertamente con l'altra
metà del mio cuore. Perciò ti chiedo di soprassedere ai ringrazia-
menti; per me, infatti, è una straordinaria ricompensa delle mie
attenzioni nei vostri riguardi quella di pensare di non essere
venuto meno al mio dovere verso di voi.
Sta' sano ed amaci, perché anch'io ti amo.

61 (Maur. 89)
Ambrogio ad Alipio [1]

Antioco, persona di rango consolare, mi ha consegnato la
lettera della tua Eccellenza, ed io non ho soprasseduto al dovere
di risponderti. Infatti ho inviato una lettera per mezzo di miei
familiari e — se non m'inganno —, essendosi presentata un'altra
occasione, ho duplicato la mia missiva. Ma siccome ritengo che
i doveri dell'amicizia non debbano essere ripetuti, ma aumentati,
era opportuno, soprattutto perché stava per ritornare quello stesso che mi aveva procurato l'onore cosí grande della tua lettera,
che da parte mia fosse inviata in risposta qualche parola cortese,
cosí che io fossi giustificato davanti a entrambi voi ed egli, che
doveva riportare ciò che aveva ricevuto, lo fosse davanti a te.
Sta' sano e ama quelli che ti amano.

[1] Non si sa se il destinatario sia da identificare con *Claudius Antonius* console
nel 382 (PALANQUE, *op. cit.*, p. 477; SEECK, ed. cit., pp. CVIII-CIX).

[1] Personaggio tanto importante quanto a noi sconosciuto.

LIBER NONVS

LXII (Maur. 19)
Ambrosius Vigilio

1.   Poposcisti a me institutionis tuae insignia, quoniam nouus accitus es ad sacerdotium. Et quoniam te ipsum aedificasti, ut oportuit, qui dignus habitus es tanto munere, quomodo et alios aedifices significandum uidetur.

2.   Primum omnium cognosce ecclesiam domini tibi commissam, ideoque uitandum semper ne quid obrepat offensionis et fiat uelut commune corpus eius gentilium admixtione. Vnde scriptura tibi dicit: *Ne accipias uxorem de filiabus Chananaeorum, sed uade in Mesopotamiam, in domum Bathuel, id est, domum sapientiae et eius tibi acquire copulam* [a]. Mesopotamia autem regio est in partibus orientis, quae duobus maximis per ea locorum Euphrate et Tigri fluminibus circumuenitur, quibus origo est in Armeniae locis. Influunt autem diuerso meatu in mare rubrum; et ideo Mesopotamiae nomine signatur figura ecclesiae, quae maximis fluentorum prudentiae irriguis atque iustitiae fecundat mentes fidelium, quibus sacri baptismatis, cuius typus praecessit in rubro mari, infundit gratiam culpamque abluit. Doce ergo plebem ut non ex alienigenis, sed ex domibus christianis coniugii quaeratur copula.

3.   Nemo fraudet mercemarium mercede debita, quia et nos mercenarii sumus dei nostri et ab eo mercedem laboris nostri expectamus [a]. Et tu quidem, o quicumque es negotiator, mercenario tuo mercedem pecuniariam negas, id est, uilem, caducam? Tibi autem negabitur merces promissorum caelestium: *Non fraudabis* ergo, ut lex dicit, *mercenarium mercede sua* [b].

---

2. [a] * Gen 28, 1-2.
3. [a] Cf. Leu 19, 13.
   [b] * Deut 24, 14.

LIBRO NONO

62 (Maur. 19)

Ambrogio a Vigilio [1]

1. Mi hai chiesto dei criteri per il tuo insegnamento, poiché sei stato da poco chiamato all'episcopato. E siccome hai edificato te stesso, com'era giusto, visto che sei stato ritenuto degno di cosí sublime ministero, sembra ti debbano essere indicati i modi per edificare anche gli altri.

2. Anzitutto sappi che ti è stata affidata la Chiesa del Signore, e perciò bisogna sempre evitare che in essa si insinui qualche contrasto e il suo corpo sia messo, per cosí dire, a disposizione di tutti con la mescolanza dei Gentili. Per questo la Scrittura ti dice: «Non prendere moglie dalle figlie dei Cananei, ma va' in Mesopotamia, nella casa di Batuel, cioè nella casa della sapienza, e unisciti ad essa». La Mesopotamia è una regione dell'Oriente, che è compresa tra due grandi fiumi che scorrono in quei luoghi, il Tigri e l'Eufrate, che hanno origine nel paese d'Armenia. Sfociano con differente percorso nel Mar Rosso [2]. Perciò, col nome di Mesopotamia viene indicata l'immagine della Chiesa che feconda l'animo dei fedeli con le piú grandi correnti dei fiumi della prudenza e della giustizia [3], mediante le quali infonde la grazia del santo battesimo, di cui in precedenza è apparsa la figura nel Mar Rosso, e cancella la colpa. Insegna, dunque, al popolo a cercare l'unione nuziale non dalle case pagane ma da quelle cristiane.

3. Nessuno defraudi il mercenario della mercede dovuta, perché anche noi siamo mercenari del nostro Dio e attendiamo da Lui la mercede del nostro lavoro. E tu, commerciante, chiunque tu sia, neghi al tuo dipendente la mercede in denaro, cioè vile, caduca? A te, invece, sarà negata la mercede delle promesse celesti: *Non defrauderai*, dunque, come prescrive la Legge, *il mercenario della sua mercede.*

---

[1] Viene identificato (Maurini) senza prove decisive con l'omonimo santo vescovo di Trento (PALANQUE, *op. cit.*, p. 473). Secondo il Paredi (*op. cit.*, p. 338), questa lettera sarebbe forse del 385. Cosí anche il Dudden (*op. cit.*, p. 701), che identifica Vigilio col vescovo tridentino.

[2] In realtà, nel Golfo Persico.

[3] Cf. PHILO, *Leg. alleg.*, I, 21, 69 (I, p. 79, 6-8); I, 22, 72 (I, p. 80, 6-7).

4. Non dabis pecuniam tuam ad usuram, quoniam scriptum est quod is qui pecuniam suam non dedit ad usuram, habitabit in tabernaculo dei [a]; nam ille supplantatur, qui usurarum captat emolumenta. Itaque uir christianus, si habet, det pecuniam quasi non recepturus, aut certe sortem, quam dedit, recepturus. Habet in ea non mediocrem gratiae usuram. Alioquin decipere istud est, non subuenire. Quid enim durius quam ut des pecuniam tuam non habenti et ipse duplum exigas? Qui simplum non habuit unde solueret, quemadmodum duplum soluet?

5. Exemplo nobis sit Tobias, qui numquam requisiuit pecuniam, quam dederat, nisi extremo uitae suae tempore [a], magis ne fraudaret heredem, quam ut depositam pecuniam cogeret ac recuperaret. Populi saepe conciderunt fenore et ea publici exitii causa exstitit. Vnde nobis sacerdotibus id praecipue curae sit, ut ea uitia resecemus, quae in plurimos uidentur serpere.

6. Hospitem doce uoluntarium magis quam ex necessitate esse oportere, ne in hospitio deferendo inhospitalem affectum animi sui prodat et in ipsa hospitis susceptione per iniuriam uioletur gratia, sed magis excolatur officiorum usu et aliquo humanitatis ministerio. Non enim a te munera exiguntur ditia, sed officia uoluntaria, plena pacis et conuenientis concordiae; meliora sunt enim olera cum amicitia et gratia, quam si exquisitis dapibus adornetur conuiuium, si desit affectus gratiae [a]. Legimus peremptos graui populos excidio propter uiolata iura hospitii [b]. Propter libidinem quoque commissa bella atrocia [c].

7. Sed prope nihil grauius quam copulari alienigenae, ubi et libidinis et discordiae incentiua et sacrilegii flagitia conflantur. Nam, cum ipsum coniugium uelamine sacerdotali et benedictione

---

4. [a] Cf. Ps 14, 5.
5. [a] Cf. Tob 4, 21.
6. [a] Cf. Prou 15, 17.
   [b] Cf. Iud 20, 44.
   [c] Cf. Gen 34, 25.

4.   Non darai il tuo denaro ad interesse, poiché sta scritto
che colui che non diede il suo denaro ad interesse abiterà nella
tenda di Dio. Infatti, colui che va in cerca dei guadagni di prestiti
ad interesse, riceve lo sgambetto e cade [4]. Perciò il cristiano, se
ne ha, dia il suo denaro senza attendersene la restituzione, o
almeno attendendosi la restituzione del capitale prestato [5]. Egli
ha, in questo, un interesse non trascurabile di grazia. Altrimenti,
ciò è un ingannare, non un aiutare [6]. Che c'è, infatti, di piú crudele
del dare il tuo denaro a chi non ne ha ed esigerne il doppio?
Chi non aveva di che pagare la somma netta, come ne pagherà
il doppio?

5.   Ci sia d'esempio Tobia, che non richiese mai la restituzione del denaro che aveva prestato se non alla fine della sua vita [7],
piú per non defraudarne l'erede che per mettere insieme il denaro
dato in deposito e recuperarlo. I popoli, spesso, perirono per il
peso dei debiti, e questa fu la causa della pubblica rovina. Perciò,
noi vescovi dobbiamo particolarmente preoccuparci di estirpare
tali vizi che si vedono diffondersi in moltissimi individui.

6.   Insegna che l'ospite deve essere accolto spontaneamente,
piú che per costrizione, per non rivelare, nel concedere ospitalità,
il sentimento inospitale del proprio animo, e per evitare che —
nell'atto stesso di accogliere l'ospite — si guasti con un'offesa il
favore che si accorda, ma piuttosto si renda piú completo con
l'usar cortesia e con qualche servizio suggerito dall'amabilità. A
te non si chiedono ricchi doni, ma cortesie spontanee, piene di
pace e di opportuna simpatia: sono preferibili dei legumi con
amicizia e benevolenza a un convito imbandito con raffinate
vivande [8], se manca il sentimento di bontà. Leggiamo di popoli
annientati con tremenda strage per aver violato i diritti dell'ospitalità. Per la dissolutezza scoppiarono anche atroci guerre.

7.   Ma non c'è quasi nulla di piú grave che unirsi in matrimonio con un pagano, nel quale si radunano gli stimoli della libidine
e della discordia e l'obbrobrio del sacrilegio. Infatti, se è necessario che lo stesso coniugio sia santificato dal velo imposto dal

---

[4] Secondo i Maurini, *supplantatur* avrebbe qui senso attivo.

[5] Cf. *De Tobia*, 2, 8; 14, 49; 16, 54.

[6] Cf. *ibid.*, 3, 11: *Minus datis et plus exigitis*; 4, 13: *...qui pecuniam datis et uitam obligatis et patrimonium*; 14, 48: *In Deuteronomio quoque scriptum est: Non exiges a fratre tuo usuram pecuniae*, ecc.; *...a quo durum est repetere quod dederis, nisi cum habuerit unde soluat.*

[7] Cf. *ibid.*, 2, 6: *Commendauerat proximo suo pecuniam quandam quam toto uitae suae tempore in tanta indigentia non poposcit. Vix, ubi se fessum uidit et depositum senectute, insinuauit filio, non tam cupiens commendatum reposcere, quam sollicitus ne fraudaret heredem.*

[8] Cf. *De Abr.*, I, 5, 35: *Non opes a te hospes requirit sed gratiam, non ornatum conuiuium sed cibum obuium. Melior est, inquit, hospitalitas cum holeribus ad amicitiam et gratiam.*

sanctificari oporteat, quomodo potest coniugium dici, ubi non
est fidei concordia? Cum oratio communis esse debeat, quomodo
inter dispares deuotione potest esse coniugii communis caritas?
Saepe plerique capti amore feminarum fidem suam prodiderunt,
ut patrum populus in Beelphegor. Vnde Phinees, arrepto gladio,
interfecit Hebraeum et Madianiten feminam [a] et mitigauit indignationem diuinam, ne totus populus exstingueretur.

8.   Quid de pluribus exemplis loquar? Ex multis unum proferam et eius commemoratione liqueat quam perniciosum sit alienigenae mulieris adsciuisse copulam. Quis fortior et ab incunabulis
suis et munitior dei spiritu quam nazareus Samson? Et ipse
proditus est et ipse per mulierem non potuit suam tenere gratiam [a]. Cuius generationis et uitae totius seriem historico digestam
stilo enarrabimus secundum sacri libri continentiam, quae in
hunc est modum, non uerborum serie, sed sensu.

9.   Multos per annos Hebraeorum populum subditum Palaestini ac subiectum habebant, quoniam fidei praerogatiuam amiserat, qua uictoriam patres adepti fuere. Non penitus tamen interci-
derat insigne electionis apud auctorem suum et funiculus hereditatis; sed quia rerum secundarum insolentia saepe extollebantur,
dabat eos plerumque in potestatem hostium, ut more ingenii
humani remedium malorum de caelo sibi quaererent. Tunc enim
deo subditi sumus, cum aduersis aliquibus urgemur; secundae
res mentem extollunt. Quod cum alias usu probatum sit, tum
maxime in ea rerum conuersione, qua rursus ad Hebraeos a
Palaestinis uersa uice res mutatae.

10.   Namque, cum diuturna iniuria longae subiectionis ita
essent depressa Hebraeorum pectora, ut nullus uirili ingenio ad
libertatem animos tollere auderet, ortus est illis Samson diuino
oraculo praedestinatus, magnus uir neque in pluribus numeran-
dus, sed in paucis praestantissimus et, quod sine ulla controuersia

---

7. [a] Cf. Num 25, 8.
8. [a] Cf. Iud 16, 18 ss.

sacerdote [9] e dalla sua benedizione [10], come può chiamarsi matrimonio quello in cui non c'è l'accordo della fede? Se la preghiera deve essere comune, come, tra persone diverse di religione, può sussistere il comune amore nuziale? Molti, spesso, sedotti dall'amore per le donne, tradirono la loro fede, come il popolo dei padri per Beelfegor [11]. Però Finees, afferrata la spada, uccise l'ebreo e la donna madianita e placò lo sdegno divino, perché non perisse l'intero popolo.

8.   Che dire, dei molti esempi? Tra i molti ne citerò uno solo, e la sua citazione renda chiaro quanto sia dannoso ammettere l'unione con una donna pagana. Chi fu piú forte e fin dalla culla piú assistito dallo spirito di Dio del nazireo Sansone? E anch'egli fu tradito; e anch'egli, per colpa di una donna, non poté conservare la sua grazia. Della sua nascita e di tutta la sua vita esporremo ordinatamente il racconto secondo il contenuto del libro sacro, che è di tale tenore non nella successione delle parole, ma nel senso.

9.   Gli abitanti della Palestina [12] tenevano in completa soggezione da molti anni il popolo ebreo, poiché questo aveva perduto il privilegio della fede per cui i padri avevano ottenuto la vittoria. Tuttavia non erano del tutto periti il segno della elezione presso il loro Creatore e la porzione d'eredità; ma siccome spesso si insuperbivano per l'arroganza dovuta alla prosperità, il Signore li dava sovente in potere dei nemici, affinché, secondo la consuetudine della natura umana, chiedessero al Cielo il rimedio dei loro mali. Siamo infatti sottomessi a Dio quando ci troviamo sotto l'assillo di qualche avversità; la prosperità ci rende superbi. Questo modo di agire, come molte volte dall'esperienza, cosí fu confermato soprattutto in quella circostanza nella quale la situazione, capovolgendosi, mentre prima favoriva i popoli della Palestina, si mutò a vantaggio degli Ebrei.

10.   Infatti, essendo gli animi degli Ebrei depressi dall'offesa diuturna della lunga soggezione, cosí che nessuno d'indole virile osava eccitarli alla libertà, loro nacque Sansone, predestinato dalla rivelazione divina; uomo insigne, non da contare nel numero dei piú, ma eccezionale tra pochi e, cosa fuori discussione, facil-

---

[9] Cf. TERT., *De uirg. uel.*, 11: *Et desponsatae quidem habent exemplum Rebeccae, quae, cum ad sponsum ignotum adhuc ignota perduceretur, simul ipsum cognouit esse quem de longinquo prospexerat, non sustinuit dexterae colluctationem nec oculi congressionem nec salutationis communicationem, sed confessa quid senserat, id est spiritu nuptam, negauit uirginem uelata ibidem;* AMBR., *De Abr.*, I, 9, 93: *Rebecca... caput obnubere suum coepit, docens uerecundiam nuptiis praeire debere.*

[10] Cf. TERT., *Ad ux.*, II, 9: *...felicitatem eius matrimonii, quod ecclesia conciliat et confirmat oblatio et obsignat benedictio, angeli renuntiant, pater rato habet.*

[11] Baal-Peor è il nome dell'idolo adorato dai Moabiti, qui messi in rapporto coi Madianiti (cf. Num 25, 3.5). Vedi MCKENZIE-MAGGIONI, *Diz. bibl.*, pp. 570 e 629.

[12] Palestina è la forma grecizzata del nome ebraico reso in italiano con «Filistea». Vedi *ibid.*, *sub uoce*; vedi anche la voce «Filistea».

sit, uiribus corporis omnium facile primus. Eoque ingenti admiratione nobis spectandus a principio, non illa quae temperantiae et sobrietatis iam inde a pueritia uini abstemius praeclara insignia dedit nec illa quae intonso capite nazareus sacra diu seruauit custodia; sed ab adulescentia, quae in aliis aetas mollior, in hoc egregia atque supra humanum modum perfectae uirtutis, stupenda facinora effecit, quibus diuini oraculi mox aperuit fidem, quod non perfunctorie tanta eum anteisset gratia, ut descenderet angelus per quem ortus eius praeter spem parentibus annuntiaretur, futurum regimen et praesidium suis; nam grauibus iamdiu Palaestinorum imperiis afflictabantur.

11.   Pater illi erat de tribu Dan timens deum [a], haud ignobili genitus loco, praestans ceteris; mater utero sterilis, sed animi uirtutibus haud infecunda, quae propriae hospitio mentis recipere meruit uisionem angeli, mandatum tenuit, oraculum impleuit. Nec tamen passa sine uiro scire uel diuinitatis secretum, insinuauit marito uisum sibi hominem dei, praeclara specie, futurae sobolis ferentem oracula; qua pollicitatione sese fidentem cum coniuge fidem promissorum caelestium participare. Quod ubi comperit, pie deum precatus orauit ut sibi quoque uisionis eius gratia tribueretur dicens: *Ad me, domine, angelus ueniat tuus* [b].

12.   Vnde ego arbitror non zelo mulieris, quae esset spectabilis pulchritudinis, aliquid eum suspectum habuisse, ut quidam existimauit, sed magis diuinae zelo gratiae prouocatum conspectus sacri uoluisse participari munere. Neque enim uitiis animi praue affectus tantam apud dominum inuenisset gratiam, ut angelus in eius domum reuerteretur; qui monitis iis quae usus oraculi postulauisset, subito flammae uehementis eleuatus specie, sese recepit. Id formidolosum uiro, mulier salubrius interpretata in gaudium uertit atque ademit sollicitudinem, eo quod prosperorum indicium, non aduersantium sit uisere deum.

13.   Talibus e caelo commendatus insignibus ubi primum adoleuit, coniugio mentem intendit, siue quod uagam ac familiarem adulescentulis abhorreret animo lubricae libidinis consuetudinem siue quia iam causa quaerebatur, quemadmodum a ceruici-

---

11. [a] Cf. Iud 13, 2 ss.
     [b] * Iud 13, 8.

mente superiore a tutti per la sua forza fisica. Perciò, pur essendo degno della nostra straordinaria ammirazione, fin da principio non fece stupire [13] con quelle prove di temperanza e di sobrietà che offrí sin dalla fanciullezza astenendosi dal vino, né con quelle austerità che, a capo raso quale nazireo, osservò con cura scrupolosa; ma a partire dall'adolescenza — età che negli altri è piuttosto incline alla mollezza e in lui fu esemplare e perfettamente virtuosa oltre le possibilità umane — compí imprese che riempiono di meraviglia. Infatti con esse diede tosto conferma alle predizioni divine, perché non senza uno scopo l'aveva preceduto una grazia cosí grande, che era disceso un angelo ad annunciare ai genitori la sua nascita insperata, predicendo che sarebbe stato guida e difesa per i suoi. Infatti, già da lungo tempo erano oppressi dal pesante dominio dei Palestinesi.

11.   Egli aveva un padre della tribú di Dan, timorato di Dio, nato da una famiglia non oscura, superiore a tutti gli altri; sua madre era sterile nel grembo, ma non infeconda per le virtú dell'animo. Ella, nell'ospizio della propria mente, meritò di ricevere la visione d'un angelo, ne osservò il comando, compí la profezia. E tuttavia, non sopportando di sapere indipendentemente dal suo uomo anche un segreto divino, disse al marito che le era apparso un uomo di Dio, di splendido aspetto, che le annunciava la nascita di una futura prole; fidando in tale promessa essa rendeva partecipe il coniuge della fiducia nelle promesse celesti. Quando seppe questo, egli devotamente pregando Dio gli chiese che anche a lui fosse concessa la grazia di quella visione, dicendo: *Venga da me, Signore, il tuo angelo.*

12.   Perciò io penso che non per gelosia della moglie, che era di notevole bellezza, egli abbia nutrito qualche sospetto, come suppose qualcuno [14], ma che piuttosto, stimolato dalla gelosia per la grazia divina, abbia voluto partecipare al dono della sacra visione. Infatti, se fosse stato malamente contaminato da vizi dell'animo, non avrebbe potuto ottenere presso il Signore una tale grazia per cui l'angelo ritornasse nella sua casa. Questi, dopo aver dato quegli avvertimenti che la consuetudine profetica esigeva, ad un tratto, salendo in alto a guisa di fiamma impetuosa, scomparve. Questo fatto destò timore nell'uomo, ma la donna, interpretandolo in modo piú favorevole, ne fece motivo di gioia e placò la sua preoccupazione, perché vedere Dio è indizio di avvenimenti felici, non di sventure.

13.   Con tale lusinghiera presentazione celeste, non appena divenne adulto pensò di sposarsi, sia perché aborriva nell'animo suo la consuetudine occasionale — frequente nei giovani — di una lubrica dissolutezza sia perché cercava già un modo per rimuovere dal collo del suo popolo il giogo della potenza dei

---

[13] Sottintendo qui un'espressione che ricavo dallo *stupenda effecit* che si trova alla fine. Certo, la struttura sintattica non è troppo evidente.
[14] Cf. Ios., *Ant. Iud.*, V, 8, 2 (277):᾽Ην δὲ καὶ μανιώδης ὑπ'ἔρωτος ἐπί τῇ γυναικὶ καὶ διὰ τοῦτο ζηλότυπος ἀκρατῶς.

bus plebis suae auerteret Palaestinorum potentiam duraque impe-
ria. Pergens itaque in Thamnatam ᵃ — urbi hoc nomen est in illis
positae locis, quae tunc temporis Palaestinorum incolis frequenta-
batur —, uirginem aspexit grata specie et uultu decoro et parentes
proprios, quorum comitatu fultus gradiebatur, orauit ut eam in
coniugium sibi poscerent. Verum illi, ignorantes quod eo intentio
uergeret, ut Palaestinis aut negantibus infestior foret aut acquie-
scentibus affectu inferendae in subditos iniuriae demeretur, cum
ex coniunctione aequalitas par et gratia consortii iure accresceret
aut, si quid offensum esset, longius ultionis studia procederent,
quasi alienigenam declinandam arbitrabantur. Sed ubi flectere
animum pignoris legitimorum obiectu frustra experti, in arbi-
trium eius uolentes concessere.

14.   Recepta itaque petitione, Samson, cum sibi promissam
reuiseret, diuertit et paulisper de aggere deflexit; continuoque
occurrit ei leo ferus de silua agresti libertate saeuior. Comes
nullus, telum in manibus haudquaquam suppeditabat: cedere
pudor et conscia uirtus fiduciam dare. Ruentem se brachiis amplexus necat et lacertorum nodo exanimatum praeter aggerem supra
siluestria germina proiecit ac dereliquit. Locus erat laetus pabuli
herboso gramine, uinetis consitus. Itaque apud dilectissimam sibi
sponsam exuuias ferae credidit sine momento futuras, cum talium
rerum tempora non terribilibus spoliis, sed mitibus gaudiis et
festa fronde fiant uenustiora. Denique post eadem regrediens uia,
fauum in utero leonis offendit atque abstulit, donum parentibus
ac puellae futurum — talia enim sponsam munera decent —, ac
degustato melle, fauum praedictis edendum dedit, causam repressit.

15.   Sed forte quadam die nuptialis festi celebrabatur conuiuium, laeta in epulis iuuentus mutuis se ad ludum inuitabat sermonibus; cum alius alium salsiore dicacitate perstringeret, sicut se
huiusmodi usus habet, certamen laetitiae accendebatur. Ibi tum
quaestionem huiusmodi proposuit Samson iuuenibus coepulanti-
bus: *De manducante exiuit esca et de forti processit dulce* ᵃ, absol-
uentibus pollicens praemium, quasi mercedem sapientiae, triginta
sindones et totidem stolas, secundum numerum uirorum comes-
santium, aut multam ignorantibus.

13. ᵃ Cf. Iud 14, 1 ss.
15. ᵃ * Iud 14, 14.

Palestinesi e del loro duro dominio. Recandosi dunque a Tamnata [15] — si chiama cosí una città sita in quei luoghi, che allora era
abitata dai Palestinesi —, vide una vergine di gradevole aspetto,
con un bel viso, e pregò i propri genitori, nella compagnia dei
quali trovava un sostegno in quel viaggio, di chiederla in moglie
per lui. Ma essi — non sapendo che la sua intenzione era quella
di diventare piú ostile ai Palestinesi, se gliela avessero rifiutata;
oppure, se avessero acconsentito, di togliere loro la disposizione
a infierire sui loro sudditi, poiché da quella unione a buon diritto
si sarebbe sviluppata l'uguaglianza tra pari e la benevolenza della
vita comune; oppure, se si fosse avuta un'opposizione, il desiderio
di vendetta avrebbe fatto progressi — pensavano di doverla escludere perché straniera. Ma, dopo aver tentato invano di piegare
l'animo del figliuolo con l'obiezione delle norme della Legge,
aderirono di buon grado al suo desiderio.

14.   Essendo stata dunque accolta la sua richiesta, Sansone,
mentre si recava a visitare la sua promessa, fece una deviazione
e si allontanò un poco dalle mura; e ad un tratto dal bosco gli
si fece incontro un feroce leone, piú temibile per la libertà di cui
godeva nella campagna. Non c'erano compagni, non aveva nelle
mani alcun'arma da getto; si vergognava di indietreggiare e la
consapevolezza della propria forza gli infondeva coraggio. Stretto-
lo tra le braccia mentre gli si precipitava contro, lo uccide e,
dopo averlo fatto morire con la stretta delle sue braccia, lo
abbandona gettandolo al di là delle mura sulla vegetazione del
bosco. Il luogo era abbellito dal tappeto erboso di un pascolo,
piantato a vigneto. Pertanto pensò che le spoglie della fiera non
avrebbero avuto alcun valore agli occhi della fidanzata, a lui
carissima, perché il periodo di tali rapporti diventa piú bello non
con spoglie paurose, ma con placide gioie e fronde festive. Perciò,
successivamente, ritornando per la medesima strada, trovò un
favo nel ventre del leone e lo prese per farne un dono ai suoi
genìtori e alla giovane — tali doni, infatti, sono convenienti ad
una fidanzata — e, dopo aver assaggiato il miele, diede il favo
da mangiare alle persone sopra indicate, ma ne tacque l'origine.

15.   Ma, per combinazione, in quei giorni si celebrava il
convito di una festa di nozze [16] e la gioventú, lieta, si invitava
reciprocamente agli scherzi; e poiché si pungevano l'un l'altro
con mordacità piuttosto piccante, come vuole questa consuetudine, la gara dell'allegria diventava sempre piú vivace. Lí, allora,
Sansone propose ai giovani convitati questo indovinello: *Da chi
mangiava uscí il cibo e dal forte venne il dolce*, promettendo in
premio a coloro che l'avessero risolto, quale ricompensa della
sapienza, trenta lenzuoli e altrettanti vesti talari, in rapporto al
numero degli uomini che partecipavano alla festa, o un'ammenda
a chi non avesse saputo rispondere.

---

[15] O Timna (CEI).
[16] Cf. Ios., *ibid.*, V, 8, 6 (289): τοῦ ποτοῦ προβαίνοντος καὶ παιδιᾶς οὔσης, οἷα
φιλεῖ παρὰ τοὺς τοιούτους καιρούς.

16.　Qui cum enodare implexa et distinguere ambigua nequirent, mulierem eius partim minis exagitando, partim fatigando precibus, eo impulere ut a uiro posceret quaestionis eius absolutionem, insigne futurum coniugalis gratiae in mercedem amoris. Atque ea, seu animi territa seu muliebri ingenio inflexa, ueluti pio questu maritalis odii dolorem praetexere hoc coepit, quod secretum uiri consors totius uitae et conscia non comperisset similisque ceteris habita foret, cui arcanum uiri proprii non crederetur: *Odisti me*, inquit, *et non amasti, quam celasti usque adhuc* [a].

17.　Hisque et ceteris talibus inuictus ad cetera animus, muliebribus emollitus blanditiis, aperuit dilectae propositam quaestionem et illa ciuibus. A quibus uix tandem septimo die, qui praescriptus absoluendae parabolae fuerat, ante occasum solis comperta soluta sunt atque in hunc modum relata: *Quid fortius leone? Quid dulcius melle?* [a]. Et ille respondit: «Nec muliere aliquid perfidiosius. *Nam si non domuissetis uitulam meam, numquam intellegeretis parabolam meam*» [b], et statim ascendit in Ascalonem et triginta uiros peremit, quorum exuuias auferens, eos qui propositam quaestionem soluerant promisso munere donauit.

18.　Abstinuit autem coniugio puellae, cuius perfidiam deprehenderat, atque in patriam domum sese recepit. Turbataque animi iuuencula, quae indignationem laesi, ferociam fortissimi fraudi sibi futuram iusta formidine perhorresceret, in alterius uiri concessit nuptias, quem tamen paranymphum sibi Samson quasi fidum sodalem, cum duceret eam uxorem, adsciuerat. Nec sic tamen, praetento licet coniugio, offensionis periculum auertit. Namque, ubi res prodita uolentique ad coniugium redire interclusa copia, quod pater eam alii uiro nupsisse diceret, sororem sane eius, si uellet, ducere liceret, stimulo iniuriae exulceratus, publicam excogitauit ultionem capessere domesticae contumeliae indignatione; correptisque trecentis uulpibus, adulta aestate, cum iam matura essent in agris frumenta, binas sibi inuicem caudam ad caudam ligauit atque in medio earum ardentem inseruit facem nodoque adstrinxit inexolubili et ultor iniuriae super manipulos messis dimisit frumentariae, quam secuerant incolae Palaestinorum. At illae, igni exterritae, quacumque praecipites conuoluebantur, spargebant incendium et exurebant spicas eorum. Quo dispendio commoti, quod omnes sibi locorum fructus interierant, factum

16. [a] * Iud 14, 16.
17. [a] Iud 14, 18.
　　 [b] * Ibid.

16.   Ma essi, non potendo sciogliere il viluppo e dissolvere i dubbi, indussero la sua donna, in parte costringendola con minacce in parte stancandola a furia di preghiere, a chiedere all'uomo la soluzione di quell'indovinello, che sarebbe stata la prova dell'affetto coniugale in ricompensa dell'amore. Ed essa, sia spaventata in cuor suo sia indotta a cedere dalla natura femminile, cominciò con teneri lamenti a fingere il dolore per la durezza dello sposo, visto che lei, che sarebbe stata partecipe e consapevole di tutta la vita di lui, non aveva appreso il segreto dell'uomo ed era stata trattata come tutti gli altri, in quanto non le veniva confidato il segreto del proprio uomo: *Mi detesti, disse, e non mi hai amato, perché finora mi hai tenuta all'oscuro.*

17.   Quell'animo, invitto di fronte a tutto il resto, intenerito da queste e dalle altre arti di questo genere, svelò all'amata l'indovinello proposto ed ella fece altrettanto con i concittadini. Questi, a malapena nel settimo giorno, che era stato fissato per la soluzione dell'indovinello, prima del tramonto del sole risolsero ciò che avevano appreso e diedero la risposta in questa forma: *Che c'è piú forte del leone? Che c'è piú dolce del miele?* Ed egli rispose: «Non c'è nulla di piú sleale di una donna [17]. *Infatti, se non aveste soggiogata la mia vitellina, non avreste mai compreso il mio indovinello*», e subito discese ad Ascalona e uccise trenta uomini, di cui tolse le spoglie e le diede in dono a coloro che avevano risolto l'indovinello proposto.

18.   Evitò, quindi, l'unione con la ragazza di cui aveva scoperto la slealtà e ritornò in patria, a casa sua. Sconvolta nell'animo, la giovane, perché temeva con meritata paura che lo sdegno dell'uomo offeso e la ferocia di quel fortissimo gli sarebbero stati di danno, passò a nozze con un altro uomo, che tuttavia Sansone, prendendola in isposa, si era scelto come paraninfo, considerandolo amico fedele. Neppure cosí, tuttavia, pur con la protezione del matrimonio, allontanò il pericolo dell'offesa. Quando la cosa divenne nota, mentre Sansone voleva ritornare dalla sposa, ne fu impedito, perché il padre diceva che quella aveva sposato un altro uomo e che, se avesse voluto, avrebbe potuto certamente prendere in moglie la sorella di lei. Egli allora esacerbato dall'irritazione per l'offesa, per lo sdegno dell'ingiuria fatta alla sua persona, pensò di prendersene una pubblica vendetta [18]. Catturate trecento volpi, nel bel mezzo dell'estate, quando ormai il frumento era maturo nei campi, le legò a due a due l'un l'altra, coda a coda, e inserí in mezzo a loro una fiaccola accesa e la fissò con un nodo inestricabile e, per vendicare l'offesa, le lasciò andare sui covoni di frumento che i Palestinesi avevano mietuto. Ma quelle, spaventate dal fuoco, dovunque si aggiravano in corsa precipitosa spargevano l'incendio e bruciavano le spighe di quelli. Adirati per tale danno, perché erano andati distrutti per loro tutti

---

[17] Cf. *ibid.*: οὐδὲ γυναικὸς εἶναί τι δολερώτερον.

[18] È evidente la contrapposizione tra *domesticae contumeliae* e *publicam... ultionem.*

principibus suis intimauerunt. Et illi miserunt uiros in Thamnatam, qui mulierem, quae uariato fidem coniugio mutauerat, ac totam eius domum parentesque igni inuoluere, quod ea causa suae uastitatis et iniuriae foret nec oportuisse laedi uirum pronuntiantes, qui posset malo publico se ulcisci [a].

19.   Nec tamen Samson populis Palaestinorum delicti gratiam fecit atque eo uindictae fine contentus fuit, sed concidit eos strage maxima, plurimique eorum ferro interiere. Ipse autem concessit in Etam, ad torrentem in deserto. Petra illic erat munitio tribus Iuda. Palaestini uero, ut qui eum non auderent lacessere nec munitionis praerupta arduaque superare, tribum Iuda denuntiato adorsi urgere proelio, cum iusta referri cernerent, quod subditos sibi et tributarios perditum iri nequaquam uerum et aequum atque ex usu uideretur publico, pro alieno praesertim facinore, consulentes in medium, tradi sibi designatorem tanti flagitii postulauerunt atque ita illis, quod ab eo commissum, futurum sine noxa esset.

20.   Qua praescripta sibi condicione, uiri de tribu Iuda tria milia ex suis congregantes ascenderunt ad eum et praefato quod essent subditicii Palaestinorum, quibus sibi necessitas oboediendi non ex arbitrio, sed ex periculi formidine maneret, facti sui inuidiam retorquebant in eos, qui ius cogendi habebant. Tum ille: «Et quae, inquit, iustitiae forma est, genus Abrahamidarum, ut circumscriptae primo coniugis, deinde abductae perniciosa mihi uindicta sit et sine periculo domesticam iniuriam non licuerit ulcisci? Tantumne inclinatis animos ad turpe uernularum obsequium, ut exsecutores uos alienae praebeatis insolentiae atque in uosmet ipsos uertatis manus? Si pereundum est, quia dolorem habui liberum, iuuat perire manibus Palaestinorum. Tentata domus, sollicitata uxor: si non licuit mihi uiuere sine eorum fraude, saltem liceat mori sine meorum scelere. Rettuli ego acceptam iniuriam, non intuli. Vos aestimate an digna uicissitudo fuerit. Illi de damno fructuum queruntur, ego de coniugis amissione: conferte manipulos messis et sociam tori. Dolorem meum ipsi probarunt, cuius iniurias uindicauerunt. Videte quo uos ministerio dignos putant. A uobis eum in mortem affici uolunt, quem ipsi ultione dignum de iis, qui laeserant, iudicauerunt et cui uindictae praebuere ministerium. Sed si adeo subdita superbis colla geritis, tradite me hostium manibus, uos nolite occidere. Non mortem

18. [a] Cf. Iud 15, 1 ss.

20, 20 qui uindictae *Maurini, manifeste erratum.*

i prodotti dei luoghi, comunicarono l'accaduto ai loro capi. E
quelli mandarono a Tamnata degli uomini che diedero alle fiamme la donna — che, cambiando marito, era venuta meno alla sua
parola —, tutta la sua casa e i suoi genitori, dichiarando che non
era opportuno punire un uomo che poteva vendicarsi con danno
di tutti.

19.   E tuttavia Sansone non perdonò la colpa al popolo dei
Palestinesi e non si accontentò del risultato di quella vendetta,
ma li uccise con un'enorme strage e moltissimi di loro perirono
di spada. Egli si ritirò ad Eta, presso un torrente nel deserto. Là
c'era una roccia, baluardo della tribú di Giuda. I Palestinesi,
siccome non osavano sfidarlo né superare lo scoscendimento né
l'erta di quel baluardo, tentarono di mettere alle strette la tribú
di Giuda dichiarandole guerra. Ma vedendo che si rendeva loro
quel che meritavano, poiché era chiaro che avrebbero perduto
sudditi e tributari — cosa per nulla ragionevole e giusta e conforme al pubblico interesse, soprattutto per un misfatto d'altri —,
dopo aver deliberato tra loro, chiesero che fosse loro consegnato
chi aveva escogitato una cosí grande scelleratezza, e in tal modo
ciò che da lui era stato commesso non avrebbe recato danni ad
essi.

20.   Imposta loro questa condizione, gli uomini della tribú
di Giuda, radunando tremila dei loro, salirono da lui, e dopo aver
premesso che erano soggetti ai Palestinesi, ai quali erano costretti
ad obbedire non di loro volontà ma per timore del pericolo,
ritorcevano l'odiosità del loro agire su quelli che avevano il
potere di costringerli. Allora egli: «E quale norma di giustizia è
mai, stirpe dei discendenti di Abramo, che mi sia di danno la
vendetta per la sposa dapprima raggirata e poi sottratta e che
non sia stato lecito vendicare senza pericolo l'offesa a me recata?
A tal punto piegate i vostri animi ad un vergognoso ossequio di
schiavi, fino a prestarvi quali esecutori dell'altrui arroganza e
volgere le mani contro voi stessi? Se si deve morire, perché ho
sofferto da libero, è bello morire per mano dei Palestinesi[19]. È
stata messa a repentaglio la mia casa, è stata sedotta mia moglie:
se non mi è stato concesso di vivere senza i loro inganni, mi sia
consentito almeno di morire senza colpa dei miei. Io ho restituito
l'offesa ricevuta, non l'ho inflitta per primo. Giudicate voi se il
contraccambio sia stato giusto. Essi si lagnano della perdita dei
prodotti: mettete a confronto i covoni della messe e la compagna
del talamo. Essi hanno approvato il mio dolore, perché hanno
vendicato il torto da me subíto. Guardate di quale servizio vi
giudicano degni. Vogliono che sia messo a morte da voi quello
che essi stessi hanno giudicato degno di ottenere vendetta di
coloro che lo avevano offeso e che si prestarono a vendicare. Ma
se avete a tal punto i colli sottomessi agli arroganti, consegnatemi
nelle mani dei nemici, non uccidetemi voi stessi. Non rifiuto la

[19] Cf. VERG., Aen., III, 606: *si pereo, hominum manibus perisse iuuabit.*

abnuo, sed uestrum fugio contagium. Verum, si formidine ceditis insolentibus, alligate uinculis manus: inermes licet, inuenient sibi arma nodis solutae. Certe condicioni impositae satis futurum arbitrati sunt, si uiuentem in potestatem daretis».

21.   Quibus illi auditis ᵃ, quamuis tria milia uirorum ascenderant, sacramentum dederunt quod a se uitae eius uis nulla irrogaretur; tantummodo patiens uinculorum esset, ut deditionem eius patrarent, quo uacui fierent eius, cuius arguebantur, facinoris.

22.   Accepta itaque fide, spelaeo egressus, deseruit petrae munitionem ac duobus innexus funibus, ubi appropinquare accitos ad suscipiendum Palaestinorum ualidos uidet, infremuit spiritu et uniuersa dirupit uincula atque arripiens maxillam asini iacentem percussit mille uiros, fugauit alios grandi uirtutis spectaculo, cum inermi et uni cederent armatorum agmina. Et qui comminus ausi fuerant congredi, facili negotio nullo labore obtruncati; aliis fuga exitium dempsit. Vnde hodieque Agon loco nomen est, quod ibi Samson gloriosum certamen uirtute egregia consummauerit.

23.   Sed utinam quam fortis in hostem tam moderatus in uictoria fuisset! Verum, quod facile usu uenit, insolens rerum secundarum animus, qui debuit euentum pugnae diuino fauori et praesidio deferre, sibi arrogauit dicens: *In maxilla asinae deleui mille uiros* ᵃ. Nec aram statuit deo nec hostiam immolauit, sed neglegens sacrificii, assumptor gloriae, ut triumphum suum perpetuo consecraret nomine, uocauit locum «Maxillae interfectionem».

24.   Et mox siti grauiter coepit inardescere, et potus deerat nec iam ferre ac tolerare poterat. Vnde intellegens quod nihil tam facile esset humanae opis, quod sine diuino adiumento non difficile foret, esclamauit atque obsecrauit ne sibi deus omnipotens in offensam uerteret quod imprudenter incauto sermone sibi aliquid assignauisset. Quin etiam illam uictoriam deo deputabat dicens: *Tu dedisti in manum serui tui salutem magnam hanc, et nunc subuenit, quia ecce morior siti et in potestatem eorum, de quibus tantum donasti triumphum, sitis necessitate adiudicor* ᵃ. Quo modo dei misericordia, cum proiecisset ille maxillam, aperuit scissuram eius, et fons erupit ex ea, et bibit Samson et resumpsit spiritum et uocauit locum «Inuocationem fontis», eo quod uictoriae iactantiam inuocationis precibus emendasset: ita diuersa iudicia mature edita, quod et arrogantia cito offensam incurreret et humilitas sine ulla offensione sese reconciliaret.

21. ᵃ Cf. Iud 15, 13 ss.
23. ᵃ * Iud 15, 16.
24. ᵃ * Iud 15, 18.

morte, ma voglio evitare la vostra complicità. Ma se per timore cedete agli insolenti, legatemi le mani: sebbene inermi, troveranno armi, se libere da nodi. Certamente hanno ritenuto sufficiente la condizione imposta di consegnarmi vivo in loro potere».

21. Quelli, udite queste parole, sebbene fossero saliti in tremila, giurarono che non avrebbero usato alcuna violenza alla sua vita; soltanto, si rassegnasse ad essere legato, per concludere la sua resa, allo scopo di essere esenti del delitto di cui erano accusati.

22. Ricevuta pertanto la garanzia, uscito dalla spelonca abbandonò il baluardo della rupe e, legato da due funi, quando vide avvicinarsi robusti Palestinesi chiamati per prenderlo in consegna, ebbe un fremito di fierezza e spezzò tutti i legami e, afferrando una mascella d'asino che giaceva a terra, uccise mille uomini, mise in fuga gli altri, offrendo uno straordinario spettacolo di coraggio, poiché le schiere degli armati cedevano di fronte a lui inerme e solo. E quelli che avevano osato affrontarlo corpo a corpo furono massacrati facilmente senza fatica; la fuga sottrasse gli altri alla strage. Per questo anche oggi il luogo si chiama Agone, perché in esso Sansone con egregio valore concluse una lotta gloriosa.

23. E magari fosse stato cosí moderato nella vittoria, quant'era stato forte contro il nemico! Ma — cosa che avviene facilmente — l'animo, insuperbito dai successi, mentre avrebbe dovuto ascrivere al favore e alla protezione divina il risultato del combattimento, lo attribuí a se stesso dicendo: *Con la mascella di un'asina ho ucciso mille uomini.* E non innalzò un altare a Dio né immolò una vittima, ma, trascurando il sacrificio, appropriandosi la gloria, per consacrare con un nome imperituro il proprio trionfo chiamò il luogo «Uccisione con la mascella».

24. E subito cominciò a bruciare d'una sete ardente e non c'era nulla da bere e ormai non poteva sopportare e resistere. Perciò, comprendendo che non c'era nessuna azione della forza umana cosí facile che non fosse difficile senza l'aiuto divino, a gran voce implorò Dio di non interpretare come un'offesa il fatto che egli stoltamente, con parole incaute, avesse attribuito a sé qualche merito. Che anzi, ascriveva a Dio quella vittoria, dicendo: *Tu hai dato nella mano del tuo servo questa grande salvezza, e ora aiutami, perché, ecco, io muoio di sete e dal bisogno di bere sono dato in potere di quelli su cui mi hai concesso un cosí grande trionfo.* Cosí la misericordia di Dio, avendo egli gettato via la mascella, aprí in essa una fessura e ne sgorgò una fonte. Sansone bevve, riprese fiato e chiamò quel luogo «Invocazione della fonte», perché aveva corretto la superbia della vittoria con le preghiere d'invocazione. Cosí in breve tempo furono pronunciate due diverse sentenze: che, cioè, l'arroganza va immediatamente incontro al proprio danno e invece l'umiltà senza danno alcuno è mezzo di riconciliazione.

25. Verum, ubi decursa serie bellum Palaestinorum compo-
suit et suorum declinans ignauiam et hostilem despiciens manum,
Gazam sese contulit — ea ciuitas erat in locis Palaestinorum —
et habitabat illic in diuersorio. Quod cognitum Gazei [a] haudquaquam dissimulatione praeterierunt, sed festinantes circumdede-
runt diuersorium eius et obsederunt uniuersos aditus domus, ne
fugam in nocte componeret. Itaque Samson, cognito quid parare-
tur, compositas insidias noctis medio praeuertens, columnas domus manibus amplexus, materiem totam et culminis molem cerui-
ce ualida sustentans, in uerticem montis altissimi transportauit,
qui imminebat urbi Chebron, quae populis Hebraeis incolebatur.

26. Sed cum libero et uago motu transgrederetur non solum
regionis paternae terminos, sed etiam morum limites et maiorum
obseruatione praescriptos, eam sibi futurae mox cladis pestem
inuenit. Namque parum fida expertus alienigenae uxoris prima
connubia, qui debuisset cauere uel postea, rursus Dalilae mulieris
fornicariae copulam non declinauit, et cum eam diligeret impense,
tentandi se causam dolis hostilibus praestitit. Ascendentes enim
Palaestini ad eam, polliciti sunt pecuniam uiritim daturos mille
et centum denarios, si proderet eis in quo ille fiduciam uirtutis
suae constitutam haberet; quo cognito, circumueniri et capi
posset.

27. At illa, quae semel se pecuniae prostituerat, astute satis
et callide inter pocula et illecebras amoris quasi admirans fortitudinis eius eminentiam, quaerere hoc coepit, quo tandem genere
tantum praestaret reliquorum uirtutibus [a]; simul et quasi pauida
et sollicita orare ut dilectae suae committeret, qui nexus astrictum
alienae potestati substerneret. Ille autem adhuc sobrius et fortis
animi aduersus delinimenta meretricia dolum dolo rettulit, dicens
quia, si uitibus uirentibus adhuc et non aridis alligaretur, infirmitate corporis adaequaret aliorum similitudinem. Quo Palaestini
per Dalilam sibi comperto, cum uitea soporanti circumdedissent
uincula, quasi de improuiso excitum, haud degenerem offendere
notae et solitae fortitudinis, cum, solutis nexibus, uirtus libera
multis licet resisteret ac repugnaret.

28. Sed ubi parum processit, rursus Dalila quasi derisa et
conquerens repetere artes suas et fidem amoris poscere non
praetermittebat. Cui Samson, ualidus adhuc consilii, dolum ri-
dens, significauit ligatum se septem funibus, qui adhuc sine usu
forent, uenturum in potestatem hostium; sed et hoc frustra fuit.
Tertio quoque tamquam de mysterio deprompsit, et iam lapsuro
propior, si dissoluti essent crines septem capitis sui et quasi in

25. [a] Cf. Iud 16, 1 ss.
27. [a] Cf. Iud 16, 6.

25. Ma quando, trascorsa questa successione di avvenimenti, ebbe posto fine alla guerra con i Palestinesi, evitando la viltà dei suoi e disprezzando l'esercito dei nemici, si recò a Gaza. Questa città era nel territorio dei Palestinesi, e lí abitava in un albergo. Quando conobbero questa circostanza gli abitanti di Gaza, non se la lasciarono sfuggire fingendo d'ignorarla, ma in fretta circondarono il suo alloggio e bloccarono tutti gli accessi della casa, perché durante la notte non organizzasse la fuga. Perciò Sansone, saputo che cosa si preparava, nel mezzo della notte — prevenendo i tranelli predisposti —, abbracciate con le mani le colonne dell'edificio, sostenendo col suo collo possente tutta la travatura e la massa del tetto, la trasportò sulla cima di un monte altissimo che sovrastava la città di Ebron, abitata da Ebrei.

26. Ma siccome con movimento libero ed errante superava i confini non solo della terra paterna, ma anche i limiti morali fissati dai precetti dei padri, trovò quella che sarebbe divenuta tosto la causa funesta della rovina che l'avrebbe travolto. Infatti, dopo aver esperimentato poco fedeli le prime nozze con una donna straniera, mentre avrebbe dovuto almeno in seguito usare prudenza, non evitò di bel nuovo l'unione con Dalila, che era una prostituta; e siccome l'amava fuor di misura, offrí alle insidie nemiche l'occasione di fare un altro tentativo per sopraffarlo. Saliti da lei i Palestinesi, le promisero di darle ciascuno una somma, mille e cento denari, se avesse loro rivelato in che cosa Sansone riponeva la certezza della propria forza; una volta conosciutala, avrebbe potuto essere sopraffatto e catturato.

27. Ma quella, che una volta si era prostituita al denaro, con abile astuzia tra le coppe e le seduzioni amorose, come se ammirasse la sua forza straordinaria, cominciò a chiedergli per quale motivo fosse tanto superiore alla forza degli altri e, nello stesso tempo, fingendosi timorosa e preoccupata, a pregarlo di confidare alla sua amata quale vincolo lo tenesse sottomesso al potere altrui. Ma egli, ancora sobrio e pienamente padrone di sé, contro le seduzioni della meretrice ricambiò inganno con inganno, dicendo che, se fosse stato legato con tralci di vite ancora verdi e non secchi, per debolezza fisica sarebbe stato uguale agli altri. I Palestinesi, saputo questo per mezzo di Dalila, avendolo circondato nel sonno con legami fatti di tralci, come chi si risveglia ad un tratto non lo trovarono indegno della ben nota e solita forza, poiché, sciolti i lacci, il suo libero valore resisteva e li respingeva sebbene fossero molti.

28. Ma, dato l'insuccesso, di bel nuovo Dalila, dicendosi derisa e lamentandosi, ricorreva ancora alle proprie arti e non mancava d'invocare la fedeltà dell'amore. Sansone, ancora in senno, le disse che, se fosse stato legato con sette funi non ancora usate, sarebbe caduto in potere dei nemici. Ma anche questo riuscí vano. Una terza volta ancora, ormai prossimo alla rovina, rivelò come in segreto che, se fossero state sciolte le sette trecce

cubitum intexti, discederet ab eo uirtus sua. Et hoc quoque lusit insidiarum fabricatores.

29. At postremum, cum illusum sibi toties procax mulier deplorauisset, indignam se habitam dolens cui committeretur arcanum dilecti et id, quod pro remedio quaereret, ad proditionem suspectari uideret, lacrimis fidem coegit; simul quia debebatur inuictae ad id tempus fortitudinis uiro ut aerumnam incideret, saucius animi secretum aperit: praetendere in se uirtutem dei et esse domino sanctificatum, secundum eius praeceptum comam pascere, quae si attonderetur, desineret nazaraeus esse et propriae uirtutis usum amitteret. Palaestini, per mulierem comperta infirmitate uiri, sceleris mercedem afferunt, ut pretio obnoxia dolum patraret.

30. At illa meretriciis delinimentis fessum amoris in soporem compulit et, tonsore adhibito, septem crines capitis eius admota nouacula abscidit, continuoque interdicti praeuaricatione uires minutae. Denique ex somno expergitus: *Faciam*, inquit, *sicut soleo et excutiam me super aduersarios* [a]; sed nec animi sui alacritatem nec uirtutem agnouit: nec uigor erat nec gratia manebat. Itaque reputans secum quod improuide se mulieribus credidisset et calui ratus tentare ulterius aliquid damnatum infirmitatis caecitati oculos, uinculis manus praebuit et compedibus innexus carcerem intrauit multis sibi incognitum tempestatibus.

31. Et iam processu temporis crescere ei coma coeperat [a]; itaque, cum esset celebre conuiuium, Palaestinorum conuentui producitur de carcere Samson ac statuitur in populi conspectu. Erant tria milia ferme hominum uirilis ac muliebris sexus; et grauibus eum insultabant conuiciis, circumagebant ludibriis, quod durius et ultra ipsam captiuitatis speciem uiro ingenitae uirtutis conscio tolerabatur. Nam uiuere et mori naturae functio, ludibrio esse probro ducitur. Cupiens igitur tantam contumeliam uel ultione solari uel morte in reliquum praeuertere, simulato quod propter infirmitatem corporis et nodos compedum sustentare sese nequiret, poposcit a puero, qui dirigebat uias eius, ut admoueret eum ad columnas proximas, quibus domus omnis suffulciebatur. Et admotus, utraque manu fulcra totius comprehendit aedificii atque, intentis ad festa sacrificii Palaestinis, quod Dagoni, deo suo, deferebant, per quem sibi aduersarium suum

30. [a] * Iud 16, 20.
31. [a] Cf. Iud 16, 22.

del suo capo e intrecciate quasi a formare un cubito, la sua forza lo avrebbe abbandonato. E anche cosí beffò quelli che gli tramavano insidie.

29.   Ma alla fine, poiché quella donna procace s'era lamentata d'essere stata tante volte giocata, mostrandosi afflitta di essere stata ritenuta indegna che le fosse affidato il segreto del suo diletto, e poiché diceva di vedere che si sospettava mirasse a un tradimento la sua richiesta fatta per il suo bene, con le sue lacrime forzò la sua fiducia. Anche perché era stabilito che quell'uomo d'una forza invitta — fino allora — cadesse nella sventura, ferito in cuore le rivelò il suo segreto: egli mostrava in sé la potenza di Dio ed era stato consacrato al Signore; secondo il suo precetto, lasciava crescere la chioma, ma, se l'avesse tagliata, avrebbe cessato d'essere nazireo e avrebbe perduto l'uso della propria forza. I Palestinesi, conosciuto dalla donna il punto debole dell'uomo, le versano il compenso della sua scelleratezza, affinché, vincolata dalla somma ricevuta, predisponesse il tranello.

30.   Allora quella, quand'egli fu stanco delle sue carezze amorose, lo fece addormentare e, ricorrendo a un barbiere, tagliò con un rasoio le sette trecce della sua testa, e subito — per aver egli violato la proibizione — le sue forze diminuirono. Perciò, risvegliatosi dal sonno: *Farò*, disse, *come sono solito e avrò la meglio sui miei avversari*; ma non riconobbe né l'alacrità del suo animo né il coraggio, né aveva il vigore né gli rimaneva la grazia. Pertanto, comprendendo che stoltamente si era affidato alle donne e resosi conto che non sarebbe riuscito [20] se avesse fatto un qualche tentativo, essendo stato per la sua debolezza condannato alla cecità, offrí le mani alle catene e, posto in ceppi, entrò in un carcere a lui ignoto per molto tempo.

31.   E ormai, col passare del tempo, i capelli avevano cominciato a crescergli, e cosí, in occasione di un solenne banchetto, Sansone dal carcere venne esibito all'assemblea dei Palestinesi e venne collocato in vista del popolo. C'erano quasi tremila uomini, maschi e femmine, e lo insultavano con pesanti ingiurie, lo portavano in giro schernendolo; cose tutte che quell'uomo, consapevole della sua forza nativa, sopportava con maggiore sofferenza e al di là della stessa immagine del carcere. Infatti, il vivere e il morire si ritiene opera della natura, l'essere schernito è giudicato un disonore. Desiderando dunque di trovare un conforto a tanto oltraggio con la vendetta o impedirlo in avvenire con la morte, fingendo di non riuscire a reggersi per la debolezza fisica e l'impedimento dei ceppi, chiese al ragazzo che guidava i suoi passi di accostarlo alle colonne piú vicine che reggevano tutto il palazzo. Accostato che fu, afferrò con ambo le mani i sostegni di tutto l'edificio e, mentre i Palestinesi erano occupati nel rito del sacrificio che celebravano in onore del loro dio Dagone — per

---

[20] *Calui* è infinito da *caluor*. Il passo però è controverso. I Maurini ripristinano la lezione dei mss. e ne suggeriscono un'interpretazione che seguo pur con qualche perplessità.

datum in potestatem arbitrabantur, muliebris perfidiae dolos beneficiis annumerantes caelestibus, exclamauit ad dominum dicens: «Domine, adhuc semel memor pueri tui esto, ut pro duobus oculis meis uindictam tribuas de nationibus, ne dent gloriam suis diis, quod ipsis iuuantibus me in potestatem acceperint, nec uitam meam pluris facio. *Moriatur anima mea cum Palaestinis* [b], ut agnoscant sibi infirmitatem meam non minus quam uirtutem exitialem fuisse».

32.   Concussit itaque columnas magna ui ac dissoluit et comminuit eas; quas secuta ruina superioris culminis et ipsum inuoluit et uniuersos, qui desuper adspectabant, praecipitauit. Ibi magna uis marium feminarumque promiscue exanimata et triumphus quaesitus perempto et supra omnes superiores uictorias haudquaquam degenere ac decoloro exitu. Nam, etsi inuiolabilis ad id locorum et deinceps atque incomparabilis in hac uita expertis belli fuerit uiris, tamen in morte se ipsum uicit et insuperabilem gessit animum, ut contemneret et quasi pro nihilo haberet uitae finem omnibus formidolosum.

33.   Virtutis igitur fuit quod uictoriarum numero diem clausit nec captiuum exitum, sed triumphalem inuenit. Circumscriptum autem fuisse a muliere, naturae potius quam personae ascribendum, quia humana condicio quam culpa inferior; premitur enim et cedit illecebris flagitiorum. Itaque, cum scriptura ei testificetur quod plures in morte quam in lumine uitae istius positus occiderit, uidetur ad aduersariorum magis exitium captus, quam quo ipse deiectior fieret aut minor esset; non est enim se expertus inferiorem, cuius sepultura praestantior quam potentia fuit. Denique non telis, sed cadaueribus hostium pressus et humatus est, proprio tectus triumpho, clarum insigne reliquens posteris, eo quod populum suum, quem captiuum inuenerat, uiginti annis in libertate iudicio suo rexit et sepultus in patrio solo libertatis heredem dimisit.

34.   Hoc ergo exemplo liquet alienigenarum consortia refugienda, ne pro caritate coniugii proditionis insidiae succedant.
Vale et nos dilige, quia nos te diligimus.

---

[b] * Iud 16, 30.

merito del quale credevano che fosse stato loro dato in potere
il loro nemico, mettendo insieme ai benefici celesti gli inganni
della malafede femminile —, si rivolse al Signore dicendo a gran
voce: «Signore, ancora una volta ricordati del tuo servo, cosí da
concedermi la vendetta sui Gentili per i miei due occhi. Non
rendano gloria ai loro dèi, pensando di avermi preso in loro
potere con l'aiuto di quelli, né stimo di piú [21] la mia vita. *Perisca
la mia vita con i Palestinesi*, perché imparino che la mia debolezza
non è stata loro meno funesta della mia forza».

32. Scosse, quindi, le colonne con grande forza e le spezzò
e le mandò in briciole; il conseguente crollo del tetto ad esse
sovrapposto travolse lui e fece precipitare tutti quelli che dall'alto
assistevano alla festa. Rimase lí senza vita una grande quantità
di maschi e di femmine gli uni sugli altri, e, da morto, egli ottenne
un trionfo piú grande di tutte le precedenti vittorie con una fine
per nulla indegna e ingloriosa. Infatti, anche se era stato invincibi-
le fino a quei tempi e nei successivi, e non paragonabile in questa
vita agli uomini sperimentati in guerra, tuttavia nella morte vinse
se stesso e dimostrò un coraggio insuperabile, cosí da disprezzare
e da non tenere in nessun conto una morte paurosa per tutti.

33. Fu una prova di coraggio l'aver concluso la sua vita col
numero delle sue vittorie [22], e ottenne una morte non da prigioniero ma da trionfatore. E che egli sia stato ingannato da una donna,
deve essere attribuito piú alla natura che alla persona, perché la
condizione umana è soggetta alla colpa. È incalzata, infatti, dalle
seduzioni delle turpitudini e ad esse cede. Pertanto, poiché la
Scrittura rende testimonianza che egli ne uccise piú in morte che
nella luce di questa vita, sembra che sia stato catturato piú per
la rovina dei nemici che per divenire egli stesso piú spregevole
o meno grande. Non si dimostrò, infatti, inferiore quegli la cui
tomba fu piú gloriosa della sua potenza. Tant'è vero che fu oppres-
so e seppellito non dai giavellotti ma dai cadaveri dei nemici,
coperto dal proprio trionfo, lasciando ai posteri un segno famoso,
perché per vent'anni fu giudice del suo popolo, che aveva trovato
in cattività e — sepolto nel suolo della patria — lo lasciò erede
della libertà.

34. Da quest'esempio, dunque, è chiaro che devono essere
evitate le unioni con i pagani, perché al posto dell'amore matrimoniale non subentrino le insidie dell'apostasia.

Sta' sano ed amaci, perché noi ti amiamo.

---

[21] Cioè, della vendetta.
[22] Cioè, con l'ultima vittoria.

LXIII (Maur. 73)
Ambrosius Irenaeo

1. Decursa lectione apostoli non perfunctorie motus es, quia audisti hodie lectum: *Lex enim iram operatur; ubi autem non est lex, nec praeuaricatio* [a]. Vnde et consulendum arbitratus es cur lata sit lex, si nihil proderat, immo oberat, quae operaretur iracundiam et praeuaricationem introduceret.

2. Et quidem secundum interrogationem tuam certum est non fuisse legem necessariam, quae per Moysen data est. Nam, si naturalem legem, quam deus creator infudit singulorum pectoribus, homines seruare potuissent, non fuerat opus ea lege quae, in tabulis scripta lapideis, implicauit atque innodauit magis humani generis infirmitatem, quam elaqueauit atque absoluit. Esse autem legem naturalem in cordibus nostris, etiam apostolus docet, quia scripsit quia plerumque *et gentes naturaliter ea, quae legis sunt, faciunt; et cum legem non legerint, opus tamen legis scriptum habent in cordibus suis* [a].

3. Ea igitur lex non scribitur, sed innascitur; nec aliqua percipitur lectione, sed profluo quodam naturae fonte in singulis exprimitur et humanis ingeniis hauritur. Quam debuimus uel futuri iudicii metu seruare, cuius testis conscientia nostra tacitis cogitationibus apud deum ipsa se prodit, quibus uel redarguitur improbitas uel defenditur innocentia. Itaque, cum semper pateat domino, tum maxime in die iudicii manifestabitur, quando occulta cordis in examen uenient, quae putabantur latere. Quorum tamen proditio, occultorum scilicet, nequaquam noceret, si lex naturalis inesset pectoribus humanis; est enim sancta, sine uersutia, sine fraude, consors iustitiae, expers iniquitatis.

4. Denique interrogemus infantiam, uideamus si quod in ea crimen reperitur, si auaritia, ambitio, dolus, saeuitia, insolentia. Nihil suum nouit, nullos honores sibi arrogat, praeferre se alteri ignorat, fraudem nescit, uindicare sese nec uult nec potest. Insolentia quid sit, puro ac simplici nequit animo comprehendere.

5. Soluit hanc legem Adam, qui uoluit sibi arrogare quod non acceperat, ut esset sicut creator et conditor suus, sic ut diuinum honorem affectaret. Itaque per inoboedientiam offensam traxit et culpam incidit ex insolentia. Qui si non rupisset imperium et oboediens fuisset mandatis caelestibus, praerogatiuam naturae

---

1. [a] Rom 4, 15.
2. [a] Rom 2, 14.

63 (Maur. 73)
Ambrogio a Ireneo [1]

1. Terminata la lettura dell'Apostolo, sei rimasto non poco turbato, perché hai sentito che oggi si è letto: *La Legge, infatti, provoca l'ira; dove invece non c'è Legge, non c'è trasgressione.* Perciò hai pensato anche di chiedermi perché sia stata promulgata la Legge, se non recava alcun vantaggio, anzi era nociva in quanto provocava l'ira e introduceva la trasgressione.

2. E in verità, secondo la tua richiesta, è certo che la Legge, che fu promulgata per mezzo di Mosè, non era necessaria. Infatti, se gli uomini avessero potuto osservare la legge naturale che Dio creatore aveva impresso nel cuore di ciascuno, non ci sarebbe stato bisogno di quella Legge che, incisa su tavole di pietra, avviluppò e intricò la debolezza del genere umano piú di quanto la sciolse e la liberò. Che ci sia nei nostri cuori una legge naturale, lo insegna anche l'Apostolo, il quale scrisse che, per lo piú, *anche i pagani secondo natura compiono ciò che prescrive la Legge; e, pur non avendo letto la Legge, tuttavia hanno scritto nei loro cuori ciò che la Legge prescrive.*

3. Tale legge dunque non viene scritta, ma nasce dentro di noi, e non si apprende da qualche testo, ma scaturisce in ciascuno — per cosí dire — mediante una copiosa fonte naturale che viene assorbita dalle intelligenze umane. E noi avremmo dovuto osservarla almeno per timore del giudizio futuro, testimone del quale la nostra coscienza si svela davanti a Dio nei nostri segreti pensieri che rimproverano la disonestà o difendono l'innocenza. E sebbene non sia sempre aperta davanti a Dio, allora soprattutto sarà rivelata nel giorno del giudizio, quando saranno sottoposti ad esame i segreti del cuore, che si credevano nascosti. La rivelazione di questi fatti, naturalmente di quelli segreti, non recherebbe alcun danno, se la legge naturale stesse nei cuori umani; è, infatti, santa, senza astuzia, senza inganno, compartecipe della giustizia, priva d'iniquità

4. Perciò interroghiamo i bambini, vediamo se in essi si trova qualche colpa, se in essi si trovano l'avarizia, l'ambizione, l'inganno, la crudeltà, l'arroganza. Non conoscono nulla di loro proprietà, non pretendono nessuna carica, non sanno mettersi davanti ad un altro, ignorano la frode, non vogliono né possono vendicarsi. Che cosa sia arroganza, non sono in grado di comprenderlo nel loro animo semplice e puro.

5. Violò questa legge Adamo, che volle attribuirsi quel che non aveva ricevuto, per essere come il suo Creatore e Autore, cosí da aspirare agli onori divini. Perciò per la sua disobbedienza si attirò un danno e per la sua superbia cadde nella colpa. Se invece non avesse violato l'ordine ricevuto e fosse stato obbedien-

---

[1] Vedi lettera 54, nota 1.

atque ingenitae sibi innocentiae heredibus propriis reseruasset. Ergo, quia per inoboedientiam praerogatiua naturalis legis corrupta atque interlita est, ideo scriptum legis existimatum est necessarium, ut uel partem haberet qui uniuersum amiserat, et cui perierat quod nascendo assumpserat, discendo saltem cognosceret et custodiret. Simul quia causa deiectionis eius superbia fuit, superbia autem orta est ex praerogatiua innocentiae, debuit ea lex ferri quae subditum deo et subiectum redderet [a]. Nam sine lege peccatum nesciebatur et minor erat culpa, ubi erat culpae ignorantia. Vnde et dominus ait: *Si non uenissem et locutus non fuissem iis, peccatum non haberent; nunc autem excusationem non habent de peccato* [b].

6.   Lata est ergo lex, primum ut excusationem tolleret, ne quis diceret: «Peccatum nesciui, quia praescriptum non erat quid cauerem». Deinde ut omnes subditos faceret deo agnitione peccati [a]. Omnes autem subditos fecit, quia non solum Iudaeis data est, sed etiam gentes uocauit; proselyti enim ex gentibus sociabantur. Neque uero exceptus uideri potest qui uocatus defuit; lex enim quos uocauit et alligauit. Vniuersorum itaque culpa operata est subiectionem, subiectio humilitatem, humilitas oboedientiam. Itaque, quia superbia culpam contraxerat, e contrario culpa oboedientiam generauit. Vnde lex scripta, quae uidebatur superflua, facta est necessaria, ut peccatum peccato solueret.

7.   Sed ne rursus aliquis deterreatur et dicat incrementum peccati factum esse per legem et legem non solum non profuisse, sed etiam obfuisse arbitretur, habet quo solari suam possit sollicitudinem, quia, *etsi per legem superabundauit peccatum, superabundauit et gratia* [a]. Quid sit hoc, intellegamus.

8.   Superabundauit peccatum per legem, quia per legem agnitio peccati [a], et coepit mihi obesse scire id, quod per infirmitatem uitare non possem; ad cauendum enim prodest praescisse; sed si cauere non queam, obfuit nosse. Versa ergo lex in contrarium, tamen ipso peccati incremento facta est mihi utilis, quia humiliatus sum. Vnde et dixit Dauid: *Bonum est mihi quod humiliatus sum* [b]. Humiliando autem me, solui uinculum erroris superioris, quo Adam et Eua nexuerant omnem propriae seriem successionis. Vnde et dominus quasi oboediens uenit, ut inoboedientiae

5. [a] Cf. Rom 7, 8.
   [b] * Io 15, 22.
6. [a] Cf. Rom 3, 19.
7. [a] * Rom 5, 20.
8. [a] Cf. Rom 7, 7.
   [b] Ps 118, 71.

te ai comandi celesti, avrebbe conservato per i propri eredi il privilegio della natura e dell'innocenza in lui innata. Dunque, poiché per la sua disobbedienza fu alterato e falsato il privilegio della legge naturale, per questo si ritenne necessario un testo scritto della legge, affinché ne avesse almeno una parte chi ne aveva perduta la totalità, e chi aveva perduto ciò che aveva ricevuto alla sua nascita lo conoscesse e lo conservasse almeno imparandolo. Nello stesso tempo, siccome la cagione della sua caduta era stata la superbia, e la superbia era derivata dal privilegio dell'innocenza, dovette essere promulgata una legge che lo rendesse soggetto e sottoposto a Dio. Infatti, senza legge non si conosceva peccato, e minore era la colpa dove sussisteva l'ignoranza della colpa stessa. Perciò anche il Signore disse: *Se non fossi venuto e non avessi parlato loro, non avrebbero peccato; ora invece non hanno scusa per il loro peccato.*

6. Fu promulgata, dunque, la Legge anzitutto per eliminare ogni scusa, affinché nessuno dicesse: «Non conoscevo il peccato, perché non era prescritto che cosa doveva evitare». In secondo luogo, per rendere tutti soggetti a Dio in seguito alla cognizione del peccato. E rese tutti soggetti, perché non solo fu data ai Giudei, ma chiamò anche i Gentili; infatti venivano associati proseliti dalle nazioni pagane. E non può considerarsi eccettuato chi, dopo essere stato chiamato, non corrispose all'invito. La Legge, infatti, anche vincolò quelli che aveva chiamati. Pertanto la colpa di tutti provocò la soggezione; la soggezione, l'umiltà; l'umiltà, l'obbedienza. Perciò, poiché la superbia aveva contratto la colpa, al contrario la colpa produsse l'obbedienza. Perciò la Legge scritta, che sembrava superflua, divenne necessaria per eliminare il peccato col peccato.

7. Ma perché, d'altra parte, uno non sia spaventato e non dica che mediante la Legge è aumentato il peccato e non pensi che la Legge non solo non ha giovato, ma anzi è stata di nocumento, ha di che confortare la sua preoccupazione, perché, *anche se per opera della Legge sovrabbondò il peccato, sovrabbondò anche la grazia.* Cerchiamo di comprendere che cosa significhi questo.

8. Per opera della Legge sovrabbondò il peccato, perché per opera della Legge ci fu la cognizione del peccato e cominciò a nuocermi il sapere ciò che per la mia debolezza non riuscivo ad evitare. Per guardarsi da una cosa, giova averla conosciuta prima; ma se non posso guardarmene, è stato un danno conoscerla. La Legge, voltasi dunque contro di me, tuttavia per lo stesso aumento del peccato mi è diventata utile, perché sono stato umiliato. Perciò anche Davide disse: *È una buona cosa per me l'essere stato umiliato.* Umiliandomi, ho sciolto il vincolo del passato errore, con cui Adamo ed Eva avevano avvinto tutto il seguito della propria successione. Perciò anche il Signore venne come per obbedienza, per sciogliere il laccio della disobbedienza e della

et praeuaricationis humanae laqueus solueretur. Itaque, sicut per inoboedientiam peccatum intrauit, ita per oboedientiam peccatum solutum est. Vnde et apostolus ait: *Quia, sicut per inoboedientiam unius hominis peccatores constituti sunt plurimi, ita et per oboedientiam unius hominis iusti constituentur multi* [c].

9.   Habes igitur unum, quia lex et superflua fuit et facta est non superflua: superflua in eo, quia non fuisset necessaria, si illam legem naturalem seruare potuissemus; sed quia non seruauimus, ista lex per Moysen necessaria facta est, ut doceret me oboedientiam et laqueum illum solueret praeuaricationis Adae, qui laqueus totam astrinxit hereditatem. Creuit quidem culpa per legem, sed et culpae auctor superbia soluta est, idque mihi profuit; superbia enim culpam inuenit, culpa autem gratiam fecit.

10.   Accipe aliud. Non fuit necessaria lex per Moysen. Denique subintrauit [a]; quod utique non ordinarium, sed uelut furtiuum significare uidetur introitum, eo quod in locum naturalis legis intrauerit. Itaque, si illa suum seruasset locum, haec lex scripta nequaquam esset ingressa; sed quia illam legem excluserat praeuaricatio ac propemodum aboleuerat pectoribus humanis, regnabat superbia inoboedentiaque sese diffuderat; ideo successit ista, ut nos scripto conueniret et omne os obstrueret, ut totum mundum faceret deo subditum [b]. Subditus autem mundus eo per legem factus est, quia ex praescripto legis omnes conueniuntur et ex operibus legis nemo iustificatur; id est, quia per legem peccatum cognoscitur, sed culpa non relaxatur, uidebatur lex nocuisse, quae omnes fecerat peccatores.

11.   Sed ueniens dominus Iesus peccatum omnibus, quod nemo poterat euadere, donauit et chirographum nostrum sui sanguinis effusione deleuit [a]. Hoc est quod ait: Superabundauit peccatum per legem; superabundauit autem gratia per Iesum [b], quia, postquam totus mundus subditus factus est, totius mundi peccatum abstulit, sicut testificatus est Ioannes dicens: *Ecce agnus dei, ecce qui tollit peccatum mundi* [c]. Et ideo nemo glorietur in operibus, quia nemo factis suis iustificatur; sed qui iustus est, donatum habet, quia per lauacrum iustificatus est. Fides ergo est quae liberat per sanguinem Christi [d], quia beatus ille cui peccatum remittitur et uenia donatur.

Vale, fili, et nos dilige, quia nos te diligimus.

    [c] Rom 5, 19.
10. [a] Cf. Rom 5, 20.
    [b] Cf. Rom 3, 19.
11. [a] Cf. Col 2, 14.
    [b] Cf. Rom 5, 20.
    [c] Io 1, 29.
    [d] Cf. Rom 4, 6.

prevaricazione umana. Perciò, come per la disobbedienza era entrato il peccato, cosí per l'obbedienza il peccato fu vinto. Per cui anche l'Apostolo dice: *Come per la disobbedienza di un solo uomo moltissimi sono stati costituiti peccatori, cosí anche per l'obbedienza di un solo uomo molti saranno costituiti giusti.*

9. Comprendi, dunque, una prima cosa: che la Legge era superflua e divenne non superflua: superflua, perché non sarebbe stata necessaria, se avessimo potuto osservare la legge naturale; ma siccome non l'abbiamo osservata, questa Legge — promulgata per mezzo di Mosè — divenne necessaria per insegnarmi l'obbedienza e sciogliere quel laccio della prevaricazione di Adamo, che aveva avvinto tutta la sua eredità. Crebbe dunque la colpa per opera della Legge, ma fu anche annientata la superbia, causa della colpa, e questo mi giovò. La superbia, infatti, diede origine alla colpa, ma la colpa procurò la grazia.

10. Impara un'altra cosa. Non era necessaria la Legge promulgata per mezzo di Mosè. Perciò subentrò dopo, cosa che sembra indicare un ingresso non regolare, ma — in un certo senso — furtivo, perché entrò in luogo della legge naturale. Quindi, se quella avesse conservato il proprio posto, questa Legge scritta non sarebbe entrata affatto; ma siccome la prevaricazione aveva messo da parte quella legge e quasi l'aveva cancellata dai cuori degli uomini, regnava la superbia, la disobbedienza si era diffusa. Perciò subentrò questa, per chiamarci in giudizio con un testo scritto e tappare ogni bocca, cosí da rendere tutto il mondo soggetto a Dio. E il mondo mediante la Legge divenne soggetto, perché secondo il dettato della Legge tutti sono chiamati in giudizio e nessuno è giustificato secondo le opere della Legge; cioè, siccome per opera della Legge si conosce il peccato ma non viene rimessa la colpa, sembrava che la Legge, che aveva reso tutti peccatori, fosse stata nociva.

11. Ma il Signore Gesú, con la sua venuta, rimise a tutti il peccato cui nessuno poteva sottrarsi, e cancellò — versando il suo sangue — la nostra cambiale. Questo è il significato delle parole: «Sovrabbondò il peccato per opera della Legge, ma sovrabbondò la grazia per opera di Gesú», perché, dopo che tutto il mondo fu reso soggetto, tolse il peccato di tutto il mondo, come attestò Giovanni dicendo: *Ecco l'Agnello di Dio, ecco Colui che toglie il peccato del mondo.* E perciò nessuno si vanti delle proprie opere, perché nessuno è giustificato dalle proprie azioni, ma chi è giusto ha in dono la giustificazione mediante il battesimo. È la fede quella che libera per merito del sangue di Cristo, perché è beato quello cui il peccato viene rimesso ed è concesso il perdono.

Sta' sano, figlio, ed amaci, perché noi ti amiamo.

LXIV (Maur. 74)

Ambrosius Irenaeo

1.   Audisti, fili, hodie lectum in apostolo quia *lex paedagogus noster fuit in Christo, ut ex fide iustificemur* [a]. Quo uno absolutas arbitror quaestiones, quae plerosque mouere consuerunt. Sunt enim qui dicant: Cum legem deus Moysi dederit, quid causae est ut pleraque in lege sint, quae per euangelium iam uacuata uidentur? Et quomodo unus utriusque conditor testamenti, cum id quod licebat in lege per euangelium coeperit non licere, ut est circumcisio corporalis, quae, licet etiam tunc signo data sit, ut circumcisionis spiritalis ueritas teneretur, tamen qua ratione uel in ipso signo fuit? Cur ista diuersitas aestimatur, ut tunc circumcidi pietas crederetur, nunc impietas iudicetur? Deinde sabbati diem feriatum esse debere obseruabatur ex lege, ita ut, si quis onus aliquod lignorum portasset, mortis fieret reus [b]; nunc autem diem ipsum et oneribus subeundis et negotiis obeundis sine poena aduertimus deputari. Et pleraque praecepta sunt legis, quae praesenti tempore cessare uidentur.

2.   Quid ergo causae sit, consideremus; non enim otiose dixit apostolus quia *lex paedagogus noster fuit in Christo*. Paedagogus cuius est, maturioris an adulescentis? Vtique aut adulescentis aut pueri, hoc est, aetatis infirmae. Paedagogus, sicut etiam interpretatio Latina habet, ductor est pueri, qui utique imperfectae aetati non potest perfecta adhibere praecepta, quae sustinere non queat. Denique per prophetam deus legis ait: *Dabo uobis praecepta non bona* [a], hoc est, non perfecta; quod enim bonum, utique perfectum. Idem autem deus euangelio perfectiora seruauit, siquidem ait: *Non ueni legem soluere, sed implere* [b].

---

1. [a] Gal 3, 24.
   [b] Cf. Num 15, 35.
2. [a] Ez 20, 25.
   [b] Mt 5, 17.

2, 5 doctor *Maurini*, ductor *cum nonnullis mss. malui; uide notam 3.*

64 (Maur. 74)
Ambrogio a Ireneo [1]

1. Hai aggiunto, o figlio, che oggi nell'Apostolo si è letto che *la Legge fu il nostro pedagogo in Cristo, affinché siamo giustificati per la fede.* Da questa sola affermazione ritengo siano risolte tutte le questioni che molti sono soliti suscitare. C'è gente, infatti, che dice: «Siccome Dio ha dato la Legge a Mosè, perché mai nella Legge vi sono molte prescrizioni che appaiono annullate per mezzo del Vangelo?». E come può essere unico l'autore dei due Testamenti, dal momento che quello che era lecito secondo la Legge ha cominciato a non essere lecito secondo il Vangelo, come — per esempio — la circoncisione del corpo? Anche se essa fu allora imposta come segno, perché si comprendesse la verità della circoncisione spirituale, tuttavia in qual modo questa si trovava almeno nel puro segno? Perché questa diversità viene valutata in modo che allora si credeva devozione l'essere circonciso, ed ora si giudica empietà? Inoltre, secondo la Legge si osservava il dovere del riposo del sabato, cosí che se uno avesse portato un carico di legna sarebbe stato reo di morte; ora, invece, costatiamo che quel medesimo [2] giorno è destinato a portare pesi, a trattare affari senza alcuna pena. E sono molte le prescrizioni della Legge che al presente sembrano non aver valore.

2. Consideriamo, dunque, quale ne sia il motivo; infatti l'Apostolo non senza ragione ha detto che *la Legge fu il nostro pedagogo in Cristo.* Per chi è il pedagogo, per un uomo ormai pienamente adulto o per un adolescente? Senza dubbio, o per un adolescente o per un fanciullo, cioè per un'età non ancora valida. Il pedagogo infatti, come significa anche la traduzione latina, è la guida [3] del fanciullo; egli certamente non può applicare a un'età imperfetta precetti perfetti che essa non potrebbe sopportare. Perciò, per mezzo del profeta il Dio della Legge dice: *Vi darò precetti non buoni* [4]; infatti, ciò che è buono è indubbiamente perfetto. E lo stesso Dio riservò al Vangelo insegnamenti piú perfetti, poiché dice: *Non sono venuto ad abolire la Legge, ma a darle compimento.*

---

[1] Assegnata dal Palanque (*op. cit.*, p. 476) a Clemenziano quale destinatario, dai Maurini e dalla Zelzer (*op. cit.*, p. XV) a Ireneo.

[2] Intendo *ipsum = eundem*, come altre volte in sant'Ambrogio.

[3] I Maurini avvertono che molti mss. hanno *ductor* al posto di *doctor*. Ora, dato che sant'Ambrogio si riferisce alla traduzione latina del termine greco, *doctor* sarebbe traduzione errata, cosa da escludere per il nostro Santo, buon conoscitore della lingua greca. Vedi anche lettera 65 (M. 75), 5.

[4] La *Vulgata* ha: *Ergo et ego dedi eis praecepta non bona et iudicia in quibus non uiuent.* Analogo è il testo dei *Settanta*. Si allude a «una cattiva interpretazione della legge dell'offerta dei primogeniti, intesa di un'offerta cruenta come quella degli animali» (CEI).

3.   Quae igitur istius causa distantiae nisi humana uarietas? Sciebat durae ceruicis populum Iudaeorum, lapsu mobilem, humilem, perfidiae promptiorem, qui aure audiret et non audiret, oculis uideret et non uideret, lubrico quodam infantiae leuem et immemorem praeceptorum; et ideo legem tamquam paedagogum mobili plebis ingenio et menti adhibuit infirmae ipsaque legis praecepta moderatus, aliud legi uoluit, aliud intellegi, ut insipiens saltem quod legeret custodiret et a praescripto litterae non recederet; sapiens intellegeret diuinae mentis sententiam, quam littera non resonaret, imprudens seruaret legis imperium, prudens mysterium. Ideo lex seueritatem gladii habet tamquam paedagogus baculum, ut imperfectae plebis infirmitatem poenae saltem denuntiatione deterreat, euangelium autem indulgentiam habet, quo peccata donantur.

4.   Iure ergo ait Paulus quia *littera occidit, spiritus autem uiuificat* [a]. Littera igitur circumcidit exiguam corporis portionem, spiritus intellegens circumcisionem totius animae corporisque custodit, ut, superfluis amputatis — quid enim tam superfluum quam auaritiae uitia libidinisque peccata, quae natura non habuit, culpa quaesiuit? —, castimonia teneatur, frugalitas diligatur. Signum igitur circumcisio corporalis, ueritas autem circumcisio spiritalis est: illa membrum amputat, ista peccatum. Nihil imperfectum in homine natura generauit nec tamquam superfluum iubebatur auferri, sed ut aduerterent, qui partem sui corporis amputabant, multo magis amputanda peccata, recidendos eos, qui delicta suadeant, etiamsi quadam unitate corporis connecterentur, sicut habes scriptum: *Si dextera manus tua scandalizat te, abscinde eam et proice abs te; expedit enim tibi ut pereat unum membrorum tuorum, quam totum corpus tuum eat in gehennam* [b]. Ergo sicut pueris, ita Iudaeis mandata sunt non plena praecepta, sed ex parte, et uelut unam membri sui partem mundam seruare praecepti sunt, qui totum corpus suum mundum seruare non poterant.

5.   Sabbati quoque ferias uno die in hebdomada celebrare iussi sunt [a], ut nulli oneri subderentur, qui mundanis operibus absoluti utinam sic abiissent, ut in illud perpetuum futurorum sabbatum saeculorum nulla secum grauium ueherent onera delictorum! Sed quia lubricum populum deus nouerat, partem infirmioribus diei unius obseruatione praescripsit, plenitudinem fortioribus reseruauit: synagoga diem obseruat, ecclesia immortalitatem. In lege igitur portio, in euangelio perfectio est.

4. [a] 2 Cor 3, 6.
  [b] Mt 5, 30.
5. [a] Cf. Ex 31, 5.

3. Qual è, dunque, la causa di questa differenza se non la diversità umana? Sapeva che il popolo dei Giudei era di dura cervice, facile a cedere, meschino, alquanto incline all'infedeltà, tale da ascoltare e non ascoltare con l'orecchio, da vedere e non vedere con gli occhi, per cosí dire; per l'insipienza dell'infanzia, leggero e immemore dei precetti. Perciò Dio usò la Legge come un pedagogo: per il carattere incostante del popolo e per la debolezza del suo animo; e — mitigando gli stessi precetti della Legge — altro volle si leggesse, altro si comprendesse, affinché lo stolto custodisse almeno ciò che leggeva e non si allontanasse dalla lettera della prescrizione, il sapiente invece comprendesse il concetto della mente divina non espresso dalla lettera, lo sprovveduto osservasse l'imposizione della Legge, il saggio il mistero. Perciò la Legge ha la severità della spada, come il pedagogo la verga, per distogliere la debolezza del popolo imperfetto quanto meno con la minaccia della pena; il Vangelo, che perdona i peccati, usa invece l'indulgenza.

4. A buon diritto, dunque, Paolo dice che *la lettera uccide, lo Spirito dà vita*. La lettera, dunque, circoncide un'esigua parte del corpo, lo spirito che comprende custodisce la circoncisione di tutta l'anima e di tutto il corpo, affinché, tagliato ciò che è superfluo — che cosa infatti è tanto superfluo quanto i vizi dell'anima, i peccati della dissolutezza, che la natura non aveva e la colpa ricerca? —, si osservi la castità, si ami la frugalità. La circoncisione corporale è un segno, la circoncisione spirituale è la verità: quella taglia il membro, questa il peccato. La natura non ha generato, nell'uomo, nulla d'imperfetto né ordinava che fosse tolto come superfluo, ma voleva che quelli che amputavano una parte del loro corpo comprendessero che dovevano molto di piú amputare i peccati, troncare quelli che inducono al peccato, anche se — per cosí dire — fossero congiunti al corpo, come trovi scritto: *Se la tua mano destra ti scandalizza, tagliala e gettala via da te; è meglio infatti per te che perisca uno dei tuoi membri piuttosto che tutto il tuo corpo vada alla Geenna*. Dunque, come ai fanciulli, cosí ai Giudei non sono stati prescritti precetti completi, ma parziali, e hanno avuto l'ordine di conservare pura, per cosí dire, una parte del loro membro, poiché non erano in grado di conservare puro tutto il loro corpo.

5. Ebbero anche l'ordine di osservare un giorno alla settimana il riposo del sabato, cosí da non sottoporsi ad alcuna fatica; e magari fossero andati ugualmente liberi dalle opere mondane, cosí da non portare con loro in quell'eterno sabato dei secoli futuri nessun peso di gravi delitti! Ma, perché Dio sapeva che quel popolo era facile a cadere, prescrisse una parte ai piú deboli con l'osservanza di un sol giorno, mentre riservò ai piú forti un'osservanza completa: la Sinagoga osserva un giorno, la Chiesa l'immortalità. Nella Legge c'è dunque una parte, nel Vangelo la perfezione.

6.   Populo Iudaeorum ligna portare prohibetur [a], hoc est, illa quae consumuntur incendio. Vmbram tenet qui solem refugit. Tibi sol iustitiae umbram impedimento esse non passus, apertum gratiae suae lumen infundens ait: *Vade et amodo uide ne pecces* [b]. Tibi aeterni illius solis imitator ait: *Si quis autem superaedificauerit super fundamentum aurum, argentum, lapides pretiosos, ligna, fenum, stipulam, uniuscuiusque opus manifestum erit. Dies enim domini manifestabit, quoniam in igne reuelabitur. Et uniuscuiusque opus quale sit, ignis probabit* [c]. Et ideo illud superaedificemus supra Christum — Christus enim nostrum est fundamentum — quod non exuratur, sed melioretur. Aurum melioratur igne, melioratur argentum.

7.   Audisti aurum et argentum, putas hoc materiale, congregare desideras, sed ludis operam. Hoc aurum et argentum onus habet, fructum non habet. Onus quaerentis est sumptus heredis. Hoc aurum sicut lignum exuritur, non perpetuatur; hoc argentum in die illo detrimentum uitae tuae, non lucrum afferet. Aliud aurum, aliud argentum a te quaeritur, hoc est, sensus bonus, uerbum optimum [a], de quibus dicit deus quia dat uasa aurea et argentea. Haec sunt munera dei: *Eloquia domini, eloquia casta: argentum igne examinatum, probatum terrae, purgatum septuplo* [b]. Gratia sensus tui nitor casti sermonis exigitur: splendor fidei, non tinnitus argenti. Hoc manet, illud perit; hoc mercedem habet et migrat nobiscum, illud detrimentum habet, quod hic relinquitur.

8.   Si quis diuitum putat quod illud argentum repositum et reconditum ei suffragari possit ad uitam, onus inane portat, quod iudicii ignis absumat. Hic relinquite ligna uestra, diuites, ut onus uestrum futuro incendio incrementa non addat. Si erogaueris, minuetur onus et quod remanserit onus non erit. Noli, auare, recondere, ne fias nudo quidem nomine christianus, opere iudaeus, cum aduerteris onera tua tibi esse supplicio. Dictum est enim tibi non per umbram, sed in sole: *Si cuius opus manserit, mercedem accipiet; si cuius arserit, detrimentum patietur* [a].

9.   Et ideo tamquam perfectus eruditus in lege, confirmatus in euangelio, utriusque fidem suscipe testamenti: *Beatus* enim *qui seminat super omnem aquam, ubi bos et asinus calcat* [a], sicut hodie lectum est, hoc est, qui seminat super populos qui sequuntur testamenti utriusque doctrinam; bos est ille aratorius legis iugum portans, de quo lex dicit: *Boui trituranti os non alligabis* [b], qui habet scripturarum cornua diuinarum. Pullum autem asinae dominus in euangelio in figura populi gentilis ascendit [c].

6. [a] Cf. Num 15, 33.
   [b] Io 8, 11.
   [c] * 1 Cor 3, 12-13.
7. [a] Cf. Prou 10, 27.
   [b] Ps 11, 7.
8. [a] 1 Cor 3, 14.
9. [a] * Is 32, 20.
   [b] Deut 25, 4.
   [c] Cf. Lc 19, 33.

6. Il popolo dei Giudei ha la proibizione di portare legna [5], cioè materiale che viene consumato dal fuoco. Chi evita il sole, sta all'ombra. Il Sole di giustizia, non permettendo che l'ombra ti fosse di ostacolo, infondendo liberamente la luce della sua grazia dice: *Va' e d'ora in poi non peccare più.* L'imitatore di quel Sole eterno ti dice: *E se uno pone sopra un fondamento oro, argento, pietre preziose, legno, fieno, paglia, l'opera di ciascuno sarà ben visibile. Il giorno del Signore, infatti, la renderà manifesta, poiché si rivelerà nel fuoco e il fuoco dimostrerà quale sia l'opera di ciascuno.* E perciò poniamo su Cristo — Cristo infatti è il nostro fondamento — un materiale che non sia bruciato, ma diventi migliore. L'oro è purificato dal fuoco, e così l'argento.

7. Hai sentito parlare d'oro e d'argento, li credi un materiale, desideri di ammassarli, ma beffi il tuo lavoro. Quest'oro brucia come il legno, non dura per sempre; quest'argento in quel giorno recherà danno, non vantaggio alla tua vita. Altro oro, altro argento ti si chiede: cioè i buoni sentimenti, la parola ottima, cose di cui Dio dice che danno vasi d'oro e d'argento. Questi sono i doni di Dio: *Le parole del Signore sono pure, argento purificato dal fuoco, raffinato nel crogiuolo, purgato sette volte.* Si richiede la grazia del tuo sentimento, lo splendore di un discorso casto: lo splendore della fede, non il tintinnio dell'argento. Quello dura, questo perisce; quello ottiene la ricompensa e viene con noi, questo va perduto, perché si lascia qui.

8. Se qualche ricco crede che quell'argento riposto e celato possa essergli vantaggioso per la vita, porta un peso inutile che il fuoco del giudizio consumerà. Lasciate qui la vostra legna, ricchi, perché il vostro carico non incrementi il fuoco che vi attende. Se lo elargisci, il tuo peso diminuirà e quello che resterà non sarà un peso. Avaro, non mettere da parte, per non essere cristiano soltanto di nome, in realtà giudeo, quando ti accorgerai che i tuoi pesi sono un supplizio per te. Ti è stato detto, infatti, non nell'ombra, ma in pieno sole: *Se l'opera di uno rimarrà, ne riceverà la ricompensa; se brucerà, ne avrà danno.*

9. E perciò, come un perfetto conoscitore della Legge, confermato nel Vangelo, accetta la garanzia dell'uno e dell'altro Testamento: *Beato,* infatti, *chi semina lungo tutti i corsi d'acqua, dove calpesta il bue e l'asino,* come si è letto oggi: cioè, chi semina sui popoli che seguono l'insegnamento di entrambi i Testamenti; il bue è quello che trascina l'aratro portando il giogo della Legge, del quale la Legge dice: *Al bue che trebbia non legherai la bocca,* poiché ha le corna delle Scritture divine. Nel Vangelo, poi, il Signore montò il puledro di un'asina quale figura del popolo pagano.

---

[5] Si riferisce all'episodio dell'uomo sorpreso a raccogliere legna in giorno di sabato (cf. Num 15, 33). Quindi, l'interpretazione di sant'Ambrogio non tiene conto del contesto biblico.

10.   Puto autem, quoniam diues est uerbum dei, quod etiam illud intellegere debeamus, quia bos habet cornua plena terroris, taurus ferociam habet, asinus mansuetudinem, quod bene ad praesentia deriuatur, quia beatus qui et seueritatem et mansuetudinem tenet, ut altero disciplina seruetur, altero innocentia non opprimatur; nimia enim seueritas extorquet plerumque terrore mendacium. Deus diligi maluit quam timeri; dominus autem caritatem exigit, seruus timorem, cum perpetuus in homine terror esse non possit, quia scriptum est, sicut hodie lectum est: *Ecce in timore uestro ipsi timebunt, quos timebatis* [a].

Vale, fili, et nos dilige, quia nos te diligimus.

LXV (Maur. 75)

Ambrosius Irenaeo

1.   Etsi sciam quod nihil difficilius sit quam de apostoli lectione disserere, cum ipse Origenes longe minor sit in nouo quam in ueteri testamento, tamen, quoniam superiori epistula uisus tibi sum, cur paedagogus lex diceretur, non absurde explicauisse, hodierno quoque sermone uim ipsam apostolicae disputationis meditabor aperire.

2.   Superiora enim lectionis eius hoc habent, eo quod ex operibus legis nemo iustificetur, sed ex fide: *Quoniam qui ex operibus legis sunt, sub maledicto sunt... Christus* autem *redemit nos de maledicto legis, factus pro nobis maledictum* [a]. Non ex lege igitur hereditas data est, sed ex repromissione. Etenim *Abrahae dictae sunt repromissiones et semini eius... quod est Christus* [b]. Lex itaque praeuaricationum gratia posita est, donec ueniret semen cui repromissum est [c]; et ideo *conclusa sunt omnia sub peccato, ut repromissio ex fide Iesu Christi daretur credentibus* [d]... *Postquam autem uenit fides, iam non sub lege,* hoc est sub paedagogo, *sumus* [e]; et quia sumus filii dei, et omnes sumus in Christo Iesu. Si autem omnes sumus in Christo Iesu, ergo Abrahae semen sumus, secundum repromissionem heredes. Haec est apostolicae conclusio sententiae.

10. [a] Is 33, 3 (*Sept.*).

2. [a] * Gal 3, 10.13.
  [b] * Gal 3, 16.
  [c] Cf. * Gal 3, 19.
  [d] * Gal 3, 22.
  [e] * Gal 3, 25.

Ep. 65, tit. Clementiano *Maurini qui tamen* Irenaeo *suspicantur.*

10.   E penso che è ricca, la parola di Dio, poiché dobbiamo intendere anche che il bue ha le corna che sono piene di terrore, il toro ha la ferocia, l'asino la mansuetudine: ciò si applica bene al presente, perché è beato chi pratica la severità e la mansuetudine, in modo che da un lato si osservi la regola, dall'altro non sia oppressa l'innocenza. Infatti l'eccessiva severità estorce spesso col terrore la menzogna. Dio preferí essere amato piuttosto che temuto: Dio richiede l'amore, lo schiavo il timore; poiché nell'uomo non vi può essere un timore senza fine, dato che sta scritto, come si è letto oggi: *Ecco nel vostro timore temeranno quegli stessi che voi temevate*.

Sta' sano, figlio, ed amaci, perché noi ti amiamo.

65 (Maur. 75)
Ambrogio a Ireneo [1]

1.   Anche se so che non c'è nulla di piú difficile che discutere del testo dell'Apostolo, dal momento che lo stesso Origene è di gran lunga meno valido nel Nuovo piú che nell'Antico Testamento, tuttavia, poiché nella precedente lettera [2] ti è parso che io non abbia spiegato in modo assurdo perché la Legge viene chiamata pedagogo, anche nel discorso odierno cercherò di chiarire il significato preciso del ragionamento dell'Apostolo.

2.   Il testo che precede, contiene questa affermazione, per il fatto che nessuno è giustificato dalle opere della Legge: *Poiché quelli che si richiamano alle opere della Legge stanno sotto la maledizione... Ma Cristo ci ha riscattati dalla maledizione della Legge, divenendo egli stesso maledizione per noi.* Quindi, l'eredità ci è stata data non sul fondamento della Legge, ma della promessa. *Infatti ad Abramo e alla sua discendenza, che è Cristo, furono fatte le promesse*; e perciò, *tutto fu racchiuso sotto il peccato, perché ai credenti la promessa venisse data per la fede in Gesú Cristo... Ma dopoché è venuta la fede, noi non siamo piú sotto la Legge*, cioè *sotto un pedagogo*, e, siccome siamo figli di Dio, siamo anche tutti in Cristo Gesú. Ma se tutti siamo in Cristo Gesú, siamo dunque discendenza di Abramo, eredi secondo la Promessa. Questa è la conclusione del pensiero dell'Apostolo.

---

[1] Cosí la Zelzer (*op. cit.*, p. XV), e, almeno in nota, i Maurini. Il Palanque (*op. cit.*, p. 476) ritiene destinatario Clemenziano.

[2] Da questo passo si deduce in modo preciso che le lettere 64 e 65 sono indirizzate alla stessa persona: Ireneo o, come vuole il Palanque, Clemenziano.

3.   Sed occurrit adhuc ei, qui poterat etiam iudaeus dicere:
« Et ego heres sum, quoniam sub lege sum, lex autem uetus dicitur
testamentum; ubi autem testamentum, ibi hereditas». Et licet ad
Hebraeos ipse dixerit quia testamentum non ualet, nisi mors
intercedat testatoris ᵃ, id est, quoniam testamentum non ualet,
quamdiu uiuit testator, sed eius morte firmatur; tamen, quia in
Hieremia dominus locutus est de Iudaeis et ait: *Facta est hereditas
mihi sicut leo* ᵇ, heredes eos negare noluit. Sed sunt heredes sine
re, sunt et cum re; et dicuntur heredes testatore uiuente, qui
scripti sunt, sed sine re.

4.   Sunt etiam heredes paruuli, qui nihil differunt a seruulo,
quoniam sub curatoribus sunt et actoribus: *Ita*, inquit, *et nos
eramus Iudaei sub elementis mundi huius seruientes. Postquam
uero uenit plenitudo temporis, et Christus aduenit* ᵃ. Iam non sumus
serui, sed liberi, si credamus in Christum. Ergo dedit illis speciem
hereditatis, possessionem negauit. Habent nomen heredis, usum
non habent, quia sicut paruuli heredes nomen nudum haeredita-
tis, non auctoritatem usurpant, iubendi ius et utendi non habent,
quia plenitudinem suae aetatis expectant, ut a curatoribus liberen-
tur.

5.   Sicut ergo paruuli, ita et Iudaei sub paedagogo sunt. Lex
paedagogus est: paedagogus ad magistrum ducit, magister noster
solus est Christus: *Nolite dicere uobis dominum et magistrum, quia
dominus et magister uester unus est Christus* ᵃ. Paedagogus timetur,
magister uiam salutis ostendit. Timor ergo ad libertatem perducit,
libertas ad fidem, fides ad caritatem; caritas acquirit adoptionem,
adoptio haereditatem. Ergo ubi fides, ibi libertas; seruus enim
sub metu, liber ex fide. Ille sub littera, iste sub gratia; ille in
seruitute, iste in spiritu. *Vbi autem spiritus domini, ibi libertas* ᵇ.
Si igitur ubi fides, ibi libertas; ubi libertas, ibi gratia; ubi gratia,
ibi hereditas; Iudaeus autem littera, non spiritu in seruitute est;
qui non habet fidem, non habet spiritus libertatem. Vbi autem
nulla libertas, nulla gratia; ubi nulla gratia, nulla adoptio; ubi
nulla adoptio, nulla successio.

6.   Tamquam clausis ergo tabulis, cernit hereditatem, non
possidet, auctoritatem non habet lectionis. Nam quomodo dicit:
Pater noster ᵃ, qui uerum dei filium negat, per quem adoptiuus
acquiritur? Quomodo testamentum nuncupat, qui mortem testa-

---

3. ᵃ Cf. Hebr 9, 17.
   ᵇ * Ier 12, 8.
4. ᵃ * Gal 4, 3.
5. ᵃ * Mt 23, 10.
   ᵇ 2 Cor 3, 17.
6. ᵃ Mt 6, 9.

3. Ma risponde ancora al Giudeo, che avrebbe potuto anche dire: «Anch'io sono erede, poiché sono sotto la Legge. E la Legge è chiamata Antico Testamento, e dove c'è un testamento, c'è un'eredità». E sebbene egli stesso [3] abbia detto agli Ebrei che un testamento non vale se non interviene la morte del testatore — cioè che il testamento non vale finché vive il testatore, ma riceve conferma dalla sua morte —, tuttavia, poiché in Geremia il Signore ha parlato dei Giudei e dice: *L'eredità è divenuta per me come un leone*, non volle misconoscerli quali eredi. Ma vi sono eredi senza patrimonio e ve ne sono anche con patrimonio; e sono chiamati eredi, finché vive il testatore, quelli che sono menzionati nel testamento, ma senza patrimonio.

4. Vi sono anche eredi bambini, che non differiscono in nulla da uno schiavo, perché sono sotto curatori e amministratori: *Così*, dice, *anche noi Giudei eravamo schiavi sotto gli elementi di questo mondo. Ma poiché venne la pienezza del tempo, venne anche Cristo.* Ormai non siamo più schiavi, ma liberi, se crediamo in Cristo. Dunque, diede loro l'apparenza dell'eredità, ma ne rifiutò loro il possesso. Hanno il nome di erede, non hanno il godimento dell'eredità, perché come bambini godono del puro nome dell'eredità, non hanno il potere su di essa, non hanno il diritto di disporne e di usarne, perché attendono la pienezza del loro tempo, per essere liberati dai curatori.

5. Come i bambini, dunque, così anche i Giudei sono sotto un pedagogo. Il pedagogo è la Legge: il pedagogo conduce dal maestro, il nostro maestro è solo Cristo: *Non chiamate alcuno vostro signore e maestro, perché signore e maestro vostro è solo Cristo*. Il pedagogo è temuto, il maestro mostra la via della salvezza. Il timore conduce dunque alla libertà, la libertà alla fede, la fede all'amore; l'amore ottiene l'adozione, l'adozione l'eredità. Dunque, dove c'è la fede c'è la libertà; infatti lo schiavo è nel timore, il libero è tale per la fede. Quello sta sotto la lettera, questo sotto la grazia; quello nella schiavitù, questo nello Spirito. Ma dove *c'è lo Spirito del Signore, c'è la libertà*. Se, dunque, dove c'è la fede c'è la libertà, dove c'è la libertà c'è la grazia, dove c'è la grazia c'è l'eredità. Il Giudeo è nella schiavitù per la lettera, non per lo Spirito: chi non ha la fede non ha la libertà dello Spirito. Ma dove non c'è libertà non c'è grazia, dove non c'è grazia non c'è adozione, dove non c'è adozione non c'è successione ereditaria.

6. Il Giudeo vede l'eredità come se il Testamento fosse ancora sigillato: non la possiede, non ha l'autorità del testo sacro. Infatti, come può dire: *Padre nostro* colui che nega il vero Figlio di Dio per merito del quale si ottiene l'adozione? Come invoca

---

[3] Oggi la lettera agli Ebrei non è più attribuita a san Paolo.

toris negat? Quomodo libertatem usurpat, qui negat sanguinem quo redemptus est? Hic enim est noster pretium libertatis, sicut Petrus dicit: *Sanguine pretioso redempti estis* [b], non agni utique, sed eius qui mansuetudine et humilitate tamquam agnus aduenit et totum mundum una sui corporis hostia liberauit, sicut ipse ait: *Sicut agnus ductus sum ad immolandum* [c]. Vnde et Ioannes ait: *Ecce agnus dei, ecce qui tollit peccatum mundi* [d].

7.   Ergo Iudaeus heres in littera, non spiritu [a], tamquam paruulus est sub curatoribus et actoribus; christianus autem, qui plenitudinem temporis agnouit, qua Christus aduenit factus ex muliere, factus sub lege, ut omnes, qui sub lege erant, redimeret, christianus, inquam, per unitatem fidei et agnitionem filii dei in uirum perfectum, in mensuram aetatis exsurgit plenitudinis Christi [b].

Vale, fili, et nos dilige, quia nos te diligimus.

LXVI (Maur. 78)
Ambrosius Orontiano

1.   *Sic Abraham credidit deo, et reputatum est ei ad iustitiam* [a], quod autem reputatur ad iustitiam, ex incredulitate ad fidem est; utique ex fide iustificamur, non ex operibus legis. Abrahae autem ipsi duo filii, Ismael et Isaac, unus de ancilla, alter de libera [b]. Et responsum huiusmodi, ut expelleret ancillam et filium ancillae; non enim heredem fore ancillae filium: et ideo non ancillae nos filios esse, sed liberae, qua libertate nos Christus liberauit. Vnde colligitur quod ii magis Abrahae filii, qui ex fide; praestant enim fidei quam generationis heredes. Lex paedagogus est, fides libera: abiciamus ergo opera seruitutis, teneamus gratiam libertatis, deseramus umbram, solem secuti: ritus iudaicos deseramus [c].

[b] 1 Pt 1, 19.
[c] * Is 53, 7.
[d] Io 1, 29.
7. [a] Cf. Gal 4, 2.
   [b] Cf. Eph 4, 13.

1. [a] Gen 15, 6.
   [b] Cf. Gal 4, 22 ss.
   [c] Cf. Gal 3, 24.

il Testamento chi nega la morte del testatore? Come può usare della libertà chi nega il sangue che lo ha redento? Questo, infatti, è il prezzo della nostra libertà, come dice Pietro: *Siete stati redenti con un sangue prezioso*; non di un agnello, ma di colui che con la sua mansuetudine e umiltà è venuto come un agnello e ha liberato tutto il mondo col solo sacrificio del suo corpo, come dice Egli stesso: *Come un agnello sono stato condotto al sacrificio*. Perciò, anche Giovanni dice: *Ecco l'Agnello di Dio, ecco colui che toglie il peccato del mondo*.

7.   Dunque, il Giudeo è erede secondo la lettera, non secondo lo Spirito, come un bambino è sotto i curatori e gli amministratori; il cristiano, invece, che ha riconosciuto la pienezza del tempo in cui Cristo venne concepito da una vergine — concepito sotto la Legge per redimere tutti quelli che stavano sotto la Legge —, il cristiano, ripeto, per l'unità della fede, per la conoscenza del Figlio di Dio, è elevato allo stato di uomo perfetto, alla misura della piena maturità di Cristo.

Sta' sano, figlio, ed amaci, perché anche noi ti amiamo.

66 (Maur. 78)

Ambrogio a Oronziano [1]

1.   *Così Abramo credette a Dio e gli fu accreditato come giustizia*, e ciò che viene accreditato come giustizia è la conversione dall'incredulità alla fede: certamente siamo giustificati sul fondamento della fede, non delle opere della Legge. Ma Abramo stesso aveva due figli, Ismaele ed Isacco: l'uno nato da una schiava, l'altro da una donna libera. E gli fu impartito un tale ordine: di cacciare, cioè, la schiava e il figlio della schiava; il figlio della schiava, infatti, non sarebbe stato erede. E perciò noi non siamo figli della schiava, ma della libera; libertà, questa, con la quale Cristo ci ha liberati. Da ciò si deduce che sono maggiormente figli di Abramo quelli che lo sono per fede; sono infatti superiori gli eredi per fede a quelli per procreazione. La Legge è il pedagogo, la fede è libera. Mettiamo da parte le opere della schiavitú, teniamo la grazia della libertà, abbandoniamo l'ombra seguendo il sole: abbandoniamo i riti giudaici.

[1] Vedi lettera 18 (M. 70), nota 1.

2. Circumcisio membri unius nihil prodest. Denique ait apostolus: *Ecce ego Paulus dico uobis quoniam, si circumcidamini, Christus uobis nihil proderit* [a]. Non quia non possit, sed quia indignos beneficiis suis iudicet, qui uias eius deserant.

3. Et quidem ante Sephora circumcidit filium suum [a] et periculum depulit, quod imminebat; sed tunc profuit Christus, cum adhuc perfecta differret. Cum paruulus esset populus credentium, uenit non paruulus sed perfectus in omnibus dominus Iesus. Circumcisus est primum secundum legem, ne legem solueret; postea per crucem, ut legem impleret [b]. Cessauit ergo quod ex parte est, quia uenit quod perfectum est; crux enim in Christo non unum membrum, sed totius circumcidit superfluas corporis uoluptates.

4. Fortasse adhuc quaeritur qua ratione circumcidi ex parte uoluerit, qui uenerat perfectam circumcisionem demonstraturus. De quo non puto esse diutius deliberandum. Nam si peccatum factus est, ut nostra peccata mundaret [a], si maledictum pro nobis factus est, ut legis maledicta uacuaret [b], ea ratione et circumcisus pro nobis est, ut circumcisionem legis auferret daturus salutem crucis.

5. Spiritu igitur ex fide spem iustitiae exspectandam nobis asserit apostolus [a] et in libertatem uocatos libertatem nostram in occasionem carnis non debere conferre. Siquidem *neque circumcisio aliquid ualet neque praeputium, sed fides quae per caritatem operatur* [b]. Et ideo scriptum est: *Diliges dominum deum tuum* [c]. Qui autem diligit, utique credit et credendo unusquisque diligere incipit. Denique Abraham credidit et sic diligere coepit et credidit non ex parte, sed per omnia. Aliter enim plenam non poterat habere caritatem, quia scriptum est: *Caritas credit omnia* [d]. Si non credit omnia, non uidetur caritas esse perfecta. Ergo perfecta caritas omnem fidem habet.

6. Non tamen facile dixerim quod continuo omnis fides perfectam caritatem habet, quia apostolus dixit: *Si habuero omnem fidem, ita ut montes transferam, caritatem autem non habeam, nihil mihi prodest* [a]. Etenim cum tria sint maxime in uiro christiano, spes, fides, caritas, maior his est caritas [b].

---

2. [a] Gal 5, 2.
3. [a] Cf. Ex 4, 25.
   [b] Cf. 1 Cor 13, 10.
4. [a] Cf. 2 Cor 5, 21.
   [b] Cf. Gal 3, 13.
5. [a] Cf. Gal 5, 5.
   [b] Gal 5, 6.
   [c] Deut 6, 5.
   [d] 1 Cor 13, 7.
6. [a] 1 Cor 13, 2.
   [b] Cf. 1 Cor 13, 13.

2.   Non giova nulla la circoncisione di un solo membro [2]. Perciò l'Apostolo dice: *Ecco, io Paolo, vi dico che, se vi fate circoncidere, Cristo non vi gioverà.* Non perché non possa, ma perché giudicherebbe indegni dei suoi benefici coloro che abbandonassero le sue vie.

3.   Eppure, in precedenza, Sefora circoncise suo figlio e stornò il pericolo che sovrastava, ma allora fu Cristo a recar aiuto, sebbene differisse le realtà perfette. Quando il popolo dei credenti era ancora bambino, il Signore Gesú venne non bambino ma perfetto in tutto. Prima fu circonciso secondo la Legge, per non violare la Legge; poi lo fu per mezzo della croce, per dare compimento alla Legge. Venne meno, dunque, ciò che è parziale, perché venne ciò che è perfetto; infatti la croce in Cristo circoncide non un solo membro, ma i piaceri superflui di tutto il corpo.

4.   Forse si chiede ancora perché mai abbia voluto essere circonciso parzialmente, Lui che era venuto per mostrare la circoncisione perfetta. Su questo argomento non credo che si debba discutere piú a lungo. Infatti, se divenne peccato per lavare i nostri peccati; se divenne maledizione per annullare le maledizioni della Legge, per tale motivo si fece anche circoncidere per noi: per abolire la circoncisione della Legge, volendo dare la salvezza della croce.

5.   Perciò l'Apostolo afferma che per virtú dello Spirito dobbiamo attendere dalla fede la giustificazione che speriamo e, chiamati alla libertà, non dobbiamo porre la nostra libertà nelle opportunità offerteci dalla carne. Poiché, *né la circoncisione vale qualcosa né il prepuzio, ma la fede che agisce per mezzo della carità.* E perciò sta scritto: *Amerai il Signore Dio tuo.* Ma chi ama, certamente crede e, credendo, ciascuno comincia ad amare. Quindi Abramo credette e cosí cominciò ad amare; e credette non in parte, ma totalmente. Altrimenti, infatti, non avrebbe potuto possedere la perfetta carità, poiché sta scritto: *La carità tutto crede.* Se non crede tutto, non sembra essere carità perfetta. Dunque la carità ha la pienezza della fede.

6.   Tuttavia non direi facilmente che senz'altro la pienezza della fede possiede la carità perfetta, perché l'Apostolo ha detto: *Se avrò la pienezza della fede, cosí da trasportare i monti, ma non avessi la carità, non mi giova nulla.* Infatti, pur essendo tre soprattutto le virtú nell'uomo cristiano, la speranza, la fede e la carità, la piú grande di esse è la carità.

---

[2] Vedi sopra, lettera 64, 4.

7.   Sed arbitror propositi gratia hoc dixisse apostolum; neque enim uidetur mihi qui habeat omnem fidem, ita ut montes transferat, caritatem non habere: quomodo et illud, si habeat aliquis omnia mysteria et omnem scientiam, quomodo non habeat caritatem, praesertim cum dicat Ioannes: *Quia omnis qui credit quia Iesus Christus est, de deo natus est* [a], et supra ipse dixerit: *Quoniam qui de deo natus est, non peccat* [b]? Vnde colligitur, si is qui credit quia Iesus Christus est, de deo natus est et qui de deo natus est non peccat, utique is qui credat quia Iesus Christus est, non peccat. Si quis autem peccat, non credit; qui autem non credit, nec diligit; qui autem non diligit, peccato obnoxius est. Ergo non diligit qui peccat; caritas enim multitudinem operit peccatorum [c]. Quod si caritas peccandi excludit affectum, quandoquidem etiam timorem excludit foras, plena est utique perfectae fidei caritas.

8.   Denique apostoli, qui futuri erant amici, dixerunt: *Adauge nobis fidem* [a], petentes a bono medico ut infirmantem in se fidem sanaret. Infirmabatur adhuc fides in iis, cum audiret etiam Petrus: *Minimae fidei, quare dubitasti?* [b]. Ergo fides uelut praeuia caritatis occupat animam et praeparat semitas uenturae dilectioni. Sic omnis fides est, ubi perfectio caritatis.

9.   Ideo puto dici quia caritas credit omnia [a], hoc est, facit fidem omnia credere et habere huiusmodi animam omnem fidem. Ac per hoc, ubi perfecta caritas, ibi omnis fides, sicut ubi perfecta caritas, ibi spes omnis. Denique sicut omnia credit, ita scriptum est quia sperat omnia [b]. Ideo maior, quia spem fidemque complectitur.

10.   Hanc caritatem habens, nihil timet, quia caritas timorem excludit foras et ideo, ablegato et exuto timore, omnia suffert, omnia sustinet. Qui ergo per caritatem omnia sustinet, non potest timere martyrium. Et ideo, quasi uictor, alibi in fine ait: *Mihi enim mundus crucifixus est et ego mundo* [a].
Vale, fili, et nos dilige, quia nos te diligimus.

---

7. [a] 1 Io 4, 7.
  [b] 1 Io 3, 9.
  [c] Cf. 1 Pt 4, 8.
8. [a] Lc 17, 15.
  [b] Mt 14, 32.
9. [a] Cf. 1 Cor 13, 7.
  [b] Cf. ibid.
10. [a] Gal 6, 14.

7. Ma penso che l'Apostolo abbia detto questo a motivo della sua argomentazione; non mi sembra vero, infatti, che chi possiede la pienezza della fede, cosí da trasportare i monti, non possieda la carità. Come potrebbe darsi anche questo, cioè: come uno, se conoscesse tutti i misteri e tutto il sapere, potrebbe non avere la carità? Soprattutto perché Giovanni dice: *Chiunque crede che Gesú è il Cristo, è nato da Dio,* e, sopra, lo stesso ha detto: *Chi è nato da Dio non pecca.* Donde si ricava che, se quello che crede che Gesú è il Cristo è nato da Dio e chi è nato da Dio non pecca, certamente colui che crede che Gesú è il Cristo non pecca. Ma se uno pecca, non crede; e chi non crede, nemmeno ama; ma chi non ama è soggetto al peccato. Dunque, chi pecca non ama; la carità, infatti, copre una moltitudine di peccati. Che se la carità esclude l'attaccamento al peccato, poiché esclude anche il timore, la carità certamente è piena di una fede perfetta.

8. Perciò gli Apostoli, che sarebbero diventati gli amici, dissero: *Accresci la nostra fede,* chiedendo al buon Medico di sanare in loro la fede ancora debole. In essi la fede era ancora debole, dal momento che Pietro si sentiva dire: *Uomo di scarsissima fede, perché hai dubitato?* Dunque, la fede occupa l'anima precorrendo la carità e prepara le strade all'amore che deve venire. Cosí, c'è la pienezza della fede dove c'è la perfezione della carità.

9. Perciò, penso si dica che la carità tutto crede, cioè fa sí che la fede tutto creda, ed ogni anima cosí fatta abbia la pienezza della fede. E per tale motivo, dove c'è la carità perfetta c'è la pienezza della fede, come dove c'è la perfetta carità c'è la pienezza della speranza. Perciò, come tutto crede, cosí sta scritto che tutto spera. Perciò è piú grande, perché comprende in sé la speranza e la fede.

10. Chi ha tale carità nulla teme, perché la carità scaccia il timore e perciò, messo da parte e deposto il timore, tutto soffre, tutto sopporta. Chi, dunque, tutto sopporta per effetto della carità non può temere il martirio. E perciò, come un vincitore, in un altro passo alla fine della lettera l'Apostolo dice: *Il mondo per me è stato crocifisso, come io per il mondo.*

Sta' sano, figlio, ed amaci, perché noi ti amiamo.

LXVII (Maur. 80)
Ambrosius Bellicio

1.   Audisti, frater, lectionem euangelii, in qua decursum est quod praeteriens dominus Iesus uidit a generatione caecum. Ergo si dominus uidit, non eum praeteriuit [a]; quare nec nos quidem praeterire debemus, quem praetereundum dominus non putauit, praesertim cum a generatione caecus fuerit, quod non otiose est positum.

2.   Est enim caecitas, quae plerumque ui aegritudinis aciem obducit oculorum eademque temporis spatio mitigatur; est caecitas, quae umorum infusione generatur; ea quoque, initio plerumque sublato, medicinae arte depellitur; ut cognoscas quia quod iste sanatur, qui a generatione sua caecus est, non artis est, sed potestatis. Donauit enim dominus sanitatem, non medicinam exercuit; eos enim sanauit dominus Iesus, quos nemo curaret.

3.   Quam stolidi autem Iudaei, qui interrogant: *Hic peccauit an parentes eius?* [a], debilitates corporum referentes ad merita delictorum. Et ideo dominus ait: *Neque hic peccauit neque parentes eius, sed ut manifestarentur opera dei in illo* [b]. Quod enim naturae defuit, creatori competit reformare, qui auctor naturae est. Vnde addidit: *Cum in hoc mundo sum, lux sum huius mundi* [c]; hoc est, omnes possunt uidere qui caeci sunt, si me lumen requirant. Accedite et uos et illuminamini, ut uidere possitis [d].

4.   Deinde quid sibi uult quod is, qui uitam refundebat imperio, salutem praecepto dabat, dicens mortuo: *Exi foras* [a], et egressus est Lazarus de sepulcro, dicens paralytico: *Surge, tolle grabatum tuum* [b], et surrexit paralyticus et coepit grabatum ipse portare, in quo solutus membris omnibus portabatur; quid, inquam, sibi uult quod expuit et fecit lutum et superunxit oculos caeci et dixit ei: *Vade et laua in Siloam, quod interpretatur missus; et abiit et lauit et uidere coepit* [c]? Quae ista ratio est? Magna, ni fallor; plus enim uidet quem Iesus tangit.

5.   Simul et diuinitatem et sanctificationem eius aduerte. Quasi lux tetigit, infudit; quasi sacerdos per figuram baptismatis mysteria gratiae spiritalis impleuit. Expuit, ut aduerteres quia interiora Christi lumen sunt. Et uere uidet qui Christi mundatur

1. [a] Cf. Io 9, 1.
3. [a] Io 9, 2.
   [b] * Io 9, 3.
   [c] * Io 9, 5.
   [d] Cf. Ps 33, 6.
4. [a] Io 11, 44.
   [b] Mc 2, 11.
   [c] * Io 9, 7.

67 (Maur. 80)
Ambrogio a Bellicio [1]

1.   Hai ascoltato, fratello, il passo del Vangelo nel quale si è narrato che Gesú passando vide un cieco dalla nascita. Dunque, se il Signore lo vide, non lo trascurò; perciò, nemmeno noi dobbiamo trascurare colui che il Signore ritenne di non dover trascurare, soprattutto perché era cieco dalla nascita, precisazione non superflua.

2.   C'è, infatti, una cecità che per lo piú con la violenza della malattia vela l'acutezza degli occhi e col passar del tempo si attenua; c'è una cecità che è prodotta da un versamento di umori; anche questa, eliminato spesso il difetto, è scongiurata dall'arte medica. Cosí tu puoi conoscere che il fatto per cui costui — cieco fin dalla nascita — viene guarito, dipende non dall'arte ma dal potere taumaturgico. Il Signore diede la guarigione, non esercitò la medicina; infatti il Signore Gesú guariva quelli che nessuno riusciva a curare.

3.   Quanto sono sciocchi i Giudei [2], che chiedono: *Ha peccato lui o i suoi genitori?*, riconducendo le infermità fisiche alla responsabilità delle colpe. E perciò il Signore dice: *Non ha peccato né lui né i suoi genitori, ma* ciò è avvenuto *perché in lui si manifestassero le opere di Dio.* Spetta infatti al Creatore, che è l'autore della natura, dare in sostituzione ciò che alla natura mancava. Perciò aggiunse: *Finché sono nel mondo, sono la luce del mondo:* cioè, tutti quelli che sono ciechi possono vedere, se mi chiedono luce. Accostatevi anche voi, e ricevete la luce per poter vedere.

4.   Inoltre, cosa significa che Colui che restituiva la vita col comando, che ridava la salute col suo ordine, dicendo ai morti: *Vieni fuori,* e Lazzaro uscí dal sepolcro; dicendo al paralitico: *Levati e prendi il tuo lettuccio,* e il paralitico si alzò e cominciò a portare egli stesso il suo lettuccio nel quale era portato privo di forza in tutte le sue membra; che significa, ripeto, il fatto che sputò per terra e formò del fango e ne spalmò gli occhi del cieco e gli disse: *Va' e lavati nella piscina di Siloe, che significa «inviato»; e andò e si lavò e cominciò a vedere?* Qual è questo motivo? Importante, se non mi inganno: vede di piú chi Gesú tocca.

5.   Nello stesso tempo, considera sia la sua divinità sia la sua azione santificatrice. In quanto luce, toccò e la infuse; in quanto sacerdote, attraverso una figura del battesimo, compí i misteri della grazia spirituale. Sputò, perché tu comprendessi che ciò che è in Cristo è luce. E vede davvero chi è lavato da ciò che

[1] Vedi vol. I, lettera 9, nota 1.
[2] Veramente in Gv 9, 2 si dice: *Et interrogauerunt eum discipuli eius.*

internis. Lauat saliua eius, lauat sermo eius, sicut habes: *Iam uos mundi estis propter sermonem quem locutus sum uobis* [a].

6.   Quod autem lutum fecit et superunxit oculos caeci [a], quid aliud significat nisi ut intellegeres quia ipse hominem, luto illito, reddidit sanitati, qui de luto hominem figurauit [b] et quod haec caro luti nostri per baptismatis sacramenta aeternae uitae lumen accipiat? Accede et tu ad Siloam, hoc est, ad eum qui missus est a patre, sicut habes: *Mea doctrina non est mea, sed eius qui me misit* [c]. Diluat te Christus, ut uideas. Veni ad baptismum, tempus ipsum adest; ueni festinus, ut tu dicas: *Abii et laui et uidere coepi* [d]; ut et tu dicas: Caecus eram et uidere coepi; ut tu dicas, sicut iste refuso lumine ait: *Nox processit, dies autem appropinquauit* [e].

7.   Nox erat caecitas. Nox erat cum Iudas accepit buccellam a Iesu et introiuit in eum Satanas. Iudae nox erat, in quo diabolus erat; Ioanni dies erat, qui in Christi pectore recumbebat [a]. Petro quoque dies erat, cum lumen Christi uideret in monte [b]. Nox erat aliis, sed Petro dies erat. At uero ipsi Petro nox erat, quando Christum negabat. Denique gallus cantauit, et flere coepit [c] ut emendaret errorem; iam enim dies appropinquabat.

8.   Interrogabant Iudaei caecum: *Quomodo uidisti?* [a]. Grandis amentia! Interrogabant quod uidebant; interrogabant causam, cum factum uiderent.

9.   *Et maledixerunt ei dicentes: «Tu sis discipulus eius»* [a]. Maledictio eorum benedictio est, quia benedictio eorum maledictio est. *Tu sis,* inquiunt, *discipulus eius.* Tunc prosunt, quando nocere se credunt.

Vale, fili, et nos dilige, ut facis, quia nos te diligimus.

5. [a] Io 15, 3.
6. [a] Cf. Io 9, 6.
   [b] Cf. Gen 2, 7.
   [c] * Io 7, 16.
   [d] * Io 9, 11.
   [e] Rom 13, 12.
7. [a] Cf. Io 13, 27.
   [b] Cf. Mt 17, 2 ss.
   [c] Cf. Mt 26, 70 ss.
8. [a] * Io 9, 10.
9. [a] * Io 9, 28.

Cristo ha dentro di Sé. La sua saliva lava, lava la sua parola, come trovi: *Voi siete già mondi per la parola che io vi ho rivolto.*

6.   Quanto al fatto che formò del fango e ne spalmò gli occhi del cieco, che altro significa ciò, se non che fece cosí perché tu comprendessi che Egli ridiede la salute a quell'uomo spalmando del fango come aveva formato l'uomo dal fango, e che questa carne del nostro fango riceve la luce della vita eterna mediante i sacramenti [3] del battesimo? Va' anche tu alla piscina di Siloe, cioè a Colui che è stato inviato dal Padre, come trovi: *La mia dottrina non è mia, ma di colui che mi ha mandato.* Cristo ti lavi, affinché tu possa vedere. Vieni al battesimo [4], ormai il tempo è vicino; vieni prontamente, per poter dire anche tu: *Sono andato, mi sono lavato e ho cominciato a vedere*; per poter dire, come disse costui, dopo che gli fu resa la vista: *La notte è avanzata, il giorno è vicino* [5].

7.   La cecità era notte. Era notte quando Giuda prese da Gesú il boccone e in lui entrò Satana. Era notte per Giuda, dentro il quale c'era il diavolo; era giorno per Giovanni, che riposava sul petto di Cristo. Era giorno anche per Pietro, quando vedeva la luce di Cristo sul monte [6]. Per gli altri era notte, ma per Pietro era giorno. Ma anche per Pietro era notte, quando negava Cristo. Perciò il gallo cantò ed egli cominciò a piangere per emendare il suo errore. Infatti ormai il giorno era vicino.

8.   I Giudei chiedono al cieco: *In che modo hai riacquistato la vista?* Enorme stoltezza! Chiedevano una cosa che vedevano; chiedevano la causa, mentre vedevano il fatto.

9.   *E lo insultarono dicendo: Sii pure suo discepolo.* I loro insulti sono una benedizione, perché la loro benedizione è un insulto. *Sii pure*, dicono, *suo discepolo.* Giovano proprio quando credono di nuocere.

Sta' sano, o figlio, ed amaci come fai, perché noi ti amiamo.

---

[3] Nell'uso del plurale si vede comunemente un riferimento a tutti i sacramenti dell'iniziazione cristiana.
[4] Bellicio differiva il battesimo; vedi vol. I, lettera 9.
[5] Non sono parole del cieco, ma della Lettera ai Romani.
[6] Nella Trasfigurazione.

LXVIII (Maur. 26)
Ambrosius Studio

1.   Etsi iam superiore epistola hanc, quam proposuisti, quae-
stiunculam absoluerim, tamen aliquid plenius requirenti tibi, ut
filio, afferre atque exculpere non supersederim.

2.   Ac semper quidem decantata quaestio et celebris absolutio fuit mulieris eius quae in libro euangelii ª, quod secundum
Ioannem scribitur, adulterii rea oblata est Christo. Id enim Iudaeorum commentata est tergiuersatio, ut, si contra legem absolue-
tur, contra legem prolata domini Iesu sententia teneretur, si autem
damnata esset ex lege, uacare Christi uideretur gratia.

3.   Sed uehementior facta est, posteaquam episcopi reos criminum grauissimorum in publicis iudiciis accusare, alii et urgere
usque ad gladium supremamque mortem, alii accusationes huiusmodi et cruentos sacerdotum triumphos probare coeperunt. Quid
enim aliud isti dicunt, quam dicebant Iudaei reos criminum legibus esse publicis puniendos; et ideo accusari eos etiam a sacerdotibus in publicis iudiciis oportuisse, quos asserunt secundum leges
oportuisse puniri? Eadem causa est, sed numerus minor, hoc est,
non dispar iudicii quaestio, sed poenae dispar inuidia. Vnam
Christus puniri ex lege non passus est, isti minorem numerum
asserunt esse punitum.

4.   At quo loci hoc iudicat Christus? Nam plerumque secundum qualitates locorum in quibus docebat famulos suos, disputa-
tiones suas formare dignatus est, ut in porticu Salomonis, hoc
est, sapientis, deambulans loquebatur: *Ego et pater unum sumus* ª;
ut in templo dei dicebat: *Mea doctrina non est mea, sed eius qui
me misit* ᵇ. Hoc quoque iudicium in templo positus exercet, sicut
scriptum est in posterioribus; sic enim habes: *Haec uerba locutus
est Iesus in gazophylacio, docens in templo; et nemo apprehendit
eum* ᶜ. Quid est gazophylacium? Collatio fidelium, sumptus pauperum, requies egenorum, iuxta quod sedens Christus, ut habes
secundum Lucam, duo aera mulieris uiduae diuitum muneribus

2. ª Cf. Io 8, 11.
4. ª Io 10, 30.
   ᵇ * Io 7, 16.
   ᶜ Io 8, 20.

Ep. 68, tit. Irenaeo *Maurini* Studio *Zelzer. Vide notam 1.*

68 (Maur. 26)
Ambrogio a Studio [1]

1. Sebbene io abbia risolto la questioncella che mi hai proposto già nella precedente lettera [2], tuttavia, in seguito alla tua richiesta, non vorrei indugiare ad inviarti, con ogni minuta precisazione [3], qualcosa di piú esauriente.

2. A dire il vero, fu sempre dibattuta la questione, e famosa l'assoluzione, di quella donna che nel libro del Vangelo secondo Giovanni fu presentata a Cristo con l'accusa di adulterio. Tale dilemma dei Giudei era stato escogitato in modo che, se la donna fosse stata assolta contro la Legge, la sentenza del Signore Gesú sarebbe stata ritenuta in contrasto con la Legge; se invece fosse stata condannata secondo la Legge, sarebbe parsa assente l'indulgenza di Cristo.

3. Ma la questione è diventata piú accesa dopo che i Vescovi cominciarono ad accusare nei pubblici giudizi i colpevoli di gravissimi delitti; alcuni anche a richiedere insistentemente perfino la spada e la pena capitale, altri ad approvare tali accuse e i sanguinosi trionfi dei Vescovi stessi. Che dicono costoro di diverso da quello che dicevano i Giudei: che cioè i colpevoli di delitti dovevano essere puniti dalle leggi dello Stato, e che perciò era opportuno che fossero accusati anche dai sacerdoti nei pubblici giudizi quelli che — a loro parere — dovevano essere puniti a norma di legge? La causa è la stessa, ma minore il numero; cioè, il problema del giudizio non è diverso, ma diversa è l'odiosità della pena. Cristo non permise che una sola persona fosse punita secondo la Legge, questi affermano che ne è stato punito un numero minore.

4. Ma dove Cristo pronuncia questo giudizio? Infatti spesso, a seconda delle caratteristiche dei luoghi dove insegnava ai suoi servi, si degnò di formulare i propri ragionamenti. Per esempio, passeggiando nel portico di Salomone — cioè di un sapiente —, diceva: *Io e il Padre siamo una cosa sola*; cosí nel Tempio di Dio diceva: *La mia dottrina non è mia, ma di Colui che mi ha mandato.* Anche questo giudizio lo pronuncia mentre si trovava nel Tempio, com'è scritto in ciò che segue. Trovi, infatti, queste parole: *Queste parole disse Gesú nel luogo del tesoro, mentre insegnava nel tempio, e nessuno lo arrestò.* Che cos'è il luogo del tesoro? Il contributo dei fedeli, il denaro dei poveri, la tranquillità dei bisognosi, presso il quale sedendo, Cristo — come leggi in Luca — disse di preferire le due monete di bronzo di una vedova ai doni dei ricchi; evidente-

[1] Vedi sopra, lettera 50 (M. 25), nota 1. La lettera è indirizzata a Studio, secondo la Zelzer (ed. cit., p. 15); a Ireneo, secondo i Maurini, che si richiamano a quasi tutti i mss. loro noti. Ma l'argomento, che rinvia alla precedente lettera 50, cioè al rapporto «misericordia-giustizia», è chiaramente a favore della Zelzer.

[2] Vedi la lettera già citata.

[3] Rendo cosí *exculpere*, che propriamente indica un accurato lavoro di bulino, di cesello.

censuit praeferenda [d], diuino uidelicet testimonio praeferens opimae praemiis largitatis sedulae liberalitatis affectum.

5.   Qui tale habebat iudicium, uideamus quid ipse iuxta gazophylacium positus conferebat; non enim otiose uiduam praetulit duo aera mittentem. Pretiosa ista paupertas est fidei opulenta mysterio. Ista sunt duo aera quae Samaritanus ille euangelicus ad eius curanda uulnera, qui incidit in latrones, stabulario dereliquit [a]. Ergo et ista specie uidua, in typo ecclesiae, hoc gazophylacio sacro conferendum putauit, quo pauperum sanarentur uulnera, peregrinorum ieiunia sedarentur.

6.   Vnde et nunc quid Christus conferat, spiritaliter te oportet expendere; diuidebat enim populis argentum igne examinatum eloquiorum caelestium et imaginis regiae pecuniam populorum annumerabat affectibus [a]. Nemo plus misit quam qui totum donauit. Satiabat esurientes, replebat inopes, illuminabat caecos, redimebat captiuos, paralyticos erigebat, mortuos resuscitabat et, quod est amplius, conferebat absolutiones reorum, peccata donabat. Haec sunt duo aera, quae misit ecclesia posteaquam accepit a Christo. Quid enim sunt duo aera, nisi pretium noui et ueteris testamenti? Pretium scripturae fides nostra est; nam quod legitur, pro intellegentis aestimatur arbitrio. Remissio igitur peccatorum utriusque pretium testamenti est, quae per agnum in typo annuntiata est, in ueritate completa per Christum.

7.   Ideo habes neque septem dierum purgationem sine trium dierum esse purgatione [a]. Septem dierum purgatio secundum legem [b], quae in specie praesentis sabbati spiritale sabbatum annuntiauit; trium dierum purgatio secundum gratiam, quae euangelii testificatione signatur [c], quia tertio die dominus resurrexit. Vbi poena praescribitur, debet esse paenitentia peccatorum; ubi remissio donatur, gratia est. Praecedit paenitentia, sequitur gratia. Neque paenitentia ergo sine gratia, neque gratia sine paenitentia; debet enim paenitentia prius damnare peccatum, ut gratia possit abolere. Ideo typum legis accipiens Ioannes baptizauit in paenitentiam, Christus ad gratiam [d].

---

[d] Cf. Lc 21, 2.
5. [a] Cf. Lc 10, 35.
6. [a] Cf. Ps 11, 6.
7. [a] Cf. Ex 12, 3.
   [b] Cf. Leu 12, 2.
   [c] Cf. Lc 24, 7.
   [d] Cf. Mt 3, 11.

mente dando la preferenza, con la sua testimonianza divina, al sentimento di una zelante generosità rispetto ai tesori di una magnifica liberalità.

5. Vediamo che cosa offriva Egli stesso, che pronunciava un tale giudizio, stando presso il luogo del tesoro; non a caso, infatti, accordò la preferenza alla vedova che gettava due monete di bronzo. È preziosa questa povertà, ricca del mistero della fede. Queste sono le due monete [4] che il Samaritano del Vangelo lasciò all'albergatore per curare le ferite di colui che era incappato nei briganti. Dunque, anche sotto questo aspetto, la vedova — in figura della Chiesa — ritenne di dover versare nel tesoro sacro un'offerta tale che con essa venivano guarite le ferite dei poveri e alleviati i digiuni dei viandanti.

6. Perciò bisogna che tu valuti che cosa anche ora spiritualmente offra Cristo. Distribuiva, infatti, ai popoli l'argento — purificato dal fuoco — dei discorsi celesti, e aggiungeva all'amore per essi il denaro con l'impronta regale. Nessuno offrí di piú di chi donò tutto. Saziava gli affamati, ristorava i miserabili, illuminava i ciechi, riscattava i prigionieri, rimetteva in piedi i paralitici, risuscitava i morti e, ciò che piú conta, dava l'assoluzione ai rei, rimetteva i peccati. Queste sono le due monete offerte dalla Chiesa dopo averle ricevute da Cristo. Che sono, infatti, le due monete, se non il prezzo del Nuovo e dell'Antico Testamento? Il prezzo della Scrittura è la nostra fede; infatti, ciò che si legge è valutato secondo la volontà di chi capisce. Dunque, il prezzo dell'uno e dell'altro Testamento è la remissione dei peccati, annunciata nell'agnello — in figura —, compiuta — nella verità — per opera di Cristo.

7. Perciò trovi che non c'è nemmeno una purificazione di sette giorni senza una purificazione di tre giorni. Una purificazione di sette giorni, secondo la Legge [5], che, nella prefigurazione del sabato del tempo, preannunciava il sabato spirituale; una purificazione di tre giorni, secondo la grazia [6], indicata dall'attestazione del Vangelo, poiché il Signore risorse il terzo giorno. Dove viene stabilita una pena, deve esserci una penitenza [7] per i peccati; dove si concede la remissione, c'è la grazia. La penitenza precede, segue la grazia. Non c'è dunque penitenza senza grazia né grazia senza penitenza; è necessario che prima la penitenza condanni il peccato, perché la grazia possa cancellarlo. Perciò Giovanni, assumendo la prefigurazione della Legge, battezzò in vista della penitenza; Cristo, in vista della grazia.

---

[4] Veramente si trattava di due *denarii* (*protulit duos denarios*, Lc 10, 35), cioè di due monete d'argento, equivalenti ciascuna a quattro sesterzi. Il denaro «era la paga giornaliera di un lavoratore non specializzato» (McKenzie-Maggioni, *Diz. bibl.*, p. 239).

[5] Tanto durava il periodo d'impurità legale dopo un parto (cf. Lev 12, 2).

[6] Allusione ai giorni in cui Gesú rimase nel sepolcro (cf. Lc 24, 7).

[7] Dato il rapporto con *poena*, traduco *paenitentia* con «penitenza»; ma successivamente *paenitentia* sembra assumere, talvolta, piuttosto il significato di «pentimento». Tuttavia, per mantenere la corrispondenza dei vocaboli come in latino, ho creduto di dover conservare sempre «penitenza».

8. Septimus ergo dies legis ministerium signat, octauus resurrectionis, sicut habes in Ecclesiaste: *Da partem illis septem et illis octo* [a]. Nam et in propheta Osee legisti dictum ad eum: *Conduc tibi fornicariam quindecim denariis* [b], eo quod gemino aere ueteris et noui testamenti, hoc est integro fidei pretio, mulier illa uago quodam et meretricio gentium conuenarum comitatu fulta conducitur.

9. *Et conduxi*, inquit, *eam gomor hordei et semigomor et neuel uini* [a]. Per hordeum significat quia imperfectos uocaret ad fidem, ut perfectos redderet; per gomor intellegitur plena mensura, per semigomor semiplena mensura. Plena mensura in euangelio est, semiplena in lege, cuius plenitudo nouum est testamentum. Siquidem ipse dominus ait: *Non ueni legem soluere, sed implere* [b].

10. Nec otiose quindecim anabathmorum psalmos dauidicos legimus et quindecim gradibus ascendisse solem, cum Ezechias iustus rex uitae huius acciperet commeatum [a]. Significabatur enim esse uenturus sol iustitiae [b], qui gradus quindecim ueteris et noui testamenti illuminaturus esset praesentiae suae lumine, quibus nostra fides ad uitam ascendit aeternam. Vnde et hoc quod hodie in apostolo lectum est [c], mysticum reor, eo quod quindecim diebus apud Petrum manserit; uidetur enim mihi quod apostolis sanctis scripturae diuinae interpretationem sermone secum uario conferentibus pleni luminis refulserit claritudo, ignorantiae umbra decesserit. Sed iam ueniamus ad mulieris huius adulterae absolutionem.

11. Oblata erat a scribis et pharisaeis domino Iesu adulterii rea [a], et hac oblata fraude, ut, si eam absolueret, legem soluere uideretur; sin uero damnaret, propositum sui mutaret aduentus, quia peccata omnium remissurus aduenit. Denique supra ait: *Ego non iudico quemquam* [b]. Offerentes ergo eam dixerunt: *Hanc mulierem inuenimus publice moechantem. Scriptum est enim in lege Moysis omnem moecham lapidari. Tu uero quid dicis de ea?* [c]

12. Quae cum dicerent, Iesus inclinato capite digito scribebat in terra. Et cum expectarent ut audirent eum, erigens caput dixit: *Qui sine peccato est, prior lapidet eam* [a]. Quid tam diuinum

---

8. [a] * Eccle 11, 2.
  [b] * Os 3, 1.
9. [a] * Os 3, 2.
  [b] Mt 5, 17.
10. [a] Cf. Is 38, 8.
  [b] Cf. Mal 4, 2.
  [c] Cf. Gal 1, 18.
11. [a] Cf. Io 8, 3 ss.
  [b] Io 8, 15.
  [c] Io 8, 4-5; cf. Leu 20, 10.
12. [a] * Io 8, 7.

8. Dunque, il settimo giorno indica il mistero della Legge, l'ottavo quello della risurrezione, come trovi nell'Ecclesiaste: *Da' a quelli sette pasti e a quelli otto*. Infatti, anche nel profeta Osea hai letto che fu detto a lui: *Acquista per te una prostituta al prezzo di quindici denari*, perché con le due monete di bronzo dell'Antico e del Nuovo Testamento, cioè con l'intero prezzo della fede, viene acquistata quella donna che si sosteneva, per cosí dire, con l'errabonda e meretricia compagnia di gente forestiera.

9. *E l'acquisterai*, dice, *con un gomor e mezzo d'orzo e un nevel di vino* [8]. Per mezzo dell'orzo indica che chiamava alla fede quelli che erano ancora imperfetti; per gomor s'intende una misura piena, per semigomor una misura a metà. La misura piena è nel Vangelo, quella a metà nella Legge, la cui pienezza è il Nuovo Testamento. Perciò lo stesso Signore dice: *Non sono venuto ad abolire la Legge, ma a darle compimento*.

10. Non senza frutto leggiamo i salmi davidici dei quindici scalini [9], e che il sole salí di quindici gradi, quando il giusto re Ezechia riceveva il congedo da questa vita. Si indicava che sarebbe venuto il Sole di giustizia, che avrebbe illuminato con la luce della sua presenza i quindici gradini dell'Antico e del Nuovo Testamento, mediante i quali la nostra fede sale alla vita eterna. Perciò considero misterioso anche ciò che oggi abbiamo letto nell'Apostolo: che cioè rimase quindici giorni presso Pietro; mi sembra infatti che per i santi Apostoli, che con vari discorsi tra loro confrontavano l'interpretazione della Scrittura divina, sia brillata la chiarezza d'una luce completa e sia scomparsa l'ombra dell'ignoranza. Ma ormai veniamo all'assoluzione di questa donna adultera.

11. Dagli scribi e dai Farisei era stata presentata al Signore Gesú una donna colpevole di adulterio, e presentata con questo tranello: che, se l'avesse assolta, sarebbe parso che violasse la Legge; se invece l'avesse condannata, avrebbe mutato lo scopo per cui era venuto, poiché era venuto per rimettere i peccati di tutti gli uomini. Perciò, precedentemente dice: *Io non giudico nessuno*. Presentandogliela, dunque, dissero: *Abbiamo sorpreso questa donna in flagrante adulterio. Sta scritto infatti nella legge di Mosè di lapidare ogni adultera. Ma tu, che dici di lei?*

12. Mentre quelli cosí parlavano, Gesú, chinato il capo, scriveva col dito per terra. E siccome attendevano per udire la sua risposta, sollevando la testa disse: *Chi è senza peccato sia il primo a lapidarla*. Che c'è di cosí divino come questa affermazione, che

---

[8] Un *gomor* (ebr. *hômér*) corrispondeva circa a 388, 80 litri, un *letek* a mezzo gomor. Γόμορ e νέβελ si trovano nei *Settanta*: καὶ ἐμισθωσάμην ἐμαυτῷ πεντεκαίδεκα ἀργυρίου καὶ γόμορ κριθῶν καὶ νέβελ οἴνου; la *Noua Vulgata* ha *choro hordei et dimidio choro hordei*. Secondo il Garofalo (*Il libro dei Re*, Marietti, Torino 1960, p. 56), il «coro» conteneva circa 393, 84 litri. Vedi anche lettera 31 (M. 44), nota 17.

[9] Si tratta dei cosiddetti salmi graduali (120-134). La Vulgata li indica col titolo *Canticum graduum*, i *Settanta* con Ὠιδὴ τῶν ἀναβαθμῶν. Il termine non ha un'interpretazione univoca. Vedi *Il libro dei Salmi*, a cura di G. CASTELLINO, Marietti, Torino 1963, p. 14.

quam ista sententia, ut is peccata puniat, qui exsors ipse peccati sit? Quomodo enim feras alieni ultorem et proprii criminis defensorem? Nonne se magis ipse condemnat, qui in alio damnat quod ipse committit?

13. Hoc autem dixit et scribebat in terra. Quid? Vtique dicens: *Festucam, quae in oculo est fratris tui, uides; trabem autem, quae in oculo tuo est, non uides* [a]. Libido enim uelut festuca est, cito accenditur, propere consumitur; sacrilegium perfidiae, quo Iudaei negabant propriae salutis auctorem, sceleris magnitudinem personabat.

14. Scribebat autem in terra digito, quo legem scripserat [a]. Peccatores in terra scribuntur [b], iusti in caelo, sicut habes dictum ad discipulos: *Gaudete, quia nomina uestra scripta sunt in caelis* [c]. Secundo autem scripsit, ut gemino testamento Iudaeos scias esse damnatos.

15. Audientes autem hoc uerbum exierunt foras unus post unum, incipientes a senioribus, et sedebant cogitantes de se [a]. Et remansit solus Iesus et mulier in medio stans. Bene ait quod exierunt foras, qui nolebant esse cum Christo. Foris littera est, intus mysteria. Sequebantur enim diuinarum lectionum quaedam uelut arborum folia, non fructum, qui uiuebant in umbra legis et solem iustitiae uidere non poterant.

16. Denique, discedentibus illis, remansit solus Iesus et mulier in medio stans. Donaturus peccatum, solus remanet Iesus, sicut ipse ait: *Ecce uenit hora, et iam uenit, ut dispergamini unusquisque in sua et me solum relinquatis* [a]; non enim legatus neque nuntius, sed ipse dominus saluum fecit populum suum [b]. Solus remanet, quia non potest hoc cuiquam hominum cum Christo esse commune, ut peccata condonet. Solius hoc munus est Christi, qui tulit peccatum mundi [c]. Meruit et mulier absolui, quae, recedentibus Iudaeis, remansit sola cum Iesu.

17. Eleuans autem caput Iesus dixit mulieri: *«Vbi sunt qui te accusabant? Nemo te lapidauit?». Et illa respondit: «Nemo, domine». Et ait ad illam Iesus: «Nec ego te damnabo; uade, et amodo uide ne pecces»* [a]. Vide, lector, diuina mysteria et clementiam Christi. Cum accusatur mulier, caput Christus inclinat; eleuat autem, ubi deficit accusator: ita nullum damnari uult, absolui omnes.

13. [a] Mt 7, 3.
14. [a] Cf. Ex 31, 18.
    [b] Cf. Ier 17, 13.
    [c] Lc 10, 20.
15. [a] Cf. Io 8, 6.
16. [a] * Io 16, 32.
    [b] Cf. Is 63, 8.
    [c] Cf. Io 1, 29.
17. [a] * Io 8, 10-11.

cioè a punire i peccati sia chi è personalmente senza peccato?
Come, infatti, potresti sopportare che uno punisca un altro e
nello stesso tempo difenda la propria colpa? Non condanna di
piú se stesso, chi condanna in un altro ciò che commette egli
stesso?

13.   Questo disse, e scriveva per terra. Che cosa? Certamente
queste parole: *Tu vedi la pagliuzza che sta nell'occhio del tuo fratello
e non vedi la trave che sta nel tuo occhio.* La libidine è come una
pagliuzza: presto si accende, rapidamente si consuma; il sacrilegio
di malafede, con cui i Giudei negavano l'Autore della loro salvezza,
proclamava clamorosamente la gravità della loro scelleratezza.

14.   Scriveva per terra col dito con cui aveva scritto la Legge.
I peccatori sono scritti in terra, i giusti in cielo, come trovi che
fu detto ai discepoli: *Rallegratevi, poiché i vostri nomi sono scritti
nei cieli.* In secondo luogo scrisse perché tu sappia che i Giudei
sono stati condannati dai due Testamenti.

15.   Ma quelli, udendo queste parole, uscirono fuori [10] l'uno
dopo l'altro, cominciando dagli anziani, e sedevano pensando ai
fatti loro. E Gesú rimase solo con la donna ritta in mezzo. Dice
bene che uscirono fuori, perché non volevano stare con Cristo.
Fuori c'è la lettera, dentro i misteri. Seguivano infatti alcuni dei
precetti divini come foglie degli alberi, non come frutto, poiché
vivevano nell'ombra della Legge e non potevano vedere il Sole
di giustizia.

16.   Perciò, poiché quelli se ne andavano, Gesú rimase solo
con la donna ritta in mezzo. Volendo rimettere il peccato, Gesú
rimase solo, come dice Egli stesso: *Ecco, viene l'ora, anzi è già
venuta* [11], *che vi disperdiate ciascuno per conto proprio e mi lasciate
solo*; infatti, non un ambasciatore, non un messo, ma lo stesso
Signore ha salvato il suo popolo. Rimane solo, perché nessun
uomo può avere in comune con Cristo la facoltà di rimettere i
peccati. Questo è un compito del solo Cristo, che ha portato [12] i
peccati del mondo. Meritò di essere assolta anche la donna che,
allontanandosi i Giudei, rimase sola con Gesú.

17.   Allora, sollevando la testa, Gesú disse alla donna: «*Dove
sono quelli che ti accusavano? Nessuno ti ha lapidato?*». E quella
rispose: «*Nessuno, Signore*». E Gesú le disse: «*Nemmeno io ti condannerò: va' e d'ora in poi vedi di non peccare piú*». Vedi, lettore,
i misteri divini e la clemenza di Cristo! Quando la donna viene
accusata, Cristo abbassa la testa; la solleva, invece, quando l'accusatore si ritira. Cosí vuole che nessuno sia condannato, ma che
tutti siano assolti.

---

[10] Dal Tempio (cf. Gv 8, 2).
[11] *Settanta*: ἔρχεται ...ἐλήλυθεν.
[12] Ma la *Vulgata* ha *tollit* (gr. αἴρων = «che porta via», «toglie di mezzo»).

18.   Breuiter autem omnes haereticorum interimit quaestiones dicendo: *Nemo te lapidauit?*, qui dicunt Christum diem nescire iudicii uel qui ait: *Sedere autem ad dexteram meam uel ad sinistram, non est meum dare uobis* ᵃ; ecce et hic ait: *Nemo te lapidauit?* Quomodo utique interrogat quod uidebat? Sed interrogat nobis, ut cognosceremus non esse lapidatam. Est etiam humani affectus haec consuetudo, ut interrogemus saepissime quod uidemus. Et ideo mulier respondit: *Nemo, domine,* hoc est dicere: Quis potest lapidare, quam ipse non damnas? Quis potest alium sub tali sententiae condicione punire?

19.   Cui respondit dominus: *Nec ego te damnabo.* Aduerte quomodo propriam sententiam temperauit, ut Iudaei de absolutione mulieris calumniari nihil possent, sed in se magis calumniam retorquerent, si queri uellent; dimittitur enim mulier, non absoluitur, quia deerat accusator, non quia innocentia probabatur. Quid ergo quererentur, qui priores a persecutione criminis et ab exsecutione supplicii destiterunt?

20.   Addidit autem deuiae: *Vade, et amodo uide ne pecces.* Emendauit ream, non crimen absoluit. Etenim seueriore sententia culpa damnatur, si unusquisque crimen suum oderit et in se incipiat condemnare delictum. Etenim, cum reus occiditur, persona magis quam culpa punitur; ubi uero culpa deponitur, absolutio personae est poena peccati. Quid est ergo: *Vade, et amodo uide ne pecces?* Hoc est, ex quo te Christus redemit, corrigat gratia, quam poena non emendaret, sed plecteret.

Vale, fili, et nos dilige ut filius, quia nos te ut parentes diligimus.

LXIX (Maur. 72)

Ambrosius Constantio

1.   Non mediocris plerosque mouet quaestio, qua causa circumcisio et ueteris testamenti auctoritate quasi utilis imperetur, et noui testamenti magisterio quasi inutilis repudietur ᵃ, cum

18. ᵃ Mt 20, 23.

1. ᵃ Cf. Act 15, 10.

18.   In poche parole, dicendo: *Nessuno ti ha lapidato?*, elimina tutte le questioni degli eretici, che affermano che Cristo non conosce il giorno del giudizio, oppure perché dice: *Non sta a me concedervi di sedere alla mia destra oppure alla mia sinistra*; ed ecco che anche qui dice: *Nessuno ti ha lapidato?* Come mai chiede ciò che vedeva? Ma chiede per noi, perché sapessimo che non era stata lapidata. È propria dell'animo umano questa consuetudine di chiedere assai spesso ciò che vediamo [13]. E perciò la donna rispose: *Nessuno, Signore*, cioè a dire: Chi può lapidare una che Tu non condanni? Chi potrebbe punire un altro dopo una tale sentenza?

19.   Le risponde il Signore: *Nemmeno io ti condannerò*. Osserva con quale misura formulò la propria sentenza, in modo che i Giudei non potessero criticarlo per l'assoluzione della donna, ma rivolgessero piuttosto la critica contro di sé, nel caso che avessero voluto lamentarsi. La donna viene licenziata, non assolta; perché mancava l'accusatore, non perché ne era dimostrata l'innocenza. Di che cosa si sarebbero dunque potuti lamentare, essi, che per primi avevano rinunciato a perseguire il crimine e ad eseguire il supplizio?

20.   Aggiunse poi alla colpevole: *Va' e d'ora in poi vedi di non peccare*. Corresse la colpevole, non assolse la colpa. Infatti si condanna la colpa con piú severa sentenza, se ciascuno odia il proprio peccato e comincia dentro di sé a condannare il proprio delitto. Quando si uccide il colpevole, si punisce piuttosto la persona che la colpa; ma quando si abbandona la colpa, l'assoluzione della persona è la pena del peccato. Che significa dunque: *Va' e d'ora in poi vedi di non peccare?* Significa: da quando Cristo ti ha redento, ti corregga la grazia, poiché la pena non ti potrebbe emendare, ma colpire.

Sta' sano ed amaci come un figlio, perché noi ti amiamo come un padre.

69 (Maur. 72)

Ambrogio a Costanzo [1]

1.   Una questione non trascurabile lascia perplessi molti: cioè, per quale motivo la circoncisione sia imposta — perché considerata utile — dall'autorità dell'Antico Testamento, e sia

---

[13] Il pensiero, nel suo svolgimento logico, non appare qui di evidente chiarezza. Sant'Ambrogio vuole affermare che, come in Mt 20, 23, Cristo mostra talvolta di non conoscere cose che viceversa conosce perfettamente: cosí, nel caso nostro, nel quale la domanda appariva addirittura inutile perché il fatto era immediatamente costatabile.

---

[1] Vedi sopra, lettera 36 (M. 2), nota 1.

praesertim Abraham primus oraculum circumcisionis celebran-
dae acceperit [b], qui diem domini Iesu uidit et gauisus est [c]. Quod
utique in euidenti est, quia non corporalibus, sed spiritalibus
legis diuinae intenderit et ideo ueram dominici corporis passionem in agni conspexerit immolatione.

2.   Quid ergo dicemus secutum patrem Abraham, ut id primus institueret, quod eius non sequeretur hereditas? Aut qua
ratione circumciduntur infantulorum corpora et in ipso ortu subi-
ciuntur periculis, et hoc imperari oraculo, ut discrimen salutis
fiat de mysterio religionis? Quid hoc significat? Latet enim causa
ueri et oportuit aut aperto aliquid mysterio significari aut non
periculoso mysteriorum indicio mandari.

3.   Cur uero signum testamenti diuini in ea datur parte
membrorum, quae uisu inhonestior aestimatur? Aut qua gratia
ipse operator corporis nostri in ipso nostrae generationis exordio
circumcidi uoluit opus suum et uulnerari et cruentari et abscidi
partem, quam uelut necessariam, qui omnia disposuit ordinate,
cum ceteris membris faciendam putauit? Aut enim praeter naturam est haec portio corporis nostri, et non oportuit habere omnes
homines quod esset praeter naturam, aut secundum naturam est,
et non decuit amputari quod secundum perfectionem naturae
creatum foret, cum praesertim alieni a portione domini dei nostri
id praecipue irridere soliti sint. Deinde, cum propositum sit deo,
ut frequenter ipse testificatus est, plures ad sacrae obseruantiam
prouocare religionis, quanto magis inuitarentur, si non aliqui
circumcisionis ipsius aut periculo aut opprobrio reuocarentur.

4.   Ergo, ut ad prima redeamus et propositum persequamur
ordinem, de ipsa circumcisionis qualitate dicendum uidetur. Cuius
gemina debet esse defensio, quia duplex est accusatio: una quae
irrogatur a gentibus, altera quae ab iis, qui de populo dei sunt,
aestimatur. Vehementior autem gentilium, qui uiros circumcisione
signatos etiam opprobrio et illusione dignos arbitrantur. Sed
etiam ipsorum sapientissimi quique ita circumcisionem appro-
bant, ut electos suos erga cognoscenda et celebranda mysteria
circumcidendos putent.

5.   Denique Aegyptii, qui et geometriae et colligendis side-
rum cursibus operam intendunt suam, impium iudicant sacerdo-

---

[b] Cf. Gen 17, 10.
[c] Cf. Io 8, 56.

invece respinta — perché ritenuta inutile — dall'insegnamento del Nuovo Testamento, tanto piú che il primo a ricevere l'ordine di compiere la circoncisione fu Abramo, il quale vide il giorno del Signore Gesú e ne fu colmo di gioia. Senza dubbio è cosa evidente che egli mirò non agli interventi corporali, ma a quelli spirituali della legge divina, e perciò vide nell'immolazione dell'agnello la vera Passione del corpo di Cristo.

2. Quale scopo diremo che si proponeva il padre Abramo, istituendo per primo una pratica che i suoi eredi non avrebbero seguito? O per quale ragione si circoncidono i corpi dei bambinelli e appena nati vengono sottoposti a un rischio, e ciò si dice sia imposto per ordine divino, cosí che dal mistero religioso deriva un pericolo per la loro salute? Che significa, questo? Infatti, la vera causa rimane nascosta, e invece sarebbe stato opportuno che, o venisse offerta una spiegazione svelando il mistero o non si impartisse un ordine riferendolo a un pericoloso indizio dei misteri.

3. Ma perché si pone il segno del patto divino in quella parte del corpo che si giudica turpe a vedersi? O per quale ragione lo stesso Creatore del nostro corpo, proprio all'inizio della nostra nascita, volle che fosse circoncisa la propria opera, e che fosse ferita e insanguinata e troncata una parte che Colui che tutto dispone con ordine, considerandola necessaria, ritenne di dover creare con tutte le altre membra? Infatti, questa porzione del nostro corpo o non fa parte della natura, e allora non sarebbe stato opportuno che tutti gli uomini avessero ciò che alla natura non appartiene, oppure è voluta dalla natura, e allora non si sarebbe dovuto amputare ciò che era stato creato secondo la perfezione della natura, soprattutto perché quelli che sono estranei al gregge del Signore Dio nostro sono soliti farsi beffa in modo particolare di una tale mutilazione. Inoltre, essendo intenzione di Dio — come sovente Egli stesso ha attestato — di invitare molti all'osservanza della santa religione, quanto piú sarebbero invitati, se alcuni non fossero distolti dal pericolo o dalla vergogna della circoncisione stessa.

4. Dunque, per rifarci all'inizio e seguire l'ordine che ci siamo proposto, sembra si debba parlare della stessa natura della circoncisione. Questa deve essere difesa con un duplice argomento, perché duplice è l'accusa che ad essa viene rivolta: una, che viene mossa dai Gentili; un'altra, che viene tenuta in gran conto da quelli che appartengono al popolo di Dio. Piú violenta è quella dei Gentili, che ritengono gli uomini segnati dalla circoncisione meritevoli di vergogna e di dileggio. Ma anche i piú sapienti tra loro approvano la circoncisione, al punto da ritenere che si debbano circoncidere quelli, di loro, scelti per conoscere e celebrare riti misterici.

5. Perciò gli Egiziani, che si dedicano alla geometria e a studiare il corso degli astri, giudicano empio il sacerdote che non

tem qui nequaquam habeat circumcisionis insigne. Nam neque magici carminis sapientiam nec geometriam nec astronomiam iudicant uim suam obtinere sine circumcisionis signaculo. Et ideo, ut impetrandi uim operationi adhibeant suae, purgationem quamdam uatum suorum circumcisionis arcano celebrandam existimant.

6. Reperimus autem in historia ueterum non solum Aegyptios, sed etiam Aethiopum et Arabum et Phoenicum aliquos circumcisione erga suos usos. Et hanc putant se adhuc probandae uiam seruare rationis, eo quod sui corporis primitiis et sanguinis initiati insidias daemonum, quas illi generi nostro moliuntur, exiguae partis arbitrentur consecrationibus destruendas, ut qui totius hominis saluti nituntur nocere, infirmari operationem suam putent circumcisionis sacrae uel lege uel specie. Arbitror enim quod in praeteritum ipse daemonum princeps cessare suas artes erga noxiae operationis effectum aestimauerit, si ei nocere conaretur, quem signaculo circumcisionis sacrae initiatum aduerteret aut ei qui uideretur in hoc saltem munere legi diuinae obtemperare.

7. Iam qui singulorum membrorum officia diligenter expendit, non otiosam causam in hac membri huius portiuncola aestimare poterit, qua ratione non solum circumcidatur puer, uerum etiam octauo circumcidatur die, quando incipit mater pignoris nati in sanguine esse puro, quae ante octauum diem fertur in sanguine immundo sedere. Haec aduersus eos dicta sint, qui nulla nobis unitate fidei sociantur; et ideo tamquam aduersum dissidentes difficilior disputandi locus.

8. Responsum autem sibi huiusmodi habeant, qui credunt in dominum Iesum, quod nudare noluimus, cum aduersum opiniones gentilium disputaremus. Nam si redempti sumus non corruptibilibus argento et auro, sed pretioso sanguine domini nostri Iesu Christi [a], quo utique uendente, nisi eo, qui nostrum iam peccatricis successionis aere quaesitum seruitium possidebat, sine dubio ipse flagitabat pretium, ut seruitio exueret quos tenebat obstrictos. Pretium autem nostrae liberationis erat sanguis domini Iesu, quod necessario soluendum erat ei cui peccatis nostris uenditi eramus.

9. Donec igitur hoc pretium pro omnibus solueretur hominibus, quod dominici sanguinis effusione pro omnium fuit soluendum absolutione, opus fuit singulorum sanguine, qui lege et consuetudinis ritu sacrae praecepta sequerentur religionis. Sed quia pretium pro omnibus solutum est, posteaquam passus est Chri-

8. [a] Cf. 1 Pt 1, 18-19.

abbia affatto la cicatrice della circoncisione. Infatti ritengono che
né la sapienza degli incantesimi né la geometria né l'astronomia
raggiungano la loro efficacia senza l'impronta della circoncisione.
E perciò credono che, per conferire alla loro attività il potere
impetrativo, debba compiersi una specie di purificazione dei loro
profeti col rito segreto della circoncisione [2].

6.　Troviamo poi, nella storia degli antichi, che non solo gli
Egiziani, ma anche alcuni degli Etiopi, degli Arabi e dei Fenici
praticarono la circoncisione per i loro. E pensano di osservare
ancora questa pratica per uno scopo lodevole: cioè perché, venendo iniziati con le primizie del loro corpo e del loro sangue,
credono di dover eliminare con l'offerta di una piccola parte le
insidie dei demoni, che questi tramano contro il genere umano,
affinché essi, che cercano di nuocere alla salute di tutto l'uomo
pensino che la loro azione viene indebolita dalla Legge o dalla
vista della sacra circoncisione. Credo, infatti, che in passato lo
stesso principe dei demoni abbia pensato che le sue arti venissero
meno di fronte al compimento di un'operazione che faceva soffrire, nel caso che tentasse di nuocere a uno che riconosceva iniziato
col sigillo della sacra circoncisione o ad uno che, almeno in questo
obbligo, manifestamente obbediva alla legge divina.

7.　Inoltre, chi valuta con diligenza la funzione delle singole
membra, potrà rilevare in questa particella di tale membro una
causa non futile, per cui non solo il bambino sia circonciso, ma
anche sia circonciso l'ottavo giorno, quando la madre del nuovo
nato comincia a riavere il sangue puro, mentre si dice che prima
dell'ottavo giorno risieda nel sangue impuro. Ciò sia detto contro
coloro che non sono congiunti a noi da alcuna unione di fede; e
perciò, come contro gli eretici, con loro è piú difficile avere una
possibilità di discussione.

8.　Abbiano una tale risposta quelli che credono nel Signore
Gesú, risposta che non abbiamo voluto rivelare quando discuteva-
mo contro le opinioni dei pagani. Infatti, se siamo stati riscattati
non con argento od oro inutili, ma col sangue prezioso del Signore
nostro Gesú Cristo — visto ch'Egli certamente era disposto a
venderlo —, chi ci possedeva ormai come schiavi acquistati col
denaro della trasmissione del peccato indubbiamente non esigeva
come prezzo se non quel sangue per liberare quelli che teneva
in ceppi. E il prezzo della nostra liberazione era il sangue del
Signore Gesú, che doveva essere pagato a colui cui eravamo stati
venduti per i nostri peccati.

9.　In attesa, dunque, che per tutti gli uomini venisse pagato
questo prezzo, che doveva essere pagato con lo spargimento del
sangue del Signore per l'assoluzione di tutti gli uomini, ci fu
bisogno del sangue dei singoli uomini, che secondo la Legge e

---

· [2] Cf. HEROD., II, 37; Ios., *Ant*, I, 12, 2 (214); VIII, 10, 3 (262). Vedi, inoltre, *De
Abr.*, II, 11, 78 e *Opera omnia*, 2/II, p. 239.

stus dominus, iam non opus est ut uiritim sanguis singulorum circumcisione fundatur, cum in sanguine Christi circumcisio uniuersorum celebrata sit et in illius cruce omnes crucifixi simul cum eo et consepulti in eius sepulcro, complantati similitudini mortis eius, ut ultra non seruiamus peccato: *Qui enim mortuus est, iustificatus est a peccato* [a].

10.   Quod si quis, ut Marcion et Manichaeus, reprehendendum dei putat esse iudicium, quia uel oraculum de circumcisione celebranda edendum putauit esse uel legem qua sanguinis effusio mandatur, necesse est ut is etiam dominum Iesum reprehendendum arbitretur, qui non exiguum, sed multum sanguinem pro huius mundi effudit redemptione, et hodieque nos fundere iubet sanguinem nostrum pro tanto religionis certamine, dicens: *Qui uult me sequi, tollat crucem suam et sequatur me* [a]. Si autem nequaquam iusta erat accusatio, cum aliquis totum se pro pietate offerat et multi sanguinis se mundet effusione, quomodo legem possumus reprehendere exigui stillam exigentem sanguinis, cum praedicemus dominum Iesum multi effusionem sanguinis et totius corporis mortem imperantem?

11.   Nec ipsum circumcisionis signaculum et species feriabatur, quo populus dei uelut quodam sigillo signatus corporis discernebatur a ceteris nationibus. Nunc autem Christi donatus nomine signum corporis nequaquam requirit, qui praerogatiuam diuinae meruit nuncupationis. Quid autem absurdum, si propter pietatem aliquid doloris uel laboris inferri uidebatur, quo plus deuotio per haec certamina probaretur? Pulchrum etiam ut ab ipsis uitae incunabulis insigne religionis adolesceret et puderet unumquemque aetatis prouectioris uel labori uel dolori cedere, quorum utrumque tenera infantia uicisset.

12.   Sed iam leui circumcisionis dolore non opus est christiano populo, qui mortem domini circumferens, per momenta singula fronti propriae mortis contemptum inscribit, utpote qui sciat sine cruce domini salutem se habere non posse. Quis enim acu utatur ad proeliandum, cum telis instructus sit ualidioribus?

9. [a] Rom 6, 7.
10. [a] * Mt 16, 24.

le forme della consuetudine seguissero i precetti della santa religione. Ma poiché il prezzo per tutti fu pagato dopo la Passione di Cristo Signore, ormai non c'è piú bisogno che si versi singolarmente il sangue di ciascuno per la circoncisione, perché nel sangue di Cristo si è compiuta la circoncisione di tutti indistintamente, e nella sua croce tutti nello stesso tempo siamo stati crocifissi con Lui e sepolti con Lui nel suo sepolcro, condividendo la somiglianza della sua morte, affinché non siamo piú servi del peccato: *Chi infatti è morto, è giustificato dal peccato.*

10.   Che se taluno, come Marcione e Manicheo [3], pensa che si debba criticare il giudizio di Dio, perché ritenne che fosse da promulgare l'ordine di compiere la circoncisione o la legge con cui si prescrive lo spargimento del sangue, necessariamente deve ritenere che sia da criticare il Signore Gesú, che non poco ma molto sangue ha sparso per la redenzione del mondo e anche oggi ci ordina di versare il nostro sangue per la lotta cosí ardua a vantaggio della religione, dicendo: *Chi vuole seguirmi, prenda la sua croce e mi segua.* Ma se è assolutamente infondata quest'accusa, dal momento che qualcuno si dedica interamente ai doveri verso Dio e si purifica con l'effusione di molto sangue, come possiamo criticare la Legge che ne esige soltanto una goccia, mentre proclamiamo che il Signore Gesú comanda lo spargimento di molto sangue e la morte dell'intero corpo?

11.   Né era privo di significato lo stesso segno visibile della circoncisione, mediante il quale il popolo di Dio — per cosí dire — segnato da un sigillo nel corpo, si distingueva dalle altre nazioni. Ma ora, chi ha ricevuto in dono il nome di Cristo non ricerca piú un segno corporale, poiché ha meritato il privilegio di una denominazione divina. Che c'è d'assurdo se per i doveri verso Dio veniva manifestamente inflitto qualche dolore o travaglio, affinché fosse maggiormente dimostrata la devozione attraverso queste prove? Era bello, anche, che fin dai primi giorni della vita il segno della religione crescesse, e ciascuno di età piú avanzata si vergognasse di cedere o al travaglio o al dolore, poiché la tenera infanzia li aveva vinti entrambi.

12.   Ma ormai il popolo cristiano non ha bisogno del lieve dolore della circoncisione, poiché, mostrando intorno la morte del Signore, ad ogni momento scrive sulla propria fronte il disprezzo della morte [4], in quanto sa che senza la croce del Signore non può avere salvezza. Chi, infatti, per combattere userebbe un ago, quando sappia usare armi piú efficaci?

---

[3] Evidentemente, sant'Ambrogio si riferisce alla distinzione affermata da Marcione tra un Dio dell'Antico Testamento, giusto, ma di una giustizia senza pietà, e un Dio del Nuovo Testamento, buono e pietoso. Vedi *Dict. theol. cath.*, IX, 2, col. 2020. Quanto a Manicheo (Mani), lo stesso *Dictionnaire* scrive (col. 1890): «Les noms de Mani et de Marcion ont été de très bonne heure rapprochés l'un de l'autre... Toutefois Mani était autre chose qu'un disciple de Marcion, et il allait plus loin que lui dans la négation... Au lieu d'attribuer les Écritures juives à un dieu inférieur, Mani y voyait l'oeuvre du diable».

[4] Cf. TERT., *De cor.*, 3: *Frontem crucis signaculo ferimus.*

13.   Iam illud quiuis facile refellendum aduertit, quia propositum est plerosque potuisse ad sacrae religionis prouocari obsequium, nisi essent doloris timore uel laboris contuitu reuocati. Et potuit hoc terrere maiorem, quod infantuli plerique sustinebant sine periculo? Esto tamen aliquos infantulos Iudaeorum, cum dolorem circumcisi corporis plagaeque feruentis sustinere non potuerint, defunctos fuisse; sed hoc nec ceteros deterrebat prouectiori aetate robustos et laudabiliorem faciebat eum qui praeceptis oboedisset caelestibus.

14.   Quod si hoc in exiguo dolore arbitrantur confessionis fuisse obstaculum, quid de martyrio dicunt? Nam si reprehendunt circumcisionis dolorem, reprehendant et martyrum mortem, per quos cumulata, non minuta religio est. In tantum autem abest nocuisse fidei circumcisionis dolorem, ut probabiliorem fidem faciat dolor; maior enim fidei gratia, si quis pro religione contemnat dolorem; et hic magis habet praemium quam ille, qui ideo dolorem uoluit circumcisionis subire, ut gloriaretur in lege et laudem ex hominibus magis quam ex deo quaereret.

15.   Oportuit igitur circumcisionem ex parte fieri ante eius aduentum, qui totum circumcideret hominem; ex parte enim debuit assuescere humana condicio, quemadmodum in id, quod perfectum est, crederetur. Si autem oportuit circumcidi, in qua magis parte membrorum oportuit circumcisionem fieri quam in ea quae quibusdam uidetur inhonestior? *Vt iis quae putarentur ignobiliora esse membra corporis nostri, honestatem abundantiorem circumdarent; et quae inhonesta sunt nostra honestatem abundantiorem haberent* [a]. Vbi enim magis uir sanguinis sui admoneri debuit quam in ea parte quae ministerium errori exhibet?

16.   Nunc tempus est ut et illis respondeamus qui dicunt, si ea pars corporis nostri secundum naturam est, nequaquam eam amputari oportuisse; si non est secundum naturam, non debuisse simul nasci. Qui quoniam tam arguti sunt, et ipsi mihi respondeant, utrum secundum naturam successio humana sit, quae generationibus adolescit, an contra naturam. Si enim secundum naturam, numquam igitur intermittenda est; et quomodo integritas uirorum, uirginitas puellarum, abstinentia uiduarum, continentia coniugum praedicatur? Nullum ergo studium quaerendae successionis feriari debuit. Sed ipse auctor naturae non utique generationi obsecutus est, qui de se, cum esset in corpore constitutus, praebuit magisterium et hortatus est discipulos ad integritatem dicens: *Sunt spadones, qui se castrauerunt propter regnum caelorum: qui potest capere, capiat* [a].

15. [a] * 1 Cor 12, 23.
16. [a] Mt 19, 12.

13. Inoltre, uno qualsiasi si rende conto che può essere facilmente respinta l'obiezione che molti avrebbero potuto essere indotti all'ossequio per la nostra santa religione, se non ne fossero stati distolti dal timore del dolore o dalla considerazione della pena. E come avrebbe potuto atterrire un adulto questa prova, che molti bimbi sostenevano senza pericolo? Ammettiamo pure che alcuni bimbi giudei, non potendo sopportare il dolore del corpo circonciso e della ferita infiammata, siano morti; ma questo non distoglieva tutti gli altri, resi robusti dall'età piú avanzata, e rendeva piú degno di lode chi aveva obbedito alle disposizioni celesti.

14. Che se credono che questo, per un po' di dolore, sia stato un ostacolo per la professione di fede, che cosa dicono del martirio? Infatti, se criticano il dolore della circoncisione, critichino anche la morte dei martiri, per merito dei quali ebbe maggiore, non minor prestigio la religione. A tal punto invece si deve escludere che il dolore della circoncisione abbia nociuto alla fede, che, anzi, il dolore rende piú credibile la fede. Maggiore, infatti, è la grazia della fede, se uno per la religione disprezza il dolore; e costui ottiene il premio a preferenza di quello che volle sottostare al dolore della circoncisione per vantarsi dell'osservanza della Legge e cercare la lode dagli uomini invece che da Dio.

15. Era opportuno, dunque, che avesse luogo una circoncisione parziale prima della venuta di Colui che avrebbe circonciso il mondo intero; infatti la condizione umana doveva abituarsi, in parte, al modo in cui credere a ciò che è perfetto. Ma se era opportuno che si facesse la circoncisione, in quale parte delle membra era opportuno che venisse fatta, a preferenza di quella che a taluni sembra vergognosa? *Affinché rivestissero di una maggiore dignità le parti del corpo che sono ritenute indecorose, e quelle nostre parti che sono indecorose avessero una maggiore dignità.* Dove, infatti, l'uomo avrebbe dovuto essere ammonito riguardo al proprio sangue piú che in quella parte che offre il mezzo all'errore?

16. Ora è tempo di rispondere anche a quelli che dicono che, se quella parte del nostro corpo è conforme a natura, non bisognava affatto amputarla; se non è conforme a natura, non sarebbe dovuta nascere insieme alle altre. Questi, visto che sono cosí spiritosi, rispondano anch'essi se è secondo natura la successione umana — che cresce col passare delle generazioni — oppure contro natura. Se, infatti, è secondo natura, non dovrebbe mai interrompersi; e come mai si esalta l'integrità degli uomini, la verginità delle giovani, l'astinenza delle vedove, la continenza degli sposi? Non avrebbe mai dovuto conoscere sosta l'impegno di ottenere successori. Ma lo stesso Autore della natura non accondiscese certo a procreare, Lui che, essendo stato fornito di un corpo, col suo esempio insegnò ai discepoli e li esortò all'integrità, dicendo: *Vi sono eunuchi che si sono evirati per il regno dei cieli; chi può intendere, intenda.*

17.   Cum sit autem homo compositus ex corpore et anima
— satis est interim hoc dicere et silere de spiritu —, non est in
utroque idem secundum naturam; sed quod est secundum corporis naturam, id contra naturam est animae; et quod secundum
naturam est animae, id contra naturam est corporis; ut si dicam
quod secundum naturam est uisibili, id contra naturam est ei
quod non uidetur; et quod secundum naturam est ei quod non
uidetur, id contra naturam est uisibili. Nihil ergo incongruum in
hominibus dei, si fiant aliqua contra naturam corporis, quae sint
secundum animae naturam.

18.   Qui autem dicunt quoniam plures credidissent, si circumcisio non fuisset, ii sibi responsum hoc habeant, quoniam
plures crederent, si martyria non fuissent; sed praestantior est
fortitudo paucorum quam remissio plurimorum. Sicut autem plurima baptismatum genera praemissa sunt, quia secuturum erat
uerum illud unum in spiritu et aqua sacramentum baptismatis,
quo totus redimitur homo, ita plurimorum circumcisio praemit-
tenda fuit, quia secutura erat circumcisio dominicae passionis,
quam pertulit Iesus quasi agnus dei, ut tolleret peccata mundi [a].

19.   Haec ideo scripsimus, ut ostenderemus quia et debuit
praemitti circumcisio, quae foris est, ut et ea iam post aduentum
domini iure uideatur exclusa. Nunc autem circumcisio est necessaria, quae in occulto est, sicut Iudaeus praestantior, qui in occulto, in spiritu, non littera, quoniam, cum sint in uno homine duo
homines, de quibus dictum est: *Et si is, qui foris est, homo noster
corrumpitur secundum desideria erroris, sed qui intus est, renouatur
de die in diem* [a], et alibi: *Condelector enim legi dei secundum
interiorem hominem* [b], interior est homo noster, qui est ad imaginem et similitudinem dei factus, exterior, qui figuratus e limo.
Sic denique et in Genesi duas tibi creaturas hominis ostendit [c],
secundo creatum hominem significans [d].

20.   Sicut ergo duo homines, ita et gemina conuersatio est;
una interioris hominis, altera exterioris. Et quidem plerique actus
interioris hominis perueniunt ad exteriorem hominem, quemadmodum castimonia interioris hominis transit etiam ad castitatem
corporis. Qui enim adulterium cordis ignorat, idem utique nescit

18. [a] Cf. Io 1, 36.
19. [a] * 1 Cor 4, 16.
     [b] Rom 7, 22.
     [c] Cf. Gen 1, 27.
     [d] Cf. Gen 2, 7.

17.   Siccome l'uomo è composto di corpo e di anima — per il momento basta dire cosí e tacere dello spirito [5] — nell'uno e nell'altra non c'è la medesima disposizione secondo natura, ma ciò che è secondo la natura del corpo è contro la natura dell'anima, e ciò che è secondo la natura dell'anima, è contro la natura del corpo. Per esempio, se dicessi ciò che secondo natura possiede un essere visibile, esso è contro natura per un essere che non si vede; e ciò che possiede secondo natura un essere che non si vede, è contro natura per un essere visibile. Non c'è nulla d'incoerente negli uomini di Dio, se si fanno contro la natura del corpo delle azioni che sono secondo la natura dell'anima.

18.   Quelli, poi, che dicono che molti avrebbero creduto se non ci fosse stata la circoncisione, si abbiano questa risposta: che, cioè, molti crederebbero se non ci fossero stati i martiri. Ma vale di piú la fermezza di pochi che l'arrendevolezza di molti. E come furono premesse varie specie di battesimi [6], perché doveva seguire quell'unico vero sacramento del battesimo in Spirito e acqua, dal quale l'intero uomo è redento, cosí si dovette premettere la circoncisione di molti, perché sarebbe seguita la circoncisione della Passione del Signore, che Gesú, quale Agnello di Dio, sopportò per togliere i peccati del mondo.

19.   Abbiamo scritto questo per dimostrare che doveva anche precedere la circoncisione esteriore, cosí che anch'essa ormai, dopo la venuta del Signore, a buon diritto appaia esclusa. Ma ora è necessaria la circoncisione che sta nel segreto, come è superiore il Giudeo che vive nel segreto; nello spirito, non nella lettera. Infatti, essendovi nell'uomo due uomini, di cui è stato detto: *Anche se il nostro uomo esteriore si corrompe secondo i desideri dell'errore, però quello interiore si rinnova di giorno in giorno*; e in un altro passo: *Acconsento infatti alla legge di Dio secondo l'uomo interiore*, il nostro uomo interiore è quello che è stato fatto ad immagine e somiglianza di Dio; l'esteriore, quello che è stato plasmato dal fango. Cosí — appunto — anche nella Genesi ti mostra due creature umane, per indicare che, successivamente, fu creato l'uomo [7].

20.   Come dunque due sono gli uomini [8], cosí anche duplice è il loro modo di essere: quello dell'uomo interiore e quello dell'uomo esteriore. Eppure molti atti dell'uomo interiore raggiungono l'uomo esteriore, come la purezza dell'uomo interiore passa anche nella castità del corpo. Chi, infatti, ignora l'adulterio del cuore, certamente non conosce l'adulterio del corpo; tuttavia

---

[5] Cf. *De Cain*, II, 1, 6: *Et quia ex anima et corpore constamus et spiritu*. Vedi *Opera omnia*, 2/I, p. 255, nota 14, dove, tra l'altro, si rinvia a 1 Tess 5, 23.

[6] Cf. *De sacr.*, II, 1, 2. Vedi *Opera omnia*, 17, p. 59, nota 3.

[7] Infatti, a Gen 1, 27 si dice: *ad imaginem Dei creauit illum, masculum et feminam creauit eos* (ma immediatamente prima si legge: *Et creauit Deus hominem ad imaginem suam*); 1 2, 7: *Formauit igitur Dominus Deus hominem de limo terrae et inspirauit in faciem eius spiraculum uitae et factus est homo in animam uiuentem*. In realtà il riferimento alla Genesi non appare pertinente.

[8] Cioè, maschio e femmina.

corporis adulterium; non tamen etiam illud est consequens, ut qui non adulterauit corpore, non adulterauit etiam corde, secundum illud: *Quoniam qui uiderit mulierem ad concupiscendum eam, iam adulterauit eam in corde suo* ᵃ. Nam, etsi adhuc non sit adulter corporis, tamen iam affectu adulter est. Ergo est interioris hominis circumcisio; nam, qui circumciditur, totius carnis illecebras tamquam praeputium exuit, ut sit in spiritu, non in carne, et spiritu mortificet corporis sui actus.

21.　Et haec est, quae in occulto est circumcisio, sicut Abraham ante in praeputio erat, postea factus est in circumcisione ᵃ. Sic interior homo noster, quando est in carne, tamquam in praeputio est; quando autem iam non est in carne, sed in spiritu, incipit esse in circumcisione, non in praeputio. Sicut autem qui circumciditur, non totam carnem exuit, sed solum praeputium, ubi corruptela frequentior, ita qui in occulto circumciditur, carnem illam exuit, de qua scriptum est: *Omnis caro fenum, et omnis gloria eius ut flos feni. Aruit fenum et flos eius decidit; uerbum autem domini manet in aeternum* ᵇ. Et remanet caro, quae uidebit salutare dei, sicut scriptum est: *Et uidebit omnis caro salutare dei* ᶜ. Quae sit ista caro, munda aures ut intellegas.

22.　Talis ergo debet esse in occulto circumcisio, ut nullam habeat comparationem cum ea, quae foris est, circumcisione. Et ideo qui in occulto iudaeus est, ipse praestat; qui est a Iuda, cuius manus supra ceruicem inimicorum eius, qui recubans requieuit ut leo et ut catulus leonis, quem laudant fratres eius ᵃ. Ab hoc Iuda non deficit princeps, quia sermo eius principes facit, qui non subiciantur illecebris saecularibus et captiuentur uoluptatibus istius mundi. Et quia ipse Iudas in hanc generationem uenit, ideo plurimi, qui postea generati sunt, praeferuntur, ut uirtutum principatu gaudeant. Habeamus itaque circumcisionem in occulto et in occulto iudaeum, qui est spiritalis: spiritalis autem, utpote princeps, diiudicat omnia, ipse autem a nemine diiudicatur ᵇ.

23.　Debuit ergo legis mandata praescripto circumcisio, quae ex parte erat, cessare, posteaquam uenit qui circumcisionem faceret totius hominis et impleret circumcisionem legis. Quis autem est iste, nisi qui dixit: *Non ueni legem soluere, sed implere* ᵃ?

---

20. ᵃ * Mt 5, 28.
21. ᵃ Cf. Rom 4, 11.
　　ᵇ * Is 40, 6.7.8.
　　ᶜ Lc 3, 6.
22. ᵃ Cf. Gen 49, 8.
　　ᵇ Cf. 1 Cor 2, 15.
23. ᵃ Mt 5, 17.

non ne consegue che chi non ha commesso adulterio nel corpo, non abbia commesso adulterio anche nel cuore, secondo quel detto: *Chi guarda una donna per desiderarla, ha già commesso adulterio in cuor suo.* Infatti, anche se non è ancora adultero nel corpo, tuttavia è già adultero nel desiderio. C'è, dunque, una circoncisione dell'uomo interiore; infatti, chi viene circonciso, depone tutte le seduzioni della carne come un prepuzio, cosí da esistere nello spirito, non nella carne, e da mortificare con lo spirito gli atti del proprio corpo.

21.   E questa è la circoncisione segreta, come nel caso di Abramo, che prima aveva il prepuzio e poi divenne circonciso. Cosí il nostro uomo interiore, quand'è soggetto alla carne, è come se avesse il prepuzio; quando invece non è soggetto alla carne, ma allo spirito, comincia ad essere circonciso e a non avere il prepuzio. E come chi viene circonciso non si spoglia di tutta la carne, ma solo del prepuzio — dove la corruzione è piú frequente —, cosí chi viene circonciso in segreto, si spoglia di quella carne di cui sta scritto: *Ogni carne è come l'erba e ogni sua gloria come il fiore dell'erba. L'erba si dissecca e il suo fiore appassisce, ma la parola del Signore dura in eterno.* E resta la carne che vedrà la salvezza di Dio, come sta scritto: *E ogni carne vedrà la salvezza di Dio.* Per capire quale sia questa carne, netta gli orecchi.

22.   La circoncisione nel segreto deve essere tale da non avere nessun paragone con la circoncisione esteriore. E perciò, chi è giudeo nel segreto è superiore: questi discende da Giuda, le cui mani posarono sul collo dei suoi nemici, che sdraiato riposò come un leone e come un leoncello, che viene lodato dai suoi fratelli. A questo Giuda non viene meno il potere di principe, perché la sua parola fa principi che non si sottomettono alle seduzioni del secolo e non si lasciano catturare dai piaceri di questo mondo. E poiché lo stesso Giuda venne in questa generazione, per questo moltissimi, che furono generati dopo di lui, gli vengono anteposti per godere del principato della virtú. Abbiamo pertanto una circoncisione segreta e un giudeo in segreto, che è spirituale. Ma chi è spirituale, in quanto principe, giudica tutto e non è giudicato da nessuno.

23.   Dunque, la circoncisione imposta dalla prescrizione della Legge, che era parziale, avrebbe dovuto cessare, poiché era venuto chi avrebbe circonciso tutti gli uomini e avrebbe dato compimento alla circoncisione della Legge. Ma chi è Costui se non chi disse: *Non sono venuto ad abolire la Legge, ma a darle compimento?*

24.   Quamquam, si diligenter intendas, et illa sit ratio, qua iam cessare debuerit praeputii circumcisio, quia plenitudo gentium uenit. Non enim gentibus circumcisio mandata est, sed semini Abraham; sic enim habes in primo oraculo: *Et dixit deus ad Abraham: «Tu autem testamentum meum obseruabis, tu et semen tuum post te in progenies eorum. Et hoc est testamentum meum, quod obseruabis inter me et uos, et semen tuum post te in progenies eorum. Circumcidetur uestrum omne masculinum, et circumcidetis carnem praeputii uestri, et erit in signo testamenti inter me et uos. Infans octo dierum circumcidetur uobis, omne masculinum in progenies uestras. Vernaculus domus tuae et pecunia emptus ab omni filio alterius, qui non est ex semine tuo, circumcisione circumcidetur; et erit testamentum meum in carne uestra, in testamentum aeternum. Et incircumcisus masculus, qui non circumciderit carnem praeputii sui octauo die, exterminabitur anima illa de generatione illa, quia testamentum meum transgressus est»* [a]. Hebraeus quidem negatur habere de octauo die, sicut Aquila significat. Sed non in Aquila omnis auctoritas, qui quasi iudaeus in littera praeteriit nec posuit octauum diem.

25.   Interim et octauum diem et in signo datam circumcisionem audisti: signum autem rei maioris indicium est, indicium ueritatis futurae; et datum testamentum Abrahae et semini eius, cui dictum est: *In Isaac erit semen tuum* [a]. Ergo circumcidi licuit iudaeum uel domi eius natum uel pecunia eius emptum. Non possumus deriuare hoc ad alienigenam aut proselytum, nisi fuerint in domo Abrahae nati aut pecunia eius empti uel seminis eius. Denique nihil dixit de proselytis, de quibus quando uoluit dicere, nominauit eos, sicut habes: *Et locutus est dominus ad Moysen dicens: «Loquere ad Aaron et ad filios eius et ad omnes filios Israel, et dices ad eos: Homo, homo a filiis Israel et a proselytis, qui sunt appositi uobis, quicumque fecerit holocaustum»* [b]. Vbi ergo comprehendit eos, ibi lex eos tenet; ubi oraculo non significantur, quomodo astringi uideantur? Sic habes denique: *Dic filiis Aaron* [c], quando de sacerdotibus dicit. Habes quando et de leuitis dicit.

26.   Ergo omnifariam claret etiam secundum litteram legis, quamquam lex spiritalis sit, et secundum ipsam tamen litteram ad circumcisionem teneri non potuisse nationum populos, sed ipsam circumcisionem in signo fuisse, donec plenitudo gentium intraret et sic omnis Israel saluus fieret, circumcisus corde, non exigua membri unius parte. Ergo satis et excusata a nobis et exclusa est Iudaeorum manens hodieque circumcisio.

24. [a] * Gen 17, 9 ss.
25. [a] Gen 21, 12.
    [b] Leu 17, 1-2.
    [c] Leu 17, 1.

24, 1   quam iam *Maurini manifeste erratum.*

24.   Del resto, se tu riflettessi con diligenza, vi sarebbe anche un'altra ragione per cui sarebbe dovuta cessare la circoncisione del prepuzio, perché era venuta, cioè, la pienezza delle genti. La circoncisione, infatti, non fu imposta ai popoli gentili, ma alla discendenza di Abramo. Questo tu trovi nella prima disposizione divina: *E disse Dio ad Abramo:* «*Tu osserverai il mio patto, tu e la tua discendenza dopo di te di generazione in generazione. E questo è il mio patto che osserverai tra me e voi e dopo di te la tua discendenza di generazione in generazione. Sarà circonciso ogni vostro maschio e circonciderete la carne del vostro prepuzio e sarà segno del patto tra me e voi. Voi circonciderete il bimbo di otto giorni, ogni maschio di generazione in generazione. Sarà circonciso lo schiavo nato nella tua casa e quello comperato da quasiasi straniero, che non sia della tua stirpe. E il mio patto sussisterà nella vostra carne quale patto perenne. E il maschio incirconciso, che non circonciderà la carne del suo prepuzio l'ottavo giono, sarà eliminato da quella generazione perché ha violato il mio patto*». È vero che si nega che l'ebreo abbia prescrizioni riguardo l'ottavo giorno, come lascia intendere Aquila [9]. Ma in Aquila non risiede ogni autorevolezza perché, in quanto giudeo, fu trascurato nel rendere il testo letterale [10], e non menzionò l'ottavo giorno.

25.   Intanto hai inteso dell'ottavo giorno e della circoncisione data come segno; ma il segno è indizio di un fatto piú importante, indizio della futura verità. E fu dato quale patto ad Abramo e alla sua discendenza e gli fu detto: *In Isacco avrà origine la tua discendenza.* Dunque, era lecito circoncidere il giudeo o lo schiavo nato nella sua casa o comperato col suo denaro. Non possiamo estendere quest'obbligo ad un pagano o al proselita, a meno che non fossero nati nella casa di Abramo o comperati col suo denaro o fossero della sua stirpe. Perciò non disse nulla dei proseliti, perché, quando ne volle parlare, li nominò, come trovi scritto: *E il Signore parlò a Mosè dicendo:* «*Parla ad Aronne e ai suoi figli e a tutti i figli d'Israele e dirai loro: Qualsiasi uomo dei figli d'Israele e dei proseliti farà un olocausto*». In quelle prescrizioni nelle quali sono compresi, lí sono vincolati dalla Legge; dove invece non sono indicati dalla prescrizione divina, come potrebbero sembrare vincolati? Perciò tu trovi: *Di' ai figli di Aronne,* quando parla dei sacerdoti; cosí trovi quando parla anche dei leviti.

26.   Dunque, da ogni punto di vista, è chiaro che anche secondo la lettera della Legge — quantunque la Legge sia spirituale —, e proprio secondo la lettera della Legge, i popoli gentili non potevano essere obbligati alla circoncisione; ma la stessa circoncisione serví quale segno, in attesa che la pienezza delle genti entrasse nella Chiesa e cosí tutto Israele fosse salvo; circonciso nel cuore, non in una piccola parte di un solo membro. Dunque, è stata sufficientemente giustificata da noi, ed esclusa, la circoncisione dei Giudei, sussistente anche oggi.

[9] Aquila è un ebreo dell'età di Adriano, autore di una traduzione in greco dell'Antico Testamento, accolta da Origene nei suoi *Esapla.*
[10] Evidentemente, nella sua traduzione greca.

27. Quod autem reprehensioni eam dicunt fuisse uel esse
gentilibus, primum non habent reprehendere ipsi uel irridere,
quod alii consortes faciunt sui. Esto tamen, fuerit quod irriderent:
quid hoc nos mouere debet, cum ipsa crux domini Iudaeis scanda-
lum, Graecis stultitia, nobis autem uirtus dei sit atque sapientia [a],
et ipse dominus dixerit: *Qui me confusus fuerit coram hominibus,*
confundar et ego eum coram patre meo, qui est in caelis [b], docens
nos iis, quae ridentur ad hominibus, non commouendos, si qua
pro religionis obsequio deferuntur?

27. [a] Cf. 1 Cor I, 23-24.
       [b] * Lc 9, 26; * Mc 8, 38.

27. Quanto al fatto che dicono che essa fu motivo di biasimo
— o lo è tuttora — da parte dei Gentili, anzitutto essi non devono
biasimare o irridere ciò che fanno gli altri loro consoci [11]. Tuttavia,
ammettiamo pure che vi sia stata materia d'irrisione: perché
questo deve turbarci, dal momento che la stessa croce del Signore
è scandalo per i Giudei, stoltezza per i Gentili, mentre per noi è
potenza e sapienza di Dio, e lo stesso Signore ha detto: *Se uno
si vergognerà di me davanti agli uomini, anch'io mi vergognerò di
lui davanti al Padre mio che è nei cieli?* Con queste parole ci
insegnava che non dobbiamo lasciarci turbare da quelle cose che
sono derise dagli uomini, se esse sono proposte come oggetto di
religioso ossequio.

---

[11] In quanto, come si è visto sopra (par. 6), la circoncisione era praticata anche
da pagani.

INDICI

INDICE SCRITTURISTICO *

* Il presente indice contiene le citazioni riportate in calce al testo latino; il primo numero si riferisce alla lettera, il secondo al paragrafo.

25, 23:   51, 19.
26, 59-60:   56, 19.
26, 70ss.:   67, 7.
27, 23:   40, 3A.
27, 25:   40, 3A.
27, 46:   40, 5.
27, 52:   39, 7.

Mc

2, 11:   67, 4.
8, 38:   69, 27.

Lc

1, 24:   56, 13.
1, 28:   56, 16.
2, 35:   48, 9.
3, 6:   69, 21.
9, 23:   36, 26.
9, 26:   69, 27.
10, 20:   68, 14.
10, 35:   68, 5.
13, 19:   54, 3.
13, 21:   54, 3.
15, 17:   36, 12.
15, 19:   36, 12.
17, 6:   54, 3.
17, 15:   66, 8.
19, 33:   64, 9.
20, 36:   57, 19.
21, 2:   68, 4.
24, 7:   68, 7.
28, 43:   40, 5.

Io

1, 14:   39, 8.
1, 18:   39, 10.
1, 29:   63, 11; 65, 6.
1, 36:   69, 18.
1, 39:   68, 6.
3, 9:   66, 7.
4, 7:   66, 7.
4, 14:   36, 3.
6, 27:   36, 11.
6, 49.52:   54, 1.
7, 16:   67, 6; 68, 4.
7, 38:   36, 2.
8, 3 ss.:   68, 11.
8, 4-5:   68, 11.
8, 6:   68, 15.
8, 7:   50, 6; 68, 12.
8, 8:   50, 5.
8, 10-11:   50, 7; 68, 17.
8, 11:   64, 6; 68, 2.
8, 15:   68, 11.

8, 20:   68, 4.
8, 56:   69, 1.
9, 1:   67, 1.
9, 2:   67, 3.
9, 3:   67, 3.
9, 5:   67, 3.
9, 6:   67, 6.
9, 7:   67, 4.
9, 10:   67, 8.
9, 28:   67, 9.
10, 30:   68, 4.
11, 35:   39, 7.
11, 44:   39, 7; 67, 4.
13, 8:   36, 11.
13, 27:   67, 7.
15, 3:   67, 5.
15, 16 (Sept.):   36, 11.
15, 22:   63, 5.
16, 32:   68, 16.
22, 1:   36, 11.

Act

2, 4:   55, 1.
3, 6:   39, 4.
3, 13:   39, 4.
9, 5:   36, 5.
15, 10:   69, 1.

Rom

2, 14:   63, 2.
3, 19:   63, 6; 63, 10.
4, 6:   63, 11.
4, 11:   69, 21.
4, 15:   63, 1.
5, 19:   36, 18; 63, 8.
5, 20:   63, 7; 63, 10; 63, 11.
6, 7:   69, 9.
6, 8:   40, 7.
7, 7:   63, 8.
7, 8:   63, 5.
7, 22:   69, 19.
8, 32:   36, 26.
13, 4:   50, 1.
13, 12:   67, 6.
14, 3:   36, 7.
15, 5:   36, 7.

1 Cor

1, 23-24:   69, 27.
2, 15:   49, 4; 69, 22.
3, 2:   36, 6.
3, 6-7:   55, 14.
3, 12-13:   64, 6.
3, 14:   64, 8.

INDICE DEGLI AUTORI ANTICHI *

* Comprende le citazioni contenute nel commento, escluse quelle bibliche.

INDICE DEI NOMI *

* I nomi sono elencati nella forma italiana corrispondente a quella della *Vulgata*. Non sono compresi i nomi contenuti nelle citazioni testuali; in taluni casi, invece, si è registrato anche l'appellativo, specie se usato per antonomasia.

Il primo numero dopo il punto e virgola indica la lettera, i seguenti indicano i paragrafi; il numero tra parentesi indica quante volte lo stesso nome è ripetuto nel medesimo paragrafo.

INDICE DEI CORRISPONDENTI

INDICE ANALITICO

INDICE GENERALE

BIBLIOTECA AMBROSIANA - MILANO
CITTÀ NUOVA EDITRICE - ROMA

OPERA OMNIA DI SANT'AMBROGIO

Edizione latino-italiana

PIANO DI PUBBLICAZIONE

OPERE POETICHE E FRAMMENTI

BIBLIOTECA AMBROSIANA - MILANO
CITTÀ NUOVA EDITRICE - ROMA

SCRITTORI DELL'AREA SANTAMBROSIANA

COMPLEMENTI DELL'OPERA OMNIA
DI SANT'AMBROGIO

Edizione latino-italiana

PIANO DI PUBBLICAZIONE

Finito di stampare nel mese
di settembre 1988
dalla tipografia Città Nuova della P.A.M.O.M.
Largo Cristina di Svezia, 17
00165 Roma tel. 5813475/82